롱맨스가 가능해?

롱맨스가
가능해?

*Is the romance
possible?*

송정원
장편소설

1

iB
BOOK

목차

contents

1장

1장

　지금으로부터 24년 전, 서이다는 보육원 앞에 버려진 갓난아이였다. 잘 키워 달란 쪽지 한 장 없이, 생일과 이름조차 적어 놓지 않고 덜렁 아이만 버려 놓은 누군가를 보육원 원장은 몹시도 괘씸해했다. 그녀로서는 아이의 이름 짓기만큼 귀찮은 일이 세상에 또 없었기 때문이다.

　그날 너무나도 귀찮았던 원장의 눈에 띈 음료수가 사이다가 아닌 밀키스였다면, 서이다의 이름은 민키스가 되었을지도 모를 일이다. 서이다, 그녀가 원장으로부터 들은 그날의 이야기는 그게 전부였다.

　그날 버려진 갓난아이가 그녀와 그녀의 쌍둥이 언니라는, 다시 말해 자신이 쌍둥이였다는 이야기는 오늘 처음 들었다. 원장으로부터가 아니라 웬 대기업 회장실 비서라는 사람으로부터.

"그러니까 나한테 원래는 쌍둥이 언니가 있었는데, 내가 그걸 모르고 컸다?"

이다는 테이블 건너편의 윤 비서를 향해 질문을 던졌다. 윤 비서는 긴장한 얼굴로 고개를 끄덕였다.

"근데 그걸 아저씨는 어떻게 아시는데요?"

윤 비서는 조심스레 주위를 둘러보았다. 일식당의 프라이빗룸인지라 외부에서 안을 볼 순 없을 테지만, 그래도 워낙 극비인 사항이기에 주위를 경계하며 슬그머니 테이블 위로 사진을 올렸다.

사진 속 여자를 본 이다는 순간 제 사진인 줄 착각할 뻔했다. 정말 거울을 보는 것처럼 똑같이 생긴 얼굴이었다.

그렇지만 이다는 금세 이건 자신의 사진일 리 없다고 판단했다. 머리부터 발끝까지, 얼굴 빼곤 모든 것이 정반대였으니까.

짧은 커트 머리에 운동화와 바지 차림을 사시사철 고집하는 그녀와 달리, 사진 속 여자는 허리까지 내려오는 긴 머리칼에 하이힐, 원피스 차림이었다.

서이다는 태어나서 단 한 번도 이런 모습인 적이 없었으니, 착각은 금방 깨어질 수 있었다.

"이 사람이 서이다 씨 쌍둥이 자매입니다. 저희 SJ 그룹 회장님 사모님께서 24년 전, 보육원에서 비밀리에 막내딸로 입양했었지요. 어느 쪽이 언니인진 모르지만, 편의상 입양된 쪽을 서이다 씨 언니라고 치고 얘기하겠습니다."

윤 비서의 설명에 이다는 미간을 찌푸렸다.

"입양이요?"

"워낙 극비 사항이라, 회장님 부부께서 보육원 측 입막음을 철저히 하셨습니다. 그래서 서이다 씨도 쌍둥이 언니의 존재를 몰랐던 거지요."

이다는 어이없단 눈빛으로 윤 비서를 응시했다.

"그럼 끝까지 모르게 하지. 지금 왜 알리는 건데요?"

"그게⋯⋯. 갑자기 문제가 생겼습니다."

"무슨 문제요?"

"가출하셨습니다, 서이다 씨 언니가."

찡그리고 있던 이다의 얼굴이 더욱 구겨졌다.

"그래서 뭐, 걔가 나 찾아오기라도 했을까 봐, 걔 찾으러 왔어요?"

"아닙니다. 서이다 씨한테 부탁하러 왔습니다."

"부탁?"

"언니 대신 결혼 좀 해 주십시오."

생각지도 못한 황당한 부탁에 이다는 더 구겨지지도 않는 표정을 아예 풀어 버렸다. 윤 비서는 다급하게 말을 이었다.

"실은 내일모레가 결혼식인데, 그 결혼을 피하려고 가출한 겁니다. 서이다 씨 언니가요."

"⋯⋯."

"근데 그 결혼이 틀어지면, 여러모로 대단히 곤란해지거든요. 일반적인 결혼이 아니라 회사 대 회사의 결합이라서요. 그래서 언니 찾을 때까지, 서이다 씨가 언니인 척 결혼을 좀 해 주셨으면 합니다."

"⋯⋯."

"물론 언니를 못 찾는다고 해서, 10년이고 평생이고 계속 결혼 생활 유지해 달라는 건 아닙니다. 딱 1년만, 1년만 해 주시면 됩니다."

잠자코 윤 비서를 지켜보던 이다는 비딱해진 얼굴로 팔짱을 꼈다.

"무슨 말인지는 알겠는데요. 일단 언니 소린 빼죠. 난 언니 없으니까."

"예?"

"이 여자, 이름 뭐예요?"

이다의 시선이 사진 속 여자를 가리켰다.

"혜주, 최혜주입니다."

"그러니까 날더러 이 최혜주를 찾을 때까지, 대신 최혜주 행세를 해 달라는 거잖아요. 못 찾으면 딱 1년 동안만."

"맞습니다."

"흠......."

이다는 고개를 비스듬히 기울이고는 썩 내키지 않는 투로 사진 속 여자를 내려다봤다.

"어차피 정략결혼이라, 집 안에서는 진짜 부부처럼 살지 않으셔도 됩니다. 다만 집 밖에서 남들 보기에만 부부처럼 보이도록 생활하시면……. 아, 쉽게 말하자면 하우스메이트가 하나 생기는 겁니다. 밖에서 마주칠 일 거의 없는 하우스메이트죠."

윤 비서는 대리 결혼을 최대한 쉬운 일로 여겨지게 설명했다.

"1년 뒤엔 자연스레 별거 수순 진행될 테니까, 남편분과는 친하게 지내지 않으셔도 됩니다."

그러나 이다는 여전히 내키지 않는 표정을 유지했다.

"대가로 2억 드리겠습니다. 최대 1년 결혼 생활에 2억입니다."

1년에 2억. 대략 월급 1,666만 원인 셈인가.

잠자코 머릿속 계산을 마친 이다는 아무런 동요도 없는 눈빛으로 입을 열었다.

"5억."

"예?"

"5억이면 할게요."

"5, 5억이요?"

이다는 당황한 윤 비서의 눈을 태연하게 마주 보며 되물었다.

"이 결혼 틀어지면, 여러모로 대단히 곤란해진다면서요? 그럼 5억으로 막을 가치 충분히 있지 않나? 설마 그 정도 가치도 없는 결혼에, 명색이 재벌 그룹이 가짜 신부 내세울 만큼 목을 매고 있다는 건 아니죠?"

"그, 그렇기야 한데……."

미처 생각지 못한 요구라 윤 비서는 선뜻 답을 하지 못하고 망설이다 덧붙였다.

"잠시 통화 좀 하고 오겠습니다. 회장님께 여쭤봐야 할 일이라……."

"그래요, 그럼."

이다는 의자 등받이에 등을 꾹 기대고서 여유롭게 윤 비서를 바라봤다.

고등학교 중퇴에 건당 3,000원씩 버는 배달원에게 2억이면 차고 넘치는 금액일 줄 알았건만.

아무래도 보통내기가 아닐 것 같단 예감 속에 윤 비서는 몸을 일으켰다. 그리고 조심스레 등을 돌려 문으로 향하는데, 뒤에서 이다의 목소리가 들려왔다.

"아, 그리고 계약금 5억은 선금으로 하죠."

"예?"

윤 비서가 돌아보자 이다는 여전히 팔짱을 낀 채 느긋이 말했다.

"선금으로 지급해야 그 일 하겠다고요."

"그건……. 그건 어렵습니다. 죄송하지만 일이 확실하게 끝나기 전에 전액을 선금으로 드리는 건 위험하다 판단됩니다. 일이 끝나기도 전에 서이다 씨가 돈만 받고 사라지시면 곤란하니까요."

윤 비서는 난처해하면서도 해야 할 말을 분명하게 전달했다.

"계약금을 미리 주지 않으면, 저는 시작하지 않을 텐데요."

"시작해도 끝까지 완주하지 않으면, 시작하지 않느니만 못합니다."

"그럼 완주할 수 있게 만드세요."

"예?"

"끝까지 완주하면 5억 더."

이다는 당당한 눈으로 윤 비서의 눈을 빤히 보며 말을 이었다.

"결승점에 5억이 더 있다면, 그거 포기하고 딴 데 못 가죠. 다른 사람은 몰라도 나는 절대 딴 데 못 가요. 죽어도 결승점까지 뛰고 말지."

한마디로 선지급 5억, 후지급 5억. 도합 10억을 내놓으란 얘기다.

길어 봐야 1년 대리 결혼에 10억이라니.

윤 비서는 입이 떡 벌어진 채 믿을 수 없는 눈으로 이다를 바라봤다. 양심을 비난하는 듯한 윤 비서의 시선에 이다는 아무렇지 않게 미소를 지어 보였다.

"가방끈 짧은 고아라고 싼값으로 후려칠 생각 마요. 그쪽 계산으로 내 1년, 2억짜리라고 생각했나 본데. 나한텐 10억 가치 충분하니까."

시원시원한 목소리가 윤 비서의 정곡을 찔렀다. 덕분에 등골이

서늘해진 채 윤 비서는 도망치듯 방을 빠져나갔다.

*　*　*

2억에서 10억으로. 뜻밖의 연봉 협상에 최 회장은 잠시 침묵하다 호탕하게 반응했다. 그 정도 배짱이면 제 역할은 잘할 테지. 그렇게 낙관하는 최 회장의 목소리를 들은 뒤, 윤 비서는 서이다의 계좌로 선금 5억을 입금했다.

그때부터 서이다는 최혜주가 되기 위한 준비에 돌입했다. 결혼식까지 남은 이틀 동안, 그녀는 자신의 옥탑방 대신 윤 비서가 준비한 호텔 객실에 머물며 최혜주에 대한 정보를 외웠다.

최 회장의 바깥 여자들이 낳은 아이 수는 무려 다섯이었다. 다섯 번째 혼외 자식이 태어나던 해, 최 회장의 아내는 어렵사리 임신에 성공했다. 그러나 그녀의 아이는 태어난 지 반년 만에 사망했다.

절실하게 자신의 아이를 원했던 그녀는 최 회장을 설득했고, 결국 부부는 친딸이 죽은 사실을 숨긴 채 비밀리에 아이를 입양했다. 최 회장의 아내는 그 아이를 자신이 낳은 딸로 세상에 소개했다. 그 아이가 바로 최혜주, 서이다의 쌍둥이 언니였다.

그렇게 부잣집 막내딸로 사모님의 과잉보호 속에 자란 최혜주는 그야말로 온실 속의 화초였다.

하지만 2년 전 사모님이 돌아가신 후로 최혜주의 온실은 예전 같지 않았던 모양이다.

"그러니까 지금 최 회장 집안에서 최혜주하고 친한 사람은 최 회장 둘째 아들 최서한, 한 사람밖에 없단 얘기죠?"

결혼식 당일 아침, 웨딩숍으로 이동하는 차 안에서 이다는 확인 차 질문했다. 운전 중인 윤 비서 외엔 들을 사람이 아무도 없으므로 목소리를 낮출 필요는 없었다.

"예. 덕분에 결혼식 전 며칠 동안 집에 안 계셨던 거, 이상하게 생각할 사람 없습니다. 최근 최서한 씨마저 출장 중이라서, 집에 친한 사람이 아무도 없으니까요. 아, 최서한 씨는 결혼식에도 못 올 겁니다. 결혼식 다음 날에나 귀국하거든요."

"최혜주가 가출했다는 건 최 회장과 윤 비서만 아는 일인가요?"

"예. 떠난다는 메시지를 회장님께만 보낸 걸로 압니다. 알려지면 곤란한 사실이라, 가족에게도 비밀로 하고 계십니다."

"결혼식에 올 가족들과는 친하지도 않고, 가출 사실도 최 회장만 안다……."

이다는 창틀에 팔꿈치를 대고 턱을 괴었다.

"그럼 그 사람들하고 이러쿵저러쿵 말 섞을 필요 없겠네요. 친한 척할 것도 없고, 변명할 것도 없고. 그건 편하네."

판단을 마친 이다는 나른해진 눈으로 하품했다. 지난 이틀 동안 외워야 할 것이 너무 많았다. 미용실에 도착할 때까지 쪽잠이나 자 둘까 싶어 이다는 아예 눈을 감았다. 그러자 윤 비서의 조심스러운 목소리가 들려왔다.

"저……. 남편 되실 분에 대해서는, 물어볼 것 없습니까?"

* * *

예식장 주차장에 차를 세운 태건은 차에서 내려 뒷좌석의 문을 열었다. 턱시도를 입은 찬재가 거기 앉은 채로 잠이 들어 있었다.

"강 이사님, 강 이사님!"

태건이 어깨를 흔들자 찬재는 눈을 떴다. 그는 여기가 어디냐는 듯 몽롱한 눈빛으로 태건을 봤다.

"일어나세요, 결혼하셔야죠!"

다급한 외침에 찬재는 아아, 하며 기지개를 켰다.

"진짜 환장하겠습니다. 웨딩숍에 신부님 모시러 가진 못할망정 이렇게 따로 와서는, 태평하게 잠이 오십니까?"

찬재의 입에서 대답 대신 하품이 이어졌다.

"결혼사진도 신부님 혼자 찍게 하고, 나중에 따로 찍어 합성시키시질 않나. 내가 살다 살다 결혼식 날 서로 처음 만나는 신랑 신부는, 진짜 처음 봅니다."

찬재는 성가신 듯 눈살을 찌푸린 채 차를 빠져나왔다. 몸을 일으킨 찬재의 그림자가 머리 위로 드리우자 슬쩍 위압감을 느낀 태건이 헛기침을 했다. 찬재는 그런 태건의 어깨를 툭툭 두드리며 말했다.

"돈 주고도 못 볼 구경 내 덕분에 한 거지. 너무 고마워할 것 없어."

"고마워하지 않아요, 불안해하고 있다고요! 이러다 파혼당하실까 얼마나 불안한지 아십니까?"

"이 결혼, 기업 간의 계약 같은 거야. 이미 기사까지 떴는데, 파혼 불가능해."

"그래서 잡은 물고기처럼 막 대하신 겁니까?"

"막 대하다니? 어차피 결혼하면 매일 봐야 할 마누라, 결혼 전 시간까지 함께하고 싶진 않았을 뿐이야. 그리고 최혜주도 불만 없었잖아?"

찬재는 뭐가 문제냐는 듯이 어깨를 으쓱하곤 덧붙였다.

"그리고 나 나름 그 여자 배려도 했어."

"배려요?"

"어제 갑자기 신혼 여행지 바꾸겠다는 거, 군말 없이 허락해 줬잖아?"

태건은 어제 최혜주의 비서로부터 온 연락을 떠올렸다. 최혜주의 컨디션이 좋지 않아 장기간 비행은 무리일 것 같다, 본래 뉴욕이던 신혼 여행지를 가까운 세부로 바꿨으면 한다. 최혜주의 비서는 그런 부탁을 최혜주 대신 전달했었다.

곧 결혼할 사이인데, 서로 직접 연락해도 될 것을.

가만 보면 끼리끼리 만난 것도 같단 생각을 하는 찰나, 찬재의 목소리가 이어졌다.

"나는 뉴욕에 가고 싶었지만, 최혜주를 배려했어. 막 대하는 상대라면 그런 배려, 하지 않아."

어지간히 대단한 배려를 한 것처럼 말하고서 찬재는 시계를 확인했다. 예식까지는 두 시간이 남아 있었다. 슬슬 들어가서 하객 맞을 준비를 해야겠군. 의무적으로 생각하며 찬재는 발걸음을 움직였다.

예식 홀 입구에는 오늘 부부가 될 두 남녀의 사진 한 장이 커다랗게 진열되어 있었다.

사진 속 웨딩드레스 차림의 여자, 최혜주는 정면을 바라보며 옅은 미소를 띠고 있었다. 허리까지 내려오는 긴 머리에 머메이드 디자인의 웨딩드레스가 고혹적이었다. 그녀 곁에서 턱시도 차림의 남자, 강찬재는 최혜주의 관자놀이에 이마를 댄 채 그녀를 바라보며 웃고 있었다. 그 바람에 옆모습만 보였지만, 선이 굵고 분명한 그의 옆얼굴은 최혜주의 부드러운 이목구비와 절묘하게 어우러져 보기 좋은 한 쌍을 연출하고 있었다.

사진 앞에 우뚝 선 찬재는 자신의 옆얼굴을 지켜보며 감탄했다.

"기술 좋네. 합성인 거 아무도 모르겠어."

그보다도 훨씬 감탄에 찬 얼굴로 태건은 고개를 끄덕였다. 태건의 시선은 사진 속 최혜주에게로 향해 있었다.

"최혜주 씨, 진짜 예쁘시네요."

넋 놓고 하는 말에 찬재는 대수롭지 않은 눈빛으로 사진 속 최혜주를 응시했다.

"저 정도 예쁜 얼굴 흔해."

"어디에요? 방송국에요?"

"아니. 내가 만난 여자 중에."

"……."

그게 그거잖아! 태건은 버럭 외치고픈 충동을 애써 억누르며 침묵했다.

"그리고 저 분위기, 별로야."

"분위기가 왜요?"

"청승스러워."

찬재는 계속 최혜주를 지켜보며 못마땅한 투로 말했다.

"보는 사람 기분 가라앉게 하는 그런 분위기네. 눈빛에 생기도 없고. 비 오기 전 우중충한 날씨 같달까."

"……청순을 청승으로 잘못 알고 계시는 거 아니고요?"

"나한텐 둘 다 같은 말이야. 미지근하고 밋밋하고 재미없어 보이는 거지."

인색하게 평가하는 찬재의 옆으로 누군가가 발을 내디뎠다. 태건이 있는 오른쪽이 아니라 왼쪽, 거기에 선 누군가가 나지막이 목소리를 냈다.

"좀 그래 보이기는 하네요."

별다른 감정이 느껴지지 않는 무덤덤한 목소리였다. 소리를 따라 고개를 돌리자 나란히 선 여자의 옆얼굴이 보였다. 매끈하게 빗어 올린 머리에 웨딩드레스를 입은 채, 여자는 결혼사진을 바라보고 있었다. 목소리만큼 무덤덤한 표정이었다. 자기 사진인데, 마치 전혀 모르는 사람의 사진을 보는 것처럼.

"최, 최, 최혜주 씨?"

당황한 태건의 질문에 여자는 고개를 돌렸다. 그러나 정작 그녀가 눈을 마주친 상대는 찬재였다. 사진 속 최혜주와 똑같은 얼굴이 강찬재를 향해 정면을 보였다.

찬재는 순간 사진으로 볼 때와는 달리 가슴속이 저릿했다.

"결혼 전에 할 얘기가 있는데."

초면이라는 게 믿기지 않을 만큼 최혜주는 담담한 눈빛으로 말했다.

"잠깐 대기실에서 봐요."

윤 비서가 신부 대기실 앞을 지키는 가운데 이다는 찬재와 단둘이 안으로 들어섰다. 이다는 난생처음 신는 하이힐이 불편해서 곧장 신부 의자에 앉았다. 속을 알 수 없는 무표정한 얼굴을 바라보며 찬재는 그녀 앞에 다가섰다. 그리고 건성으로나마 예의를 차렸다.

"처음 만나 뵙겠어. 반갑다고 치자."

찬재는 대강 인사를 내뱉으며 손을 내밀어 악수를 청했다. 그러나 이다는 그 손을 내버려 둔 채 찬재의 눈을 올려다봤다.

"그쪽하고 나, 남들 안 보는 데선 신체 접촉하지 말죠."

"뭐?"

"남들 보는 데선 부부니까 하겠는데. 안 보는 데선 안 해요. 손잡는 것도 안 하고, 자는 것도 안 하고, 손만 잡고 자는 것도 안 해요."

"……."

"결혼 전에 이거 확실하게 해 두죠. 이 말 하려고 불렀어요."

타협은 꿈도 꾸지 말라는 듯 단호한 통보였다. 거침없이 당당하게 선언하는 눈빛에 찬재는 헛웃음을 쳤다.

"왜 그래야 하지?"

"가짜니까요. 진짜로 좋아하는 사이가 아니니까."

"진짜로 좋아하는 사이 아니어도 섹스는 해."

"난 안 해요."

"난 해."

"……."

"마누라 아닌 여자하고도 자는데. 마누라인 여자하고 안 할 이유 없잖아?"

"그냥 마누라 아닌 여자하고 많이 주무시죠. 얼마든지 눈감아 줄 테니까."

이다는 별다른 동요 없는 표정으로 타협안을 제시했다. 네가 딴 여자랑 뭘 하든, 아무 관심 없다는 듯이. 찬재는 어째 그 태도가 거슬렸다. 자신에게 아무런 감흥도 없는 그 태도가.

"싫은데?"

찬재는 비딱하게 고개를 기울였다. 까짓것 이 여자랑 안 해도 그만이지만, 이 여자 표정이 바뀌는 꼴을 보고 싶었다. 그러나 이다는 이번에도 동요 없는 얼굴로 무덤덤하게 대꾸했다.

"그럼 난 이 결혼 안 해요."

"뭐?"

"이 결혼 안 한다고요."

찬재는 기가 차서 실소를 터뜨렸다.

"결혼식 오늘이야. 우린 지금 식장에 와 있고, 문밖에 하객들도 와 있어. 이 결혼, 지금 깰 수 있을 것 같아?"

"내가 깰 마음이면 깨요. 그러니까 깨기 싫으면 그쪽이 내 조건 받아들여요."

깰 수 있다, 네가? 나도 못 깨는 걸, 네가?

말도 안 되는 소리였다. 어디서 허풍을 떠는 건지.

"어디 한번 깨 봐."

찬재는 도발하듯 비웃음을 띠고 말했다. 그리고 훌쩍 등을 돌려 성큼성큼 밖으로 향했다.

　　　　　　＊　＊　＊

"신랑 입장."

사회자의 목소리에 피아노 연주가 이어졌다. 찬재는 자신에게 쏟아지는 시선을 느끼면서 버진로드를 자신만만하게 걸었다. 느긋한 걸음이었지만 보폭이 넓어 단상까지 금방 도착했다. 단상을 등지고 선 찬재는 버진로드의 끝 너머로 닫혀 있는 출입문을 주시했다.

"다음으로 신부 입장이 있겠습니다. 신부 입장."

설마 없을 리가 없지.

자신하는 찬재의 시선 끝에서 서서히 문이 열렸다.

"역시."

식장 안으로 걸어오는 신부의 모습에 찬재는 혼잣말했다.

"결혼 깬다는 건 허풍이었어."

찬재는 뭘 기대했느냐는 듯 자조적으로 피식 웃었다. 이다는 버진로드에 발을 올렸다. 그러자 최혜주의 양아버지인 최 회장이 이다의 곁에 서서 손을 내밀었다. 이 순간 최혜주와 그녀의 아버지로서, 두 사람은 손을 잡고 신랑을 향해 걸어가야 하기 때문이다.

그러나 이다는 최 회장의 손을 잡지 않았다. 대신 고개 돌려 최 회장을 바라보며 말했다.

"지금 계약 파기해도, 난 손해 볼 게 없어요."

최 회장의 얼굴이 구겨졌다.

"그렇게 되면 계약금은."

이다는 최 회장이 말을 끝내기도 전에 딱 잘라 말했다.

"5억 큰돈이지만, 내 돈 아니었다 생각하면 그뿐이에요."

순간 최 회장은 말문이 막혔다.

"이 자리에서 나는 최혜주가 아니라고, 내가 사실대로 얘기하면 이 결혼은 없던 일이 되는 거겠죠?"

의미심장한 질문이 이어지자 최 회장의 얼굴은 더없이 일그러졌다. 단상 앞의 찬재는 그런 최 회장의 모습을 똑똑히 볼 수 있었다. 목소리는 들리지 않았지만 낭패감에 쩔쩔매는 표정은 확실히 보였다.

"대, 대체 왜……. 갑자기 왜 이러는 거지?"

신부의 입장을 위한 피아노 연주는 계속되고 있었다. 신부가 아버지의 손을 잡지 않고, 한 발자국도 움직이지 않는다. 뭔가 심상찮은 기류에 하객들은 술렁이기 시작했다. 찬재는 마른침을 삼켰다.

모두의 시선이 쏠려 있었지만, 이다는 주위를 의식하지 않고 태연하게 최 회장을 향해 대답했다.

"내가 원한다면 이 결혼 깰 수도 있다는 거, 보여 주려고요."

최 회장은 아예 새파랗게 질린 얼굴로 경악했다.

"혜, 혜주야!"

어떻게든 말려 보려 최 회장은 이다의 손을 덥석 잡았다. 이 와중에도 이다의 본명을 부르는 실수는 하지 않았다.

그때, 피아노 연주는 끝나 버렸다. 그러자 식장 안은 정적에 휩싸였다. 결혼 행진곡이 끝날 때까지 한 발짝도 떼지 않은 신부를 어떻게 해석해야 할지, 하객들은 혼란에 빠진 모양이었다. 그 정적 속에서 찬재는 주먹을 꽉 쥐었다.

저 여자가 뭘 어쩔 작정인 건지, 예의 주시하는 찬재의 눈앞에서 이다는 최 회장의 손을 뿌리쳤다. 거의 동시에 고개 돌려 찬재의 눈을 마주했다. 그리고 보란 듯이 도전적인 눈빛으로, 그가 들을 수 있게 큰소리로 선언했다.

 "나 이 결혼, 이런 식으로는 절대 안 해요."

 청천벽력과도 같은 말에 찬재는 눈을 찌푸렸다. 주위는 소란스러워졌고, 신랑 혼주석의 강 회장은 격분한 얼굴로 벌떡 일어섰다. 그럼에도 이다는 눈 하나 깜짝하지 않고 오로지 찬재의 눈을 바라봤다. 이제 어쩔 거냐는 듯이.

 '내가 깰 마음이면 깨요. 그러니까 깨기 싫으면 그쪽이 내 조건 받아들여요.'

 신부 대기실에서의 장담이 떠올라 찬재는 피식 웃고 말았다.

 이렇게 앞뒤 없이 들이받아 깨 버리시겠다?

 "그건 곤란하지."

 찬재는 약이 오르면서 열도 올랐지만 꾹 참고 미소를 유지했다. 그리고 모두가 지켜보는 가운데 성큼성큼 최혜주를 향해 걸었다. 금세 그녀의 바로 앞에 도착한 찬재는 우선 최 회장에게 꾸벅 고개를 숙여 인사했다. 최 회장은 보기 안쓰러울 지경으로 혼비백산한 얼굴이었다. 찬재는 그를 비롯한 주위 사람들이 잘 들을 수 있게 또박또박 목소리를 냈다.

 "죄송합니다. 혜주 씨가 아버님 손 잡고 입장하기보단 제 손 잡고 동시에 입장하길 원했는데. 제가 혜주 씨 의견 무시하고, 먼저 들어와 버렸네요.”

찬재는 넉살 좋게 허허 웃어 보이고는 최혜주를 향해 손을 내밀었다.

“이런 식으로 하잔 거지?”

배려하는 척 부드럽게 묻는 말에 이다는 반문했다.

“내 조건대로 한단 거죠?”

슬쩍 허리를 숙인 찬재의 입술이 이다의 귓가로 다가왔다.

“남들 안 보는 데선 네 몸에 손대지 말라, 이거지?”

“맞아. 손잡는 것도, 자는 것도, 손잡고 자는 것도 안 돼.”

“그래. 줘도 안 해, 너 같은 거.”

“좋으실 대로.”

찬재는 다시 허리를 세워 웃는 얼굴로 최혜주를 지켜봤다. 원하는 답이 나왔기에 이다는 자신에게 내밀어진 찬재의 손을 잡았다.

자연스레 단상을 향해 나란히 선 신랑 신부를 보고 사회자는 다시 식을 진행했다. 신랑 신부의 입장을 알리는 피아노 연주가 시작되었다.

드디어 걸음을 옮기는 이다의 모습에 최 회장은 안도의 한숨을 내쉬었다. 혼주석의 강 회장은 아직 화가 가시지 않은 표정으로 다시 자리에 앉았다.

억지로 웃고 있자니 입에 경련이 날 지경이지만, 찬재는 애써 표정을 유지하며 발을 맞추어 걸었다.

“너 그건 알아야 돼. 하나를 네가 얻었으면, 잃는 것도 있어야 한다는 거.”

찬재는 의미심장하게 속삭였다. 그렇지만 이다는 아무런 대꾸 없이 그의 말을 한 귀로 흘려 버렸다.

결혼식을 마친 찬재는 신랑 대기실에 들어서자마자 잡아 뜯다시
피 타이를 풀어 던졌다. 헐레벌떡 쫓아 들어온 태건이 문을 꼭 닫
고서 입을 열었다.

"저, 이사님. 회장님께서 꼴도 보기 싫으시다고, 인사하러 올 것
도 없으니까 당장 공항으로 꺼져 버리라고 전하셨습니다. 물론 혼
자 가시라는 얘긴 절대 아니고요. 꼭 최혜주 씨하고 같이 가셔야
하는 겁니다?"

"가서 회장님께, 당신 아들 아무 잘못 없으니까, 화내려거든 당
신이 직접 고른 며느리한테 화내시라 전해."

"회장님께서는……. 이사님 평소 행실 전반이 잘못이라고…….'
"뭐?"

"분명 최혜주 씨가 저럴 만한 빌미를 이사님이 제공하셨을 거라
고. 오죽하면 그 얌전한 아이가 그런 행동까지 했겠느냐고. 너 이
결혼 잘못되면 투자고 나발이고, 내 손으로 네 인생 종 치게 될 줄
알라셨습니다."

"얌전?! 아버지 누구 딴사람 보고 오셨어? 저 여자 어디가 얌전
이야! 저런 여자 데리고 살 내가 얌전이지!"

가뜩이나 분한 데다 기름을 끼얹는 발언이었다. 찬재는 열이 확
치솟아 두 주먹을 불끈 쥐었다.

"난 가만히 있었는데, 싸움은 저 여자가 걸어왔다고."
"……."

"이젠 나도 가만히 안 있어."

찬재는 이를 갈며 뇌까렸다. 태건은 어째 불안하다 싶어 뭐라 말려 보려 했지만, 그럴 틈도 없이 찬재가 먼저 명령을 뱉었다.

"너 어제 취소했던 뉴욕행 항공권, 다시 예매해."

"예?"

"신혼여행 뉴욕으로 갈 거니까. 다시 똑같은 걸로 예매하라고."

"아니, 거긴 최혜주 씨가 못 가신다고 세부로 바꾸셨잖아요."

"하나를 얻었으면, 하나를 잃어야지. 뭘 전부 지 맘대로 하려고 해?"

그깟 여자한테 왜 양보를 해야 하냐고, 찬재는 속으로 덧붙이며 거칠게 셔츠를 벗어 갔다.

* * *

"윤 비서님, 울었어요?"

평상복 차림으로 윤 비서를 마주한 이다는 그의 빨갛게 부은 눈시울을 가리키며 물었다.

"아닙니다."

윤 비서는 애써 아닌 척 침착하게 답했다. 식장에서 너 때문에 간 떨어져 울었다고, 앞으로 1년이나 너를 보필해야 한다니, 절망감에 눈물이 멈춰지질 않았다곤 차마 말할 수 없었다.

"그렇다고 쳐요, 그럼."

아무래도 운 것 같지만 이다는 내 알 바 아니라는 투로 반응했다. 본인이 아니라는데, 뭐.

"서……. 아니, 최혜주 씨. 이제 공항까지는 제가 대동할 겁니다만. 신혼여행은 비서 없이 두 분이서만 떠나게 될 겁니다. 신혼 여행지는 원래 뉴욕이었는데, 엊그제 세부로 변경했습니다. 최혜주 씨 컨디션이 좋지 않아 장거리 비행은 무리라고, 거짓말로 핑계를 대고 변경한 겁니다. 이 점 숙지해 주십시오."

"왜 그런 거짓말을 한 건데요?"

"뉴욕 공항에선 지문 조회를 하게 되니까요."

"지문 조회?"

"예. 뉴욕 공항은 보안이 엄격해서 입국 시 지문 조회를 합니다. 아무리 쌍둥이지만 지문까지 똑같을 순 없으니까, 최혜주 씨 신분으로 뉴욕에 가는 일은 피해야죠."

금세 말뜻을 알아듣고 이다는 고개를 끄덕였다.

뉴욕……. 이왕이면 거길 가고 싶은데.

조금 아쉽지만 별수 없는 일이다.

대신 일 끝나면 얼마든지 갈 수 있을 테니까. 게다가 그땐 남편이란 이상한 작자가 옆에 없을 테니까. 그때 꼭 가야지.

이다는 진지한 얼굴로 다짐하다 무심코 머리에 손을 올렸다. 올림머리 가발을 붙인 부위가 답답하고 가려운 탓이었다.

"근데 이 가발, 이건 이제 벗어도 되지 않나요? 결혼식도 끝났는데."

이다가 가발 주위를 꾹꾹 누르면서 묻자 윤 비서는 난감한 표정을 지었다.

"여기서 아무렇게나 벗어 버리면 보기 흉할 겁니다. 가발 고정하느라 스프레이도 뿌려 뒀고, 붙여 놓은 핀도 많으니까요. 최혜주 씨라면 절대 그런 흉한 모습으로 돌아다니지 않을 성격인데……."

윤 비서는 이다의 눈치를 살피며 말끝을 흐렸다. 말리고 싶은데, 말린다고 말을 들을까 싶어서였다.

"알았어요."

예상외로 이다는 순순히 머리에서 손을 내렸다.

"숙소에서 씻을 때 벗죠, 뭐."

그 정도는 해 줄 수 있다는 듯 가벼운 목소리였다.

운전석의 태건, 조수석의 윤 비서. 그렇게 각자의 비서를 대동한 채 신혼부부는 웨딩 카 뒷좌석에 올라탔다. 그리고 웨딩 카가 공항에 도착할 때까지 두 사람은 말 한마디 섞지 않았다.

꼿꼿하게 팔짱을 끼고 앉은 찬재는 나 화났소, 하는 험악한 얼굴로 정면을 바라보며 눈을 이글거리고 있었다. 덕분에 태건은 운전하는 내내 뒤통수가 뜨거웠다. 그러나 찬재의 옆자리에서 이다는 차창에 머리를 기댄 채 잠을 자고 있었다.

대놓고 온몸으로 열을 뿜고 있는 남자 옆에서 어쩜 저리 태평하게 잠을 잘 수 있는 건지. 심지어 자기가 지른 불인데, 옮겨붙을 걱정이 전혀 안 되는 건가? 태건은 속으로 혀를 내두르며 공항 앞에 조심스레 주차했다.

"도착했습니다. 그만 일어나시죠."

차가 멈추자 윤 비서는 차분하게 이다를 향해 말했다. 그러나 이다는 꿈쩍도 하지 않았다. 지난 이틀 사이 너무 많은 일을 해냈으니 피로가 극에 달한 모양이다. 윤 비서는 흔들어 깨워야 할까, 잠시 고민했다. 그런데 그때 차에서 내린 찬재가 쾅, 박살 내듯 요란하게 문을 닫았다.

윤 비서는 더 고민할 필요가 없어졌다.

"공항 다 왔습니다."

스르르 눈을 뜬 이다에게 다시금 도착 사실을 알린 다음 윤 비서는 재빨리 차에서 내렸다. 그리고 이다가 앉아 있는 뒷좌석의 차문을 열어 주었다. 난데없이 시끄러운 소리에 잠을 깼음에도 이다는 딱히 놀란 눈빛은 아니었다.

"여권은 여기 받으시고요. 항공권은 저쪽 비서에게서 받으시면 됩니다."

차에서 빠져나온 이다는 윤 비서가 내민 여권을 받아 숄더백에 넣었다. 윤 비서가 준비해 놓은 대로 무릎길이인 단아한 실크 소재 원피스를 입은 이다의 모습은 역시 최혜주와 판박이였다. 그러니 최혜주의 여권을 들고 비행기에 올라타는 일은 충분히 가능하리라. 머리부터 발끝까지 이다를 훑어보며 스스로를 안심시키던 윤 비서는 얼핏 무언가를 발견하고 눈을 깜빡였다. 웨딩드레스를 입었을 땐 몰랐는데, 원피스가 바람에 펄럭이는 순간 잠시 드러난 왼쪽 무릎 위에 흉터가 있었다. 모양과 크기가 대략 검지 정도인 흉터가.

"그거……."

윤 비서가 난감해진 눈빛으로 흉터를 바라보며 운을 떼자, 이다는 그가 보고 있는 곳을 확인했다.

"가려져서 잘 안 보이던데. 바람 불 땐 조심해야겠네요."

알아서 주의하겠다는 투로 말하고서 이다는 발걸음을 움직였다. 곧장 공항 입구로 향하는 발걸음은 주저 없이 당당했다. 윤 비서는 얼른 차 문을 닫고 그녀의 뒤를 잰걸음으로 쫓아갔다. 그런데 공항

입구에서 기다리고 있던 찬재가 윤 비서의 앞을 가로막았다.

"이제부턴 비서 필요 없으니까, 그만 가 봐요."

"예?"

"내가 지금 출장 가는 것도 아니고, 신혼여행 가는 건데. 한 번뿐인 신혼여행, 비서 없이 평범하게 남들처럼 누려 보자 이겁니다."

찬재는 여유롭게 두 손을 바지 주머니에 찔러 넣은 채, 마치 빌려 간 돈을 내놓으란 듯이 위압적인 눈초리로 말했다. 키는 엇비슷하지만 몸집의 차이 때문인지, 윤 비서는 어째 맞설 엄두가 나지 않아 이다에게로 눈길을 돌렸다.

"글쎄요, 그건…….."

그건 곤란하다고, 이다가 대신 말해 주길 바라며 그녀와 눈을 마주쳤다. 그렇지만 이다는 별로 곤란할 것 없단 표정으로 입을 열었다.

"그만 가 보세요. 비행기는 내가 알아서 탈 수 있으니까."

출국장에 들어서기 직전에야 찬재는 이다에게 항공권을 건네주었다. 생전 처음 와 본 공항을 아닌 척 태연한 얼굴로 훑어보던 이다는 항공권 역시 별다른 감흥이 없는 척하며 훑어보려 했다. 그러나 항공권의 도착지가 이다의 시선을 멈칫 동요하게 했다.

"이거 뉴욕행 티켓 같은데."

이다가 이상한 듯 미간을 찡그리자 찬재는 씩 웃었다.

"얻은 게 있으면 잃는 게 있어야지."

식장에서 비슷한 말을 들은 것 같다고 생각하며 이다는 금세 찬재의 말뜻을 유추했다.

"내 조건 받아들인 대신, 세부행 티켓을 뉴욕행 티켓으로 바꿨다는 거지?"

"그래. 근데 너 아까부터 말이 짧다?"

"넌 그 전부터 짧았어. 아예 처음부터."

"난 그래도 돼. 너보다 여섯 살 많으니까."

"나도 그래도 돼. 넌 되는데, 난 안 되고. 그런 거 없어."

이다는 전혀 개의치 않는 얼굴로 대꾸했다. 순간 찬재는 기가 차서 짧게 웃었다.

"공평한 거 아주 좋아하는 모양인데. 잘됐어. 공평하게 이번에는 네가 내 조건 받아들여. 신혼여행은 네가 원한 세부가 아니라 내가 원한 뉴욕으로 가는 거야."

찬재는 경고하듯 노려보며 강요했다. 절대 물러나지 않겠다고 단단히 벼르는 기세였다.

뉴욕이라…….

이다는 찬재의 사나운 눈빛을 아무렇지 않게 마주한 채 이성적으로 계산했다.

서이다로서는 얼마든지 갈 수 있는 곳이지만, 최혜주로 신분을 위장하고서는 절대 갈 수 없는 곳을 강찬재가 요구하고 있다.

뭐, 그럼 안 가면 그만이긴 한데.

이다는 막 시합을 앞둔 선수처럼 승부욕에 이글대는 찬재의 눈빛 앞에서 한숨을 내쉬었다.

안 가겠다 선언하면 싸우자고 덤벼들 게 불을 보듯 뻔한데. 그걸 상대하고 있기에는 몸 상태가 좋지 않았다. 차 안에서 잠을 자 두긴 했지만, 지난 이틀 쌓인 피로를 풀기에는 역부족이었다. 비행기든 어디든 들어가서 실컷 잠을 자고 싶다. 이 와중에 뉴욕에 가니 마니, 강찬재와 실랑이를 벌이려니 영 내키지 않는다.

굳이 사서 고생할 거 없잖아? 괜히 피곤해지게.

계산을 마친 이다는 가볍게 고개를 끄덕였다.

"좋으실 대로."

예상외로 순순한 대답에 찬재는 짐짓 의아함을 느껴 눈을 찡그렸다. 그러거나 말거나 이다는 찬재를 지나쳤다. 그리고 최혜주의 여권을 끄집어내며 출국장 안으로 향했다.

혹시 그 여자도 뉴욕에 가고 싶었던 건가?

비행기에 착석한 채 찬재는 의구심에 사로잡혀 인상을 구겼다. 최혜주가 싫다고 할 만한 짓을 일부러 밀어붙였건만, 싫은 내색 하나 없는 최혜주 때문에 아무런 보람이 없었다.

"설마 내가 그 여자 좋을 짓을 한 건 아니겠지."

찬재는 비어 있는 옆자리를 노려보며 팔짱을 끼었다. 고작 몇 푼이나 차이 난다고, 촌스럽게 면세점을 둘러보는 최혜주를 그냥 내팽개치고 온 게 벌써 30분 전이건만. 최혜주는 아직도 비행기에 탑승하지 않은 상태였다. 역시 두고 오길 잘했다 싶다. 30분씩이나 여자 따라다닐 이유가 뭐가 있어? 다리 피곤하게.

찬재는 한심하단 표정으로 고개를 절레절레 젓고 의자에 편히 등을 기대었다. 그리고 여전히 팔짱을 낀 채로 눈을 감았다. 딱히 할일도 없으니까 잠이나 잘 생각이었다.

얼마쯤이 지났을까. 머릿속을 비워 놓고 숨만 쉬고 있던 찬재의 귓가로 안내 방송이 들려왔다. 비행기가 곧 이륙한다는 내용이었다.

"뭐지, 이 여자?"

찬재는 불길해져 눈을 떴다. 혹시나 해서 옆을 확인했지만 역시나 아직 최혜주의 자리는 비어 있었다.

숄더백 안에서 최신형 휴대 전화가 울려 댔다. 이틀 전 윤 비서가 건넨, 최혜주로서 사용하게 된 휴대 전화였다.

이다는 휴대 전화를 꺼내 액정을 확인했다. 강찬재라는 이름 석 자가 보였다. 지금쯤이면 비행기가 이륙할 시간이네.

일부러 면세점을 배회하며 시간을 끌고 있던 이다는 현재 시각부터 확인한 후 전화를 받았다.

[너 설마 비행기 놓친 거냐?]

"아니. 그냥 안 탄 거야."

[뭐? 그냥 안 타?]

수화기 너머에서 어이없다는 듯한 긴 한숨이 터졌다.

[이게 뭐 하자는 짓이야!]

곧이어 터진 고함에 이다는 귀가 따가워져 미간을 찌푸렸다.

[너 내가 신혼 여행지 바꿨다고, 나 엿 먹이는 거냐?]

"아니. 엿 받고 떡으로 돌려주는 거지."

[뭐?]

"내가 장거리 비행 힘들다고 했는데. 너 나한테 엿 먹이려고 신혼 여행지 바꾼 거잖아? 근데 난 그런 너한테 떡을 주는 거야. 한 번뿐인 신혼여행, 엿 먹고 싶을 만큼 싫은 상대하고 있는 것보단 혼자 있는 편이 훨씬 행복할 것 같아서. 미운 놈 떡 하나 더 주는 심정으로 내가 너 배려했어."

찬재는 말문이 막힌 듯이 잠잠하더니, 이내 짐승처럼 포효하는 소리로 쩌렁쩌렁 이다의 귓가를 시끄럽게 했다.

"흥분 잘하네. 다혈질인가?"

이다는 차분하게 찬재의 성격을 파악하며 혼잣말했다. 그런 다음 진심으로 배려하듯 찬재에게 말을 건넸다.

"열 올리지 말고, 즐거운 시간 보내."

인사를 끝으로 이다는 전화를 끊었다.

* * *

해 질 녘 옥탑방 앞에 도착한 이다는 현관문을 열었다. 눈에 바로 보이는 반 평 남짓한 주방 겸 거실에는 아무도 없었다. 거실 건너 세시의 방은 불이 꺼져 있었고, 거실 왼쪽 자신의 방도 마찬가지였다.

벌써 출근했나 보네.

이다는 대수롭지 않게 생각하며 곧장 화장실로 향했다. 몇 걸음도 되지 않아 화장실 세면대 앞에 도착했다. 가발을 고정한 수없이 많은 핀을 뽑느라고 한참 시간이 걸렸다. 마침내 가발을 벗어 던진 이다는 수도꼭지를 틀었다. 그리고 콸콸 쏟아지는 물줄기로 머리를 들이밀었다.

내내 땀에 젖어 있던 머리칼이 깨끗하게 씻기는 느낌에 탄성이 절로 나왔다. 샴푸로 거품 내고 헹구기까지 모두 마친 다음 이다는 수건으로 머리를 덮었다. 그때, 등 뒤에서 세시의 목소리가 들려왔다.

"너 이 자식! 내가 세면대에 머리 감지 말라고 했어, 안 했……? 어어어!"

몸을 돌린 이다와 마주하자 세시는 눈을 크게 뜨더니 이다가 입고 있는 원피스를 가리켰다.

"너 인마 꼴이 그게 뭐냐?"

"꼴이 뭐 어때서?"

"이뻐서! 야, 너 평소에 좀 이렇게 입고 살아라. 너 치마 입은 거, 교복 이후 최초 아니냐?"

"그렇겠지."

이다는 대충 대답하고 다시 세면대로 몸을 돌렸다. 이번에는 화장을 지울 차례였다.

"이야, 화장도 했네? 너 오늘 대체 뭔 일이야? 이틀이나 외박을 하시더니만, 갑자기 이런 꼴로 나타나고. 오늘 무슨 대단한 일이라도 있었냐?"

"오늘 결혼식이 있었는데."

"결혼식? 뭐, 신부 들러리라도 했나 보지?"

이다는 길게 붙인 속눈썹을 슬쩍 떼어 보며 대수롭지 않은 투로 답했다.

"아니, 내가 신부였어."

옥탑방 앞 평상에서 고기를 굽는 일은 이따금씩 있었지만, 그 고기가 한우인 경우는 이번이 처음이었다. 자글자글 한쪽 면이 다 익은 한우를 두 손으로 받들어 뒤집으며 세시는 푸념하듯 궁얼거렸다.

"거참, 사람 팔자 웃기네. 한날한시 한배에서 태어났는데. 누군 양부모 잘 만나서 부잣집 막내딸로 호의호식하고, 누군……. 야, 이거 너무 억울하지 않냐? 만약에 걔 말고 네가 그 집에 입양 갔으면 네가 걔처럼 살았을 텐데."

"억울할 거 없어. 각자 살길 대로 사는 거지. 내 갈 길도 바쁜데, 남의 길은 왜 들여다보고 있어?"

"웃겨서 들여다본다, 웃겨서. 그 최혜주란 여자는 지가 누린 그 인생, 얼마나 행운인지 모르잖아. 그러니까 뭣 모르고 복에 겨워서, 정략결혼 안 한다고 가출이나 하지. 까짓 정략결혼 그게 뭐가 어떻다고. 어차피 남편 될 사람도 부자일 텐데."

생각할수록 기가 차는지 고기를 자르는 세시의 손놀림이 점점 전투적으로 변해 갔다.

"보육원서 세 시에 주웠다고, 평생을 김세시로 살게 됐어 봐. 그런 부자한테 짝지어 주는 정략결혼? 완전 땡큐지. 나 같으면 큰절부터 올리고 한다, 그 결혼."

"그 이름이 그렇게 불만이면 개명을 해라, 김세시야."

이다는 싹둑싹둑 잘게 잘린 고기 조각을 상추에 얹으며 무심하게 반응했다.

"그럴 수는 없지. 이 사연 많은 이름이 사모님들한테 얼마나 잘 먹히는데. 영업 전략으로 보존해야 돼. 나, 세 시에 주웠다고 이름이 세시예요. 이 한마디가 모성 본능 정통으로 자극하는 주문이걸랑."

"너 평생 그렇게 제비로 살 거 아니잖아?"

"……."

묵비권을 행사할 요량으로 세시는 입안에 듬뿍 쌈을 넣었다. 그리고 우물우물 천천히 씹으면서 고갤 돌려 시선을 피했다. 이다는 그런 세시를 바라보며 쯧 혀를 찼다.

"남의 인생 내 알 바는 아니지만. 이왕 사람으로 태어났으면 사람으로 살다 가라. 제비로만 살다 가지 말고."

"제비는 뭐 아무나 하는 건 줄 아나……."

세시는 불룩한 볼을 움직이며 들릴 듯 말 듯 하게 꿍얼거렸다. 그리고 꿀꺽 입안을 비워 내곤 제대로 분명하게 목소리를 냈다.

"그러는 넌, 앞으로 어떻게 살다 갈 건데?"

"나?"

"하루아침에 돈벼락을 맞았는데, 예전처럼 살 순 없잖아. 이제부턴 다르게 살다 가야지. 이 기회에 너 하고 싶었던 거 다 해! 건당 몇천 원 벌겠다고 광란의 질주하는 배달 알바, 그딴 거는 이제 절대, 절대 하지 말고."

고개를 끄덕이던 세시는 불현듯 떠오르는 생각에 탁상을 탁 내리쳤다.

"야! 이참에 네가 그 남편 제대로 꼬셔 봐라!"

최혜주의 남편을 꼬셔 보라니. 뜬금없는 헛소리에 이다는 눈살을 찌푸렸다.

"왜 그런 거 있잖아. 정략결혼으로 만났는데, 살다가 진짜 사랑에 빠지는 거. 그렇게만 되면 너 진짜 평생 재벌로 사는 거다? 그냥 계약금 받고 끝나는 게 아니라, 평생 빨대 꽂고 사는 거지. 재벌 인생 투 비 컨티뉴! 나우 앤 포에버! 그러니까 그 최혜주 남편 잘 꼬셔 보라고."

"어이, 제비. 소고기만 먹으니까 질리지?"

"응?"

"제비 살도 구워 줄까?"

이다는 불판처럼 뜨거운 눈빛으로 세시를 노려봤다. 그리고 순간 움찔하는 세시의 손목을 덥석 잡고 경고했다.

"너 그 제비 같은 쨋쨋 소리 또 하기만 해. 확 구워 버린다."

"아, 알았어! 야, 너는, 어우! 넌 가끔, 너무 격해."

여차하면 정말 고기와 함께 구워 버릴 기세라 세시는 진저리를 치며 고개를 마구 저었다.

"격하게 만들잖아, 네가."

이다는 잡고 있던 손목을 휙 내던지듯 놔 버렸다. 세시는 재빨리 두 손을 등 뒤로 감추고서 억울한 투로 대꾸했다.

"나는 다 너 생각해서 하는 소리거든? 너 평생 팔자 폈으면 해서."

"내 팔자는 내가 펴. 남의 등골에 대고 다림질 안 해."

"……."

"그러니까 서이다가 최혜주로 사는 일, 안 들키고 잘 끝내게 도울 생각이나 해. 길어 봐야 1년이라지만, 쉬운 일은 아니니까."

단호하게 말하고서 이다는 맥주 캔을 땄다. 순간 칙, 소리에 묻히도록 세시는 치, 소리를 흘렸다.

* * *

다음 날 아침, 이다의 연락을 받자마자 윤 비서는 부리나케 차를 몰고 옥탑방 건물 앞에 도착했다. 모처럼 제집에서 편히 숙면을 취한 이다는 한결 개운해진 기분으로 차 조수석에 올라탔다. 그러나 옆자리 윤 비서의 표정은 어두웠다.

"윤 비서님, 울어요?"

"아닙니다."

"눈에서 물 떨어지는데요."

"……아닙니다. 땀이겠죠."

아무리 강찬재가 제멋대로 신혼 여행지를 바꿨다고 해도 그렇지. 또 아무리 바뀐 여행지가 하필이면 미국이라 해도 그렇지. 그렇다고 남편 비행기에 유기하고 혼자 뛰냐?! 말 한마디면 천 냥 빚도 갚는다는데. 말 좀 좋게 써서 대화로 해결할 순 없는 거냐?!

윤 비서는 속으로만 외쳐 대며 눈에서 흐른 땀을 소매로 훔쳤다.

"땀이라고 쳐요, 그럼."

이다는 무심하게 창밖으로 시선을 돌리고서 말했다.

"근데 그 머리……."

윤 비서는 가발 없이 짧은 머리칼을 고스란히 드러내고 있는 이다를 흘끗 보며 운을 뗐다.

"가발이 불편하시면, 미용실에서 붙임 머리라도 하시는 게 어떨까요?"

"별로예요."

"그렇지만 평소 최혜주 씨는 늘 긴 머리였는데……."

"늘 긴 머리였으니까, 지겨워서 잘랐다고 해도 이상할 거 없어요. 괜히 가발이나 붙임 머리 쓰는 게 더 이상하지."

"그럴까요?"

"그렇죠. 그런 게 긁어 부스럼이죠."

윤 비서가 긴가민가한 얼굴로 묻는 말에 이다는 명쾌하게 답을 줬다.

서이다의 옥탑방이 있는 동네에서 최혜주의 신혼집까지는 승용차로 거의 한 시간이 소요되었다. 신혼집은 강남의 노른자 땅 도심 한복판에 세워진 대형 빌딩 맨 꼭대기 층, 펜트하우스였다.

수 개의 레스토랑에 쇼핑몰, 극장이 모여 있는 대형 빌딩 위에 주거 공간인 펜트하우스가 있는 이유는 단순했다.

"강찬재 씨한테는 여기가 출퇴근이 가장 편한 거리라서 그렇답니다."

지하 주차장의 승강기 앞에서 윤 비서는 간략하게 설명했다. 때마침 승강기의 문이 열렸다.

"가장 편하다는 건 가장 가깝다는 건가요?"

이다는 승강기 안에 들어서며 질문했다. 따라 들어온 윤 비서는 P 버튼을 눌렀다.

"예. 이렇게 승강기 타고 P 버튼만 누르면 바로 퇴근이니까요."

"강찬재 씨 회사가 이 건물에 있나 보네요."

"이 건물이 강찬재 씨 회삽니다."

문이 닫히고 승강기가 위로 상승하기 시작했다. 그러거나 말거나 별 느낌이 없는 듯이 이다의 표정에는 딱히 변화가 없었다.

윤 비서는 결혼식 전 자신이 했던 질문과 그에 대한 이다의 대답을 떠올렸다.

'저……. 남편 되실 분에 대해서는, 물어볼 것 없습니까?'

'없어요. 어차피 최혜주도 그 사람 모른다면서요. 만난 적도 없고, 통화한 적도 없고. 그럼 최혜주인 척하는 나도 모르는 게 낫죠.'

'그래도 궁금하지 않아요? 한동안 부부처럼 같이 살 사이인데.'

'남의 남편 관심 없어요.'

진짜 진심으로 관심 없나 보네.

윤 비서는 그때나 지금이나 마찬가지인 이다의 무관심한 표정을 바라보며 속으로 생각했다.

잠시 후 P층에 도착한 승강기의 문이 열렸다.

승강기를 빠져나온 두 사람은 몇 걸음 만에 펜트하우스 현관문에 다다랐다.

"비밀번호는 이겁니다."

윤 비서는 천천히 이다가 보는 앞에서 현관문 비밀번호를 입력했다. 그러자 현관문의 잠금 상태가 해제되었다. 윤 비서는 문을 열었다. 그리고 이다가 먼저 들어가기를 기다렸다.

이다는 펜트하우스 안으로 들어섰다. 윤 비서는 이다의 뒤를 따르며 설명을 이었다.

"펜트하우스로 올라오는 승강기는 아까 그 위치의 승강기 두 대뿐입니다. 다른 승강기에는 P 버튼이 아예 없습니다."

신발을 벗고 복도를 걷자 왼쪽으로 거실이, 오른쪽으로 주방이 나타났다. 베란다 창을 통해 눈부시게 햇빛이 쏟아지고 있는 거실에는 소파와 테이블, 홈 시어터가 놓여 있었다. 윤 비서는 베란다 창을 가리켰다.

"저 바깥 공간은 이 펜트하우스를 통해서만 드나들 수 있습니다. 일반적인 건물 옥상 같은 곳인데."

"여기서 보면 베란다 같은 거네요."

"그…… 런 셈이죠."

이다는 축구장처럼 광활하게 펼쳐지는 횅한 옥상을 심드렁히 응시했다.

"꼭대기 층 전체가 펜트하우스일 줄 알았는데. 집보다 베란다가 훨씬 넓네요."

기대와 달라 다소 실망이라는 투였다.

"그, 그래도 집이 이백 평은 됩니다. 충분히, 넘치게 넓어요."

이렇게나 넓은 집을 보여 주는데, 이런 반응이라니. 윤 비서는 당혹감에 마치 부동산 중개인이라도 된 양 펜트하우스의 장점을 나열하기 시작했다.

"저기 베란다에는 헬기장도 있고요. 그리고 저기, 저기를 보시면."

윤 비서가 거실의 대각선, 주방 옆의 공간을 향해 손을 쭉 뻗었다.

"저기 개인 헬스 공간도 있답니다. 가서 보시죠."

따라가서 확인해 보니 거실만큼 넓은 공간에 각종 헬스 기구들이 놓여 있었다.

"이만하면 돈 내고 이용하는 헬스클럽 못지않습니다. 그리고 또 저기, 저기는요."

윤 비서의 손이 이번에는 헬스 공간 맞은편을 가리켰다. 그러자 두 개의 문이 보였다.

"왼쪽이 서재. 오른쪽이 침실입니다."

윤 비서는 우선 침실 문을 활짝 열었다. 다른 곳의 혼수품도 모두 자신의 담당이었지만, 침실 혼수품은 특별히 더 많은 신경을 쏟은 터였다. 그러므로 가장 설레는 마음으로 침실 문을 연 터인데.

"여길 꼭 두 사람이 같이 써야 하나요?"

이다는 침실에 눈길도 주지 않고 윤 비서를 향해 물었다.

"예? 그야 당연히…… 스킨십은 안 하시더라도 침실은 같이 쓰셔야죠. 아무리 정략결혼이어도 남들 보기에 보통 부부처럼은 보이셔야 하니까요. 최혜주 씨 대신 쇼윈도 부부 역할 충실히 해 달라. 그렇게 계약할 때 합의하셨던 사항이잖습니까? 실제로 친하게 지내실 필요는 없지만, 형식적인 침실 공유는 하셔야 합니다."

"막상 여기 와 보니까, 침실 공유 필요 없을 것 같아서요."

"예?"

"어차피 이 펜트하우스, 아무나 들어올 수 없는 구조잖아요? 이런 데서 부부가 뭘 어쩌고 살든, 사람들이 볼 수도 없을 텐데. 굳이 침실까지 같이 쓸 필요가 뭐 있나 싶은데요."

"펜트하우스를 관리하는 인력들은 여길 매일 다녀갈 겁니다. 또 언제 들이닥칠지 모르는 시댁 측도 무시할 수 없고요. 그런데 침실을 따로 두고 쓰다니. 그건 안 될 일입니다."

윤 비서의 단호한 대꾸에 이다는 눈을 내리뜨고 떫은 입맛을 다셨다.

"그 남편, 피곤한 타입 같던데."

"피곤한 타입이요?"

"혈기가 넘쳐서 흥분이 헤픈 타입이요. 다혈질이랄까. 저랑 되게 안 맞아요."

"다혈질…… 강찬재 씨가요? 그럴 리가 없는데……"

윤 비서는 고개를 갸웃거리면서 강찬재에 관한 정보를 되짚어 봤다. 다혈질에 사람 피곤하게 하는 타입이라니. 사람 좋다 소리도 못 들어 봤지만, 이 또한 금시초문인 얘기다.

"사업 스타일로 보면 냉정하거나 여유롭거나. 그렇게 둘 사이를 왔다 갔다 하는 타입이고. 또 여자 문제로 봐도……."

윤 비서는 아차 싶어 입을 다물었다. 그러나 이다는 개의치 않는 얼굴로 가볍게 말했다.

"사람은 직접 겪어 봐야 아는 거죠."

이다는 망설임 없이 침실 안으로 들어가며 덧붙였다.

"남한테서 듣는 것보다 내가 겪는 게 더 확실해요."

펜트하우스를 구석구석 둘러보고 난 뒤 이다는 거실 소파에 앉았다. 건물 전체 너비에 비하자면 절반도 되지 않는 너비였지만, 그래도 이백 평이나 되는 공간이니 다리가 좀 피곤했다.

"강찬재 씨는 일주일 뒤에나 오시려나요? 신혼여행 일정대로."

"그렇겠죠. 자기가 좋아하는 뉴욕 간 건데. 계획대로 다 즐기다 오겠죠."

"이왕 가신 거, 혼자라도 즐거운 시간 되셨으면 좋겠습니다. 돌아와서 서로 얼굴 붉힐 일 없게."

"혼자라서 즐거운 시간 될 거예요."

이다는 태연하게 장담했다.

"너무 즐거워서 일정을 더 늘릴지도 모르죠."

덧붙임은 희망 사항이나 마찬가지인 말이었다.

너무 즐거워서든 어째서든, 이다는 강찬재의 귀국 일정이 되도록 늦어지길 바랐다. 둘이서 한집에 살아야 할 시간이, 한 침대를 써야 할 나날이 이왕이면 늦게 시작되는 편이 좋으니까.

＊　＊　＊

　토요일, 강찬재와 최혜주는 결혼했다. 그리고 일주일간 그들은 신혼여행을 떠나 있을 예정이었다.

　다시 말해 일주일간 태건은 휴가를 누리고 있을 예정이었다.

　일요일 아침, 난데없이 강찬재로부터 전화만 오지 않았더라면, 필시 그랬을 예정이었다.

　최혜주가 비행기를 안 탔다나 뭐라나. 지금 자기 혼자 뉴욕 도착했는데, 다시 인천행 비행기를 탈 거라나 뭐라나.

　말 같지도 않은 상황 설명 후에 강찬재는 명령했다.

　월요일 새벽 네 시, 인천 공항으로 도착 예정. 최혜주의 위치 파악해 둘 것. 나의 귀국을 최혜주에게 알리지 말 것.

　명령대로 최혜주의 위치를 파악해 둔 태건은 최혜주 측에 찬재의 귀국을 알리지 않았다. 그리고 월요일 새벽 네 시, 인천 공항으로 강찬재를 마중 나갔다.

　"젠장, 휴가까진 안 바라는데. 정시 출근은 지켜 달라고!"

　입국 게이트 앞에 선 채 태건은 시계를 확인하다 짜증을 터뜨렸다.

　"월요일 아침은 정시 출근조차 짜증인데! 왜 하필 새벽 네 시 귀국이냐고! 아니, 갔으면 그냥 놀다 올 것이지. 뭘 냉큼 돌아오고 난리야!"

속 시원히 혼잣말을 뱉어 대는데, 선글라스를 낀 찬재가 입국 게이트를 빠져나왔다. 커다란 선글라스가 얼굴의 반을 가린 모습이었지만, 훌쩍 솟은 키와 뚜렷한 이목구비 덕에 태건은 금세 그를 알아봤다. 반대로 앞만 보며 성큼성큼 빠르게 걷던 찬재는 태건이 코앞에 다가왔을 때에야 그를 알아봤다.

"뭐야, 나오란 적 없는데?"

뜻밖의 등장이라 찬재는 멈칫하고 미간을 찌푸렸다.

"예, 예. 나오란 적 없으신데, 안 나올 수가 있어야죠. 몇 시에 오시는지 뻔히 아는데, 그 시간에 제가 잠이 오겠습니까?"

태건은 떨떠름히 대구하며 찬재의 트렁크에 손을 뻗었다. 그러나 그의 손을 무시하고 찬재는 휙 트렁크를 끌며 태건을 지나쳤다. 그대로 멀어지는 찬재의 모습에 태건은 그의 뒤를 쫓아 바삐 걸었다.

"꼭 그렇게 쓸데없이 사서 일하면서 힘들다고 내 욕하지."

뒤도 보지 않고 뱉는 말에 태건은 뜨끔했다. 혹시 들었나? 생각하는 찰나 찬재가 질문을 던졌다.

"최혜주 지금 어디 있어?"

"신혼집에요. 어제 들어가신 후로 자정 너머까지 계속 계셨으니. 지금도 거기 계실 겁니다."

찬재는 손목시계를 확인했다.

"내가 없는 침대에서 꿈을 꾸고 계시겠군."

속 편하게 자고 있을 최혜주를 상상하니 기가 막혀 코웃음이 났다. 찬재는 비딱하게 비웃는 입매를 만들고서 덧붙였다.

"꿈 깨게 해야지."

더 속도를 높인 찬재의 두 다리가 금세 공항 출입구를 빠져나갔다. 비행기에서부터 자신을 눈여겨보고 있던 시선이 있다는 걸 모른 채, 찬재는 그 시선의 바깥으로 사라졌다.

시선의 주인은 입국 게이트 앞에 서 있었다. 회색 양복 차림의 30대 남자. 꼭두새벽에 막 비행기에서 내린 사람 같지 않게 깔끔히 정돈된 모습이었다. 그가 SJ 그룹 차남 최서한라는 사실을 알아본 중년 남성이 허둥지둥 그의 앞으로 달려왔다.

"도련님, 제가 좀 늦었습니다."

중년 남성은 쩔쩔매는 얼굴로 허리 숙여 인사했다.

"그렇게 부르지 마시라니까요, 박 기사님."

서한은 머쓱한 미소를 지어 보였다.

"근데 나 방금 태강 강찬재 이사를 본 것 같은데."

"강찬재 이사요?"

"그제 혜주하고 결혼했을 사람 말이에요."

"아아, 그분?"

"출장 내내 일이 바빠서 연락을 못 해 봤는데. 박 기사님, 아무래도 혜주 결혼식, 잘 안 된 모양이네요? 지금 신혼여행 가 있어야 할 사람이 여기 있는 거 보면."

서한은 걱정스럽다는 투로 물으며 빤히 박 기사를 지켜봤다. 그러나 박 기사는 그의 짐작과는 다른 대답을 내놓았다.

"에이, 아닙니다. 아무 문제 없이 결혼 잘 치르셨습니다."

일말의 망설임도 없는 대답에 순간 서한은 인상을 구겼다.

"결혼을, 잘 치렀다고요?"

마치 그럴 리가 없다는 듯한 묘한 말투였다.

펜트하우스에 도착한 찬재는 조용히 현관문을 닫고 복도를 가로
질렀다. 아직 새벽이라 어슴푸레했지만 부러 조명은 켜지 않았다.

설마 이 시간에 깨어 있진 않겠지.

찬재는 소리 나지 않게 주의를 기울이며 침실 문을 열었다.

최혜주는 침대에 누워 있었다. 찬재는 그녀에게 다가가다 침대
곁에 우뚝 멈춰 섰다. 잠든 최혜주의 얼굴을 내려다보는데, 뭔가
달랐다. 찬재는 뭐가 다른지를 금세 파악하고 무심코 입을 열었다.

"머리 꼴이……."

턱선까지 겨우 오는 짧은 머리칼을 바라보며 찬재는 눈을 찌푸렸다.

내가 뉴욕 다녀오는 동안, 너는 미용실 다녀왔냐? 짧은 머리 내
취향 아닌 건 또 어떻게 알아 가지고. 아주 미운 짓만 골라 하는 여
잘세.

찬재는 혀를 쯧 차고서 재킷을 훌렁 벗었다. 아무렇게나 휙 던진
재킷이 바닥으로 닿기도 전에, 찬재의 두 무릎이 침대 위에 닿았
다. 사이에 최혜주의 허리를 두고서.

난데없는 흔들림에 최혜주가 눈을 뜰 때, 찬재는 두 손으로 어깨
위를 짚었다. 그리고 눈을 마주친 최혜주의 코앞까지 고개를 내렸다.

"날 그렇게 날려 보내 놓고, 혼자 두 다리 뻗고 자게 둘 줄 알았어?"

낮게 뇌까리는 목소리에 이다는 눈을 지그시 감았다가 떴다. 그
래도 강찬재의 모습은 사라지지 않았다.

"진짜네."

이다는 잠이 덜 깬 눈으로 찬재를 바라보며 조용히 중얼거렸다.

"두 다리 접고 잘 테니까, 비켜."

명령조로 이어지는 한마디에 찬재는 오만상을 찌푸렸다.

"뭐?"

"호랑이도 떡 하나 주면 안 잡아먹는다는데. 사람이 떡을 받았으면 고마운 줄 알아야지. 좋은 시간 보내라고 혼자 보내 줬더니, 뭐하러 벌써 와서 사람 잠을 깨워."

잠을 깨운 불청객을 비난하며 이다는 눈을 감았다. 그리고 고개 돌려 도로 잠을 청하려고 들었다. 찬재는 어처구니없어 잠시 말문이 막혔지만 곧 입을 뗐다.

"그게 진짜 떡이었으면."

찬재는 한 손으로 이다의 턱을 그러쥐었다. 정면이 마주 보이도록 고개를 되돌려 놓고 말을 덧붙였다.

"나도 떡으로 갚아 주려고."

이다는 성가신 얼굴로 다시 눈을 떴다. 그런데 시선을 마주치자마자 찬재의 얼굴이 부딪칠 기세로 내려왔다. 순간 화들짝 정신이 들어 이다는 두 손을 뻗어 찬재의 머리채를 움켜잡았다. 더 내려올 수 없게 밀어 올리면서 그를 쏘아봤다.

"뭐냐, 너?"

"뭐긴, 떡 주려는 거지."

"주려는 게 아니라 치려는 것 같은데."

잠시 무슨 뜻인가를 생각하던 찬재는 하, 짧게 웃음을 터뜨렸다.

"어휘력이 저렴하네."

"네 행동도 고급이진 않아. 스킨십은 금지한다, 약속했을 텐데?"

이다는 팔에 힘을 주고 찬재를 밀쳐 내려 했다. 그렇지만 찬재는 꿈쩍하지 않고 두 손으로 이다의 어깨를 내리눌렀다.

"비행기에서 내내 네 생각만 했어. 엿 줘 놓고 떡이라고 믿는 너한테 내가 줄 수 있는 떡은 뭐가 있을까. 아주 한숨도 못 자면서 생각했지."

찬재는 힘을 줘서 이다의 어깨를 고정시켜 놓은 채로 의미심장하게 설명했다.

"그리고 결론은 이거야. 나도 엿을 주고 떡이라고 믿어야겠다."

약속 따윈 안중에도 없단 태도에 이다는 눈살을 찌푸렸다. 찬재는 말 끝나기 무섭게 이다의 입술을 노리며 고개를 내렸다. 순간 이다는 잡고 있던 찬재의 머리를 밀어내지 않고, 오히려 제 쪽으로 덥석 끌어당겼다. 동시에 이다는 머리를 들어 냅다 찬재의 얼굴을 들이받아 버렸다.

떡 치려다 처맞은 얼굴에선 아직도 코피가 나고 있었다. 식탁에 앉아 수건으로 코를 틀어막은 찬재는 개떡 같은 기분에 으르렁거렸다.

"젠장, 내 코피를 터뜨린 여잔 네가 처음이야."

"그렇다고 나한테 반하지는 마라."

이다는 심드렁히 경고하며 찬재의 맞은편에 앉았다.

"메껴냐?! 그런다고 반하게?"

버럭 소리치는 찬재 앞에 이다는 차분히 종이 한 장을 내밀었다.

"뭐야, 이건?"

"읽어 보고, 서명해."

찬재는 종이에 인쇄된 문서 내용을 확인했다.

"각서. 나 강찬재는 최혜주와 둘만 있을 시 최혜주가 원치 않는 신체 접촉을 절대 하지 않는다."

어이없단 듯이 표정을 일그러뜨리는 찬재에게 이다는 당연하단 투로 덧붙였다.

"말로 한 약속은 쉽게 깨는 인간이잖아."

찬재는 헛웃음을 쳤다.

"부정할 수 있어? 결혼식 때 했던 저 약속, 아까 침실에서 깨려고 했던 인간이?"

"부정 안 해."

찬재는 당당하게 대답했다.

"근데 이런 각서는 못 써 주지."

코에 대고 있던 수건을 멀리 휙 던지고서, 찬재는 보란 듯이 가슴 앞으로 팔짱을 끼웠다.

"쓸 거면 부부 각서로 써. 내가 지킬 것만 일방적으로 적어 놓지 말고, 네가 지킬 것도 적으라고. 너 공평한 거 좋아하잖아? 넌 되는데, 난 안 되고. 그런 거 없다면서?"

"그래, 그럼."

이다는 대수롭지 않은 얼굴로 시원스레 반응했다.

"서로 지켜야 할 거, 이참에 제대로 정리하고 살지, 뭐."

"일단 너도 써. 둘만 있을 때, 내 몸에 함부로 손대지 않겠다고."

벼르고 있었다는 듯이 찬재가 냉큼 명령하자 이다는 망설임 없이 펜을 들었다. 찬재는 이다의 앞으로 각서를 건넸다. 그러나 막상 각서에다 글을 쓰려는 찰나 뭔가 꺼림칙해 이다는 동작을 멈췄다.

최혜주의 사인은 연습해 두었지만, 최혜주의 필체까지는 알지 못한다. 그런데 함부로 서이다의 필체를 사용해도 되는 걸까…… 어차피 이 부부 각서를 볼 사람은 강찬재와 나뿐이니 상관없으려나…….

잠시 고민하고 있는데, 찬재의 퉁명한 목소리가 들려왔다.

"뭐야, 왜 안 써?"

"손대지 않는다는 표현은 애매한 것 같아서."

"뭐가 애매해?"

"이마는 대도 될 것 같잖아. 아까처럼."

이다는 찬재의 얼굴을 물끄러미 응시하며 의미심장하게 말했다. 순간 찬재는 반사적으로 코를 움켜쥐었다.

"안 돼, 이마 절대 안 돼!"

"대는 건 안 되지만, 박치기는 되나?"

"안 돼! 다 안 돼!"

"둘만 있을 때, 네 몸에 함부로 손대지 않겠다. 그렇게 적으라며? 네가 말한 대로 적어 두면, 이마 대기, 박치기, 다 될 것 같은데?"

"네 거랑 똑같이 적어. 나 최혜주는 강찬재와 둘만 있을 시 강찬재가 원치 않는 신체 접촉을 절대 하지 않는다."

"근데 난 네가 처음에 불러 준 조항이 더 마음에 들어. 내 식대로 써먹기 좋잖아. 그냥 그렇게 적지, 뭐."

"아, 이리 내놔."

찬재는 이다의 손에서 각서를 뺏었다. 그리고 자기 손으로 또박또박 조항을 적어 나갔다. 이다는 그런 찬재의 손을 잠자코 지켜봤다. 계획대로 되었다고, 속으로만 생각하면서.

　뉴욕 출장을 마친 서한은 새벽 네 시에나 입국할 예정이었다. 그런데 아침 일곱 시가 겨우 넘은 아침 식사 자리에 나타나다니. 여느 때와 다름없이 말끔한 모습으로 식사를 시작하는 서한의 모습에 최 회장의 장남 진한은 내심 질린 눈빛이었다. 어차피 후계 자리는 장남으로 못 박아 둔 최 회장이건만. 지치지도 않고 꾸준히 최 회장의 눈에 들려 하는 꼴이 진한의 눈엔 여유가 따로 없었다.

　그런 진한의 시선을 모른 체하며 서한은 최 회장을 향해 운을 뗐다.

　"혜주 결혼식 잘 마쳤다면서요."

　"그랬지. 너도 왔더라면 좋았을 텐데, 아쉽게 됐구나."

　"의외네요. 전 혜주가 도망이라도 갈 줄 알았거든요."

　최 회장은 인상을 찌푸렸다.

　"행여 농담이라도 그런 소린 하지 마라. 도망이라니."

　불쾌한 심기가 역력히 드러나는 목소리였다.

　"혜주 의사 묻지도 않고 진행시킨 결혼이잖아요."

　"없는 집에 보낸 것도 아니고, 태강 막내며느리 자리야. 제 주제에 감지덕지할 자리지."

　"요즘 젊은 사람들 생각은 아버지 세대하곤 좀 달라요. 혜주, 만나는 남자 있는 눈치던데……."

　서한은 말끝을 흐리면서 최 회장의 눈을 빤히 바라봤다. 그러자 최 회장은 탁, 수저를 내려놓고 날카롭게 서한을 쏘아봤다.

"남자가 있건 없건, 얌전히 시집갔으면 그걸로 됐다. 이제 출가외인 됐으니까, 다들 혜주한테서 신경 끄고 살아."

최 회장은 딱 잘라 말하고서 자리에서 일어났다.

"네가 웬일이냐. 아버지 싫어하는 말을 줄줄이 늘어놓고."

최 회장이 주방을 떠나가자, 진한이 의아하단 투로 말했다. 서한은 대꾸 없이 그저 머쓱하게 웃어 보이고는 침착하게 식사를 이었다.

아버지가 떠나겠단 혜주의 마지막 메시지를 못 봤을 리 없다. 아버지의 휴대 전화로 전송된 메시지니까. 그런데 진짜 혜주의 가출 사실을 아무도 모른다는 건⋯⋯. 아버지가 작정하고 그 사실을 숨겼다는 얘긴데.

그럼 역시 가짜 최혜주는 아버지가 구해 온 건가⋯⋯.

최 회장의 반응을 곱씹으며 짐작하는 사이, 입안은 마치 모래알을 씹는 것만 같이 불편했다.

대체 어디서, 어떻게 그렇게까지 똑같은 사람을 구할 수 있었을까?

* * *

원치 않는 신체 접촉에 관한 첫 번째 조항의 다음으로, 부부 각서의 두 번째 조항을 작성하고 난 뒤 찬재는 소리 내어 읽었다.

"강찬재와 최혜주는 쇼윈도 부부로서, 남들 앞에서는 사이좋은 부부 역할을 충실히 이행한다."

이다는 별다른 이견 없이 고개를 끄덕였다.

"그럼 이제 세 번째 조항."

찬재는 이다의 눈을 똑바로 바라보며 말을 이었다.

"상대의 사생활에 관여하지 말 것."

"좋아."

이다는 아무렇지 않은 얼굴로 세 번째 조항을 수용했다.

"내가 누굴 만나 뭘 하든지. 너 나한테 한마디도 할 수 없어."

"너도 마찬가지지. 내 사생활에 관심 꺼준다니 고맙게 됐어."

순순하다 못해 흔쾌하게까지 느껴지는 반응에 찬재는 미간을 찌푸렸다.

"꺼주는 게 아니라 애초에 켜질 일이 없는 거야. 너 같은 거, 관심 가져 달라 빌어도 안 가져."

"고맙다니까."

끄는 거든 안 켠 거든. 뭐가 됐든 무관심은 대환영이다. 한집에 사는 인간이 사생활에까지 관여하면 일이 피곤해지니까.

이다는 진심으로 대꾸하고 어깨를 으쓱해 보였다. 반어법이 아니라 정말 고마워하는 듯한 태도에 찬재는 코웃음을 쳤다.

"나중에 딴소리하지나 마."

"패널티 걸어. 각서 어길 시에 어쩔 건지."

"각서 어기면 벌금이야. 벌금은 우리 결혼할 때 양가에서 받은 지분 전체."

"좋으실 대로."

내가 어길 일은 절대 없으니까. 이다는 확신하며 고개를 끄덕였다.

"좋아. 그럼 각서는 이쯤하고, 각자 사인하도록 하지."

이다와 똑같은 확신으로 고개를 끄덕이며, 찬재는 각서 하단에 사인을 휘갈겼다.

찬재가 비행기에서 장장 28시간 넘게 찌들어 있던 몸을 깨끗하게 씻고 나왔을 때, 이다는 침실 침대에 누워 잠이 들어 있었다.

"아주 태평이 태평양 수준이네."

조금 전에 침대에서 겪은 난리는 아예 새까맣게 잊었는지, 아니면 다시 찬재가 덮쳐 올 리 절대 없다고 믿는 건지. 잠든 이다의 표정은 여유롭기 그지없었다.

"덮쳐 와도 이길 자신 있다는 거냐?"

찬재는 묘하게 자존심이 상해 얼굴을 구겼다. 그리고 내가 이딴 여자랑 왜 한 침대를 쓰냐 싶어 몸을 돌렸다. 그렇지만 한 발짝을 떼기도 전에 다른 생각이 발목을 붙잡았다.

"누구 좋으라고 이 넓은 침대를 혼자 쓰게 둬?"

다시 몸을 돌린 찬재는 이불 위로 털썩 내리 누웠다. 비행 내내 잠 한숨도 못 잔 탓인지, 그토록 이를 갈던 상대 옆에서도 잠은 금세 몰려왔다. 한 침대에 누운 첫날 같지 않게, 아주 금세.

* * *

둘이서 한 침대를 써야 하는 하루하루가 이왕이면 늦게 시작되길 바랐는데. 최소한 신혼여행 기간 동안만은 이곳 침대에서 혼자 눈을 뜨게 될 줄 알았건만. 일주일은 고사하고 하루조차 그럴 수가 없었다.

침대에서 눈을 뜬 두 번째 순간, 이다는 옆에 누워 있는 찬재를 발견했다. 첫 번째 순간과는 달리 찬재는 눈을 감은 채 깊은 잠에 빠져 있었다. 이다는 잠자코 그의 얼굴을 지켜보다 중얼거렸다.

"얼굴은 내 취향인데. 아깝네."

좀 더 지켜볼까 하다가 이다는 이성적으로 고개를 젓고 자리에서 일어났다. 때마침 전화벨이 울려 휴대 전화를 확인하자 낯익은 전화번호가 눈에 들어왔다. 세시의 전화였다.

이다는 잰걸음으로 침실을 빠져나와 전화를 받았다. 그리고 침실로부터 멀리 이동하며 목소리를 냈다.

"알아봤어?"

[그 윤 비서란 사람 말이 다 사실 같아. VIP 사모님들 말이 다 똑같아.]

이다는 혹시 누가 있는지 경계하는 시선으로 주위를 살펴봤다. 그러는 사이 수화기 너머에선 세시의 목소리가 이어졌다.

[2년 전에 SJ 사모님 죽고 나서, 최혜주가 입양아란 소문 파다하게 돌았대. 눈치 볼 사모님 죽었으니, 최 회장 첩 자식들이 폭로한 거 아니겠느냐던데. 그때부터 최혜주는 대인 관계 딱 끊고, 혼자 조용히 지냈다나 봐. 그 와중에도 백화점이나 미용실은 혼자 잘도 다닌 모양이지만.]

주위에 아무도 없다는 걸 확신한 후, 이다는 나지막이 입을 열었다.

"정말로 집 밖에선 친한 사람이 전혀 없었다?"

[응. 그래 보여.]

"그럼 최혜주는 정말 최 회장에게만 메시지를 남긴 건가⋯⋯."

[그럼 그게 친하지도 않은 사람들한테 단체 문자 날릴 일이냐?]

세시는 타박하는 듯이 대꾸했다.

물론 가출 당시 최혜주가 남긴 메시지는 통신사 측 확인 결과 정말 최 회장에게만 전송된 게 분명했다. 하지만 이다가 염려한 것은 최혜주가 혹시라도 다른 이와 비밀을 공유했을 가능성이었다. 휴대 전화 메시지가 아닌 다른 방식으로라도, 친한 사람에게 가출 계획을 알려 놓았을 가능성.

하지만 윤 비서의 말에 따르자면 가족 중에 유일하게 친했다는 최서한은 가출 사실을 모르는 눈치이고. 세시의 말에 따르자면 집 밖에선 친한 사람이 전혀 없었다고 하니……. 역시 최 회장에게만 알린 건가?

"뭐, 정말 최 회장한테만 남긴 거면 다행이지. 혹시 다른 사람도 최혜주 가출 사실 알고 있으면, 내가 가짜란 거 금방 알아챌 테니까."

[그런 사람 없어, 없어. 너 괜히 돌다리 두드려 대다 무너뜨리지 말고, 편하게 있어.]

이다는 벽에 걸린 커다란 액자로 시선을 옮겼다. 최혜주와 강찬재의 결혼사진이 액자에 담겨 있었다.

"최혜주는 알까?"

이다는 최혜주를 응시하며 입술을 움직였다.

"내가 여기 있다는 거."

묘한 기분으로 의미심장하게 덧붙인 말에 수화기 너머에선 잠시 침묵이 흘렀다. 그런데 덜컥 침실에서 문이 열리는 소리가 났다.

"아무튼 고마워. 다음에 또 통화하자."

이다는 간단하게 인사를 마치고서 전화를 끊었다. 동시에 이다의 눈앞으로 찬재가 나타났다. 잠이 덜 깬 얼굴로 성큼성큼 거실에 들어선 찬재는 이다를 발견하고 우뚝 멈춰 섰다.

"뭐야, 있었잖아."

찬재는 괜히 나왔다는 투로 얼굴을 찌푸렸다.

"또 어디로 튄 줄 알았네."

"뭐가?"

"있으니까 됐다."

찬재는 대충 대꾸하고 돌아섰다. 그리고 저벅저벅 침실로 돌아갔다.

"뭐래."

이다는 황당한 눈빛으로 뒷모습을 지켜보며 혼잣말을 했다. 그러다 침실 문이 닫히는 소리가 나자 이다는 다시 최혜주에게로 시선을 옮겼다. 마치 사진 속의 최혜주가 자신을 지켜보는 듯한 착각이 들었다.

최혜주는 내가 여기 있다는 걸 모르고 있는 걸까? 아니면 내가 여기 있다는 걸 아는데 모르는 척하는 걸까?

생각을 읽어 보듯 뚫어지게 바라보던 이다는 시선을 거두었다.

아무리 생각한들 답이 나올 질문이 아니니까. 괜한 데 신경 쓰지 말고 내 일에나 신경 쓰자. 이곳에서 계약 기간 동안, 어떻게 살아갈지나 잘 생각해.

냉정하게 다짐하며 이다는 시계를 확인했다. 오전 아홉 시가 조금 넘은 시간이었다. 이제 하루 일과를 시작해야겠단 생각으로 이다는 윤 비서에게 전화를 걸었다. 윤 비서는 잠시 만에 전화를 받았다.

"부탁할 게 있어요. 여기서 지내는 동안, 꼭 배워 두고 싶은 게 있는데. 혹시 개인 강사를 구할 수 있을까요?"

[개인 강사요?]

"네. 아무래도 바깥출입은 덜 하는 편이 좋을 테니까. 펜트하우스를 직접 방문해 줄 개인 강사가 필요해요."

[예. 그러는 편이 좋겠습니다. 그런데 뭘 배우고 싶은 겁니까?]

이다는 고개 돌려 멀리로 시선을 보냈다. 넓은 헬스 공간이 눈에 들어왔다.

저 정도면 공간은 충분하겠지. 짐작하며 이다는 대답을 꺼냈다.

"격투기요."

윤 비서가 펜트하우스에 챙겨 놓은 최혜주의 물품들은 그야말로 최혜주의 물품들이었다. 최혜주가 즐겨 입던 스타일의 옷, 즐겨 쓰던 화장품 등. 모두 최혜주의 취향에 따른, 최혜주가 필요로 할 물품들이었다. 덕분에 서이다가 필요로 하는 운동복과 운동화는 펜트하우스에 없었다. 펜트하우스 바깥에서 찾아야만 했다.

펜트하우스 바깥으로 나선 윤 비서와 이다는 건물 3층 쇼핑몰로 향했다. 쇼핑몰 안에는 스포츠웨어 매장이 여럿 있었다. 이다는 매장을 둘러보며 이것저것 운동복과 운동화를 비교했다. 윤 비서가 본 중 그 어느 때보다 반짝이는 눈빛으로, 적극적인 몸짓으로.

"갑자기 격투기는 왜 배우고 싶은 겁니까?"

윤 비서는 의아한 얼굴로 질문했다.

"갑자기가 아니라 원래 배우고 싶었던 거예요."

"원래요? 격투기를요?"

"배워 두면 살기 편하지 싶은데. 그동안은 배울 시간과 돈이 없었거든요. 때마침 돈 생기고 시간 생겼으니까, 이럴 때 하고 싶었던 거 다 해 보려고요."

"……격투기를요?"

하고 싶은 거 다 해 보겠단 마음은 알겠는데. 그 하고 싶은 게 왜 하필 격투기인지. 윤 비서는 이해가 가지 않아 재차 물었다.

"호신용이에요. 남 패는 데 쓸 거 아니니까 걱정 마요."

이다는 가볍게 웃는 얼굴로 어깨를 으쓱해 보였다. 그 짧은 미소가 아주 밝아서, 윤 비서는 잠시 얼떨떨해졌다.

이제부터 당신 것이라고 값비싼 최혜주의 물건들을 건넬 때에도, 최혜주 대신 당신이 지낼 곳이라고 드넓은 펜트하우스를 소개할 때에도 이런 들뜬 모습은 볼 수 없었는데.

제 손으로 자기 것을 준비하는 서이다의 모습은 윤 비서가 본 중 어느 때보다 밝아 보였다.

* * *

저녁때가 되어서야 잠에서 깬 찬재는 반사적으로 옆을 확인했다. 옆은 또 비어 있었다. 찬재는 순간 발끈해서 벌떡 일어났다. 그러나 금세 이성을 찾고 멈칫 마음을 가라앉혔다.

"없는 게 당연하지."

찬재는 시계를 확인하며 스스로를 가르쳤다. 저녁 여섯 시. 이

시간이 통상적인 취침 시간은 아니니까. 취침 시간에만 의무적으로 한 침대를 나눠 쓰는 그 여자는 지금 옆에 없는 게 당연하다.

그럼에도 불구하고 감정이 상하는 건 경험 때문일 거다. 비행기에서 빈 옆자리를 노려보며 으득으득 이를 갈았던 경험. 어떻게 갚아 줄까, 내내 그 여자 얼굴만 떠올리며 복수의 칼을 갈았던 바로 그 경험 때문에, 그 여자의 빈자리를 보는 순간 무작정 감정부터 상하는 거다.

"제대로 갚아 줬어야 하는 건데."

실패로 끝나 버린 복수 시도까지 떠올라서 찬재는 이를 갈았다. 한 방 먹고 진 기분에 분하고 약이 올랐다.

"어떻게든 꼭 갚는다, 내가."

찬재는 미간을 꽉 모으며 뇌까렸다. 깨자마자 열을 올려서인지 배 속에서 꼬르륵 소리가 났다.

배를 채우고자 침실 문을 열고 나왔을 때, 찬재의 눈에 들어온 건 맞은편 헬스 공간의 환한 불빛이었다. 어두운 곳에 있다 갑자기 맞닥뜨린 불빛에 찬재는 잠시 눈을 감았다. 눈을 다시 뜨자 불빛 속 최혜주가 보였다. 운동복 차림으로 복싱 글러브를 낀 채, 샌드백을 두들겨 패고 있는 최혜주가.

저녁 식사 메뉴는 태건이 아래층 레스토랑에서 포장해 온 스테이크였다. 평소라면 가사 도우미들이 손수 식단을 요리했겠지만, 휴가 중인 그들을 불러낼 순 없는 노릇이었다. 고용인이 신혼여행 중이라고 철석같이 믿고 있는 그들에게 지금 상황을 알렸다간 강 회장의 귀에까지 들어갈 게 빤하니까.

"우리 신혼여행 일정 5일 남아 있어. 알지?"

찬재는 맞은편을 향해 떫은 표정으로 말을 걸었다. 찬재의 맞은편에서 이다는 막 씻고 나와 젖은 머리칼을 다 말리지도 않은 채 스테이크를 씹고 있었다.

"알아."

"우리 집에서 알면 귀찮아지니까. 남은 5일 동안 어디 나가지 말고 여기 틀어박혀 있어."

이다는 대충 고개를 끄덕이며 스테이크를 한 점 더 입에 집어넣었다. 그리고 먹느라 말할 시간조차 아까운 사람처럼 열심히 씹었다.

"스테이크 처음 먹냐?"

비꼬는 듯 묻는 말에 이다는 무심코 고개를 끄덕였다. 그러나 곧 아차 싶어 고개를 멈칫했다. 최혜주가 스테이크를 처음 먹는다니. 말이 안 되는 대답이었다. 흘끗 찬재를 확인하자 그는 황당한 얼굴로 말했다.

"너 내 말 안 듣고 있지? 고개만 끄덕끄덕, 대충 대답하고 있지?"

"아니. 방금 건 농담이었어."

"그거 전에 내가 뭐라고 한 줄은 아냐?"

"남은 5일 동안 여기 틀어박혀 있으라며?"

"그래. 그거 잘 지켜라."

찬재는 똑똑히 들으라는 투로 눈을 주시하며 말했다.

"걱정할 거 없어. 어차피 나갈 생각 없으니까."

이다는 빠르게 대답하고 스테이크 조각을 입에 쏙 집어넣었다. 넣자마자 입으로 씹는 동시에 손으로 스테이크를 썰기 시작했다.

결혼은 하겠는데, 잠자리는 안 하겠다질 않나.

결혼 끝나자마자 긴 머리칼을 싹 자르지를 않나.

운동이랍시고 복싱을 하고 있질 않나.

싫은 짓만 골라 하던 이 여자가 집에 처박히란 요구를 순순히 받아들이다니. 대체 무슨 생각인 건지. 속을 알 수 없는 머리를 빤히 지켜보며 찬재는 확신했다.

다른 건 다 모르겠는데, 이 여자 스테이크 좋아하는 거 하난 확실히 알겠다고.

*　　*　　*

선금 5억. 계약 완료 시 5억 추가.

도합 10억. 길어 봐야 1년인 계약 기간 동안 아무 문제 없이 최혜주 역할을 해낸다면, 10억을 손에 쥐고 이 집을 떠날 수 있다.

아무 문제가 없으려면 들키는 일이 없어야겠지. 특히나 집 밖에선 각별히 주의해야 한다. 서이다를 아는 사람 혹은 최혜주를 아는 사람을 마주치면 피곤해진다. 가능한 집 안에 있는 편이 안전하고 편하다.

이다는 다시금 계획을 정리해 보며 거실 소파에 앉아 베란다 창밖을 응시했다. 창밖은 어두운 밤이었다. 한창 야식 배달 주문이 밀려드는 시간이다. 한 건이라도 더 배달에 나서려고 혈안이던 이 시간에 밤하늘을 여유롭게 지켜보자니, 새삼 지금 하는 일이 얼마나 편한 일인지가 비교되었다.

단 몇 분 차이에 목숨을 걸 기세로 자동차들 사이를 이리저리 질주해야 하는 일에 비하자면, 가만히 집 안에 들어앉아 최혜주 노릇을 하는 일은 참으로 편한 일이다. 워낙 침대가 좋은 덕에 최혜주의 남편 옆에 자는 일조차 편안하기 그지없었다.

게다가…….

이다는 손에 쥔 신용 카드를 눈높이로 들고 바라봤다. 최혜주. 신용 카드에 영문으로 표기된 이름을 확인하며 윤 비서의 당부를 떠올렸다.

'얼마든지 써요. 최혜주 씨답게.'

최혜주로 보이기 위해 얼마든지 써도 되는 신용 카드라니. 이런 보너스까지 따라오는 줄은 몰랐다. 편한 데다 복리 후생 혜택까지 끝내주는데. 불평할 게 뭐가 있을까. 그저 최선을 다해 맡은 바를 해내야지.

"제대로 써 줘야겠네. 재벌처럼."

이다는 혼잣말로 마음을 다졌다. 그때 발소리가 들려왔다.

"설마 소파에서 잘 생각인가?"

슬쩍 거실로 나온 찬재가 이다를 발견하고 질문을 던졌다.

"그럴 리가. 그 좋은 침대를 두고 왜 소파에서 자?"

이다는 흔쾌히 대꾸하며 자리에서 일어났다.

침대가 불편하니 소파에서 자겠다. 그렇게 고집하면 억지로 끌고 들어갈 참이었는데. 한 침대를 쓰는 일이 아무렇지 않아 보이는 대꾸에 찬재는 미간을 찌푸렸다. 괴롭혀 볼 기회가 하나 사라졌다.

"왜? 같이 침대 쓰기 싫어?"

이다는 싫은 티가 역력한 찬재의 표정을 지켜보며 물었다.

"좋을 리가 없잖아?"

찬재는 보란 듯이 더욱 구긴 얼굴로 반문했다.

"그럼 네가 소파에서 자."

가볍게 해결책을 던져 주고서 이다는 침실로 향했다.

"그럼 내가 소파에서 잘게, 그럴 줄 알아?!"

찬재는 질 수 없단 마음으로 성큼성큼 이다보다 앞질러서 침실로 들어가 버렸다. 그리고 침대의 반을 떡하니 차지하고 누웠다.

뒤이어서 침대로 간 이다는 한 치의 망설임도 없이 찬재의 옆에 몸을 눕혔다. 이불 속을 비집고 들어오는 최혜주의 움직임에 어색함이나 조심스러움 따위는 없었다. 잘 모르는 남자와 한 이불을 덮으면서도 혼자 있는 것처럼 최혜주의 표정은 태연했다.

정말이지 아무렇지도 않은 모습에 찬재는 심기가 거슬렸다. 침대 위를 공평하게 반씩 차지하고 누웠건만, 어째 지는 것만 같은 기분이다.

아니, 공평하게 반씩이기 때문에 지는 기분인 거다. 여자와 한 침대에 누운 건 처음이 아니지만. 이렇게 영역 구별하는 여자와 한 침대에 누운 건 처음이다.

공평하게 반씩은 개뿔. 다들 선을 넘어 내 영역에 몸을 날렸다고. 근데 저 여자는 어떻게 저럴 수가 있지? 어떻게?

기가 막혀 쳐다보는 찬재의 눈앞에서 이다는 눈을 감았다. 끝내 주게 좋은 침대 덕에 잠이 솔솔 밀려들었다.

＊　＊　＊

이다는 대낮이 되도록 푹 자고 일어나서 기지개를 켰다. 몇 년 동안 쌓인 피로를 한꺼번에 푼 것 같은 개운함이 밀려왔다. 잠시 후, 기지개를 마친 이다는 침대에서 몸을 일으켰다. 그리고 비어 있는 옆자리는 거들떠보지도 않고 침실 바깥으로 걸어 나갔다.

침실을 빠져나오자 헬스 공간에서 소음이 들려왔다. 뭔가 싶어 다가가 보니 러닝머신을 뛰고 있는 건장한 남자의 뒷모습이 보였다. 긴 다리로 보나 넓은 어깨로 보나, 강찬재가 틀림없었다.

"오……."

이다는 땀에 젖은 티셔츠를 응시하며 조용히 감탄사를 흘렸다. 등에 착 달라붙은 티셔츠가 굴곡진 근육을 여실히 드러내고 있었다.

"좋은데?"

무심코 손뼉을 치려다가 멈칫했다. 이다는 아차 하는 얼굴로 손을 내렸다. 본 사람은 없으니까 다행이다, 생각하는 찰나 누군가의 목소리가 들려왔다.

"좋은…… 아침입니다, 사모님?"

사모님이라니. 닭살 돋는 호칭에 눈살을 찌푸린 채 이다는 목소리를 향해 시선을 옮겼다. 그러자 언제부터 거기 있었는지, 태건이 이제야 눈에 들어왔다. 태건은 찬재의 곁에 서서 이다를 마주 보고 있었다. 내가 뭘 본 거지 싶은 의아한 얼굴로 눈을 깜빡이면서.

"뭐야?"

태건의 옆에서 찬재가 뒤를 휙 돌아봤다.

찬재는 이다와 눈을 마주치자마자 인상을 팍 구겼다. 신혼여행 일로 아직도 화를 내고 있는 건지, 찬재는 다시 휙 고개를 돌리고서 러닝머신 위를 더욱 빨리 달려 대기 시작했다. 쿵쾅쿵쾅, 전투적인 뜀박질에 분노의 감정이 가득 실려 있었다. 부모 죽인 원수라도 쫓아가는 기세였다.

"뒤끝 기네."

이다는 중얼거리고서 속으로만 덧붙였다.

다행이다. 성격은 내 취향 아니라서. 어차피 1년 안에 헤어질 남편, 다 내 취향이면 헤어지기 싫을 거잖아?

속 편하게 생각하는 사이 태건이 다가왔다.

"아침 식사 준비하려던 참인데, 사모님도 골라 주시죠."

태건은 이다의 앞에 메뉴판을 펼쳐 보였다.

"어제 저녁 주문했던 아래층 레스토랑 메뉴판입니다. 어제 주방장님께 미리 부탁드려 놔서, 오늘 아침도 주문할 수 있게 됐습니다. 이 중에서 골라 주시면 됩니다."

"그럼 스테이크요."

이다는 메뉴판을 쳐다도 보지 않고 곧바로 대답했다.

"예? 아침부터 스테이크를요?"

태건은 귀를 의심하며 질문했다. 의심할 여지가 없게 이다는 확고한 눈빛으로 고개를 끄덕여 보였다.

"어제 그 스테이크, 진짜 마음에 들었거든요."

어제 먹은 스테이크가 그렇게까지 맛있었던가? 아침으로 또 찾을 만큼?

찬재는 식탁 맞은편의 최혜주를 바라보며 의아해했다. 최혜주는 어제처럼 스테이크를 썰고 있었다. 손으로 칼질하는 동시에 입으로는 씹고 있는 움직임이 어찌나 열정적인지.

모르긴 몰라도 저 스테이크, 저 여자 마음에 들었단 건 확실하네. 자기 남편보다 훨씬, 비교도 할 수 없을 만큼 마음에 드는 모양이지?

찬재는 어이없이 코웃음을 쳤다. 남편을 대할 때와 고기를 대할 때의 저 극명한 온도 차이라니. 아무리 정략결혼이라지만, 내가 고기보다 못하냐?

하마터면 뱉을 뻔한 말을 입안에 둔 채 샐러드와 함께 씹었다. 그때 주방으로 슬그머니 나타난 태건이 찬재의 곁에 섰다.

"저기, 강 이사님. 회장님이 전화하셨는데."

"전화?"

찬재는 고개를 갸웃거렸다. 그리고 주머니 속 휴대 전화를 끄집어내 확인했다.

"안 왔는데?"

혹시나 했지만 역시나 연락이 온 곳은 없었다.

"예, 저한테 전화하셨거든요."

"너한테 왜?"

"그……. 어제 공항에서 강 이사님을 본 사람이 있다고 하시네요. 그, 그래서 회장님도 강 이사님 한국 와 있는 거 다 아신다고."

"……."

뜻밖의 소식에 찬재는 멈칫 얼굴을 찌푸렸다.

"그나마 다행인 게, 그걸 본 사람이 사모님 둘째 오빠분과 기사님 이시라, SJ 그룹 차원에서 입단속은 확실히 할 거라고 하는데요."

찬재는 이어진 덧붙임에 느긋하게 표정을 풀었다. 그렇지만 이다 는 짐짓 귀를 기울였다. 최혜주의 둘째 오빠라면, 최서한의 얘기일 터였다.

"잘됐네, 그럼. 소문날 일 없으니까, 신경 쓸 거 없잖아?"

"어쨌든 신혼여행 하루 만에 혼자 귀국한 게 잘한 짓은 아니라고 하셨습니다."

"저 여자가 먼저 비행기에 안 탔거든?"

찬재는 유감 가득한 눈초리로 최혜주를 쳐다봤다. 이 와중에도 이다는 침착하게 태연한 얼굴로 스테이크를 씹고 있었다.

"예. 제가 자초지종 설명 드렸습니다. 회장님은 둘 다 똑같은 것 들이라고, 신혼여행 기간 동안 남의 눈에 안 띄게 집에 꼭 처박혀 있으라고 하셨습니다."

그쯤이야 원래 그럴 작정이었으니까, 이다는 흔쾌히 고개를 끄덕 였다. 찬재는 그런 이다를 아니꼽단 눈빛으로 쏘아보며 입을 열었다.

"둘 다 똑같지는 않아. 난 결혼이란 백년가약에 대한 깊은 책임 감을 안고, 어디서든 신혼여행은 부부가 함께해야 한단 사명감으 로 귀국한 거거든. 신혼여행 직전에 튀어 버린 어느 무책임한 여자 하곤 달라."

자기 일 바쁘다고, 결혼사진조차 따로 찍은 장본인이 뭔 소리래? 태건은 황당해져 찬재를 위아래로 봤다. 반면 이다는 찬재의 눈을 똑바로 지켜보며 아무렇지 않게 말했다.

"그래, 나는 너하고 달라. 그래서 미안, 내 마음이 너와 같지 않아서. 날 위하는 너의 마음에 비하자면, 너에 대한 나의 마음은 너무 작지. 아예 없는 수준이랄까. 그러니까 공평하게 너도 그냥 마음 비워. 나한테 계속 마음 주면 너만 힘들어져. 아낌없이 주는 건 나무나 할 짓이야."

얼굴색 하나 바뀌지 않은 이다와 달리 찬재는 두 주먹을 꽉 쥐고서 부글부글 얼굴색을 붉혔다. 기가 막혀 말문까지 막힐 지경이지만, 찬재는 애써 화를 억누르며 입을 열었다.

"너한테 마음 준 적 없어. 그런 일은 검은 머리 파뿌리 될 때까지 절대 없어."

"그럼 우리 둘 다 똑같은 건가?"

이다는 가볍게 질문을 던지고서 마지막 스테이크 한 조각을 입에 넣었다. 그리고 대답은 필요 없단 듯이 훌쩍 자리에서 일어나 빈 접시를 개수대로 옮겼다. 그 모습에 찬재는 어금니를 꽉 깨물고 이를 갈았다.

* * *

서재 안을 홀로 둘러보며 이다는 윤 비서와의 통화를 이어 갔다.

윤 비서의 말에 따르자면 최서한이 공항에서 본 강찬재 이야기를 최 회장에게 꺼낸 건 불과 몇 시간 전이었다. 최 회장이야 이미 모든 상황을 보고 받아 알고 있었지만, 다른 사람까지 알게 되었다는 사실에 놀라 강 회장에게 연락을 취했던 모양이다. 자네 아들이 지금 한국에 있으니, 남의 눈에 띄지 않게 단단히 주의를 주란 의미로.

"그럼 둘째 오빠는 내가 지금 한국에 있단 사실도 안단 얘기네요."

[예. 어차피 공항에서 강찬재 씨를 봤으니까, 사실대로 알리는 편이 낫다고 판단해서 얘기했습니다. 최혜주 씨 혼자 신혼 여행지에 있다고 하는 것보단 부부가 둘 다 신혼여행 포기하고 한국에 있다는 편이 나으니까요. 물론 싸웠다고 하진 않았습니다. 혜주 씨 몸 상태가 안 좋아서 신혼여행을 포기한 거라고 했죠.]

"최혜주하곤 그나마 친한 사이였던 걸로 아는데. 직접 연락을 해 오지는 않네요? 궁금한 건 직접 전화해서 묻는 편이 빠르고 편했을 텐데."

[최혜주 씨 예전 전화번호로는 전화를 했던 모양입니다. 계속 꺼져 있다고, 걱정하더라고요. 안 그래도 제가 새 번호를 알려 주긴 했는데, 그게 불과 한 시간쯤 전입니다.]

"그래요?"

이다는 벽에 걸린 시계를 확인했다. 한 시간쯤 전이라면 아침 식사 전의 얘기였다. 식사를 마치고 서재로 건너온 게 조금 전이니까.

[혹시 그쪽으로 서한 씨 연락이 가면 잘 연기해 주십시오. 최혜주 씨처럼.]

"그래야죠."

받은 돈이 얼만데. 당연히 해내야지.

누구보다 최혜주와 가까웠던 사람이니, 가장 긴장해야 하는 상대일 테지만. 이다는 담대하게 망설임 없이 대답했다.

최혜주가 서재에 있는 사이, 찬재는 식탁에서 커피를 사약처럼 들이마셨다. 오만상을 찌푸린 채 커피 잔을 비운 다음, 찬재는 심각하게 말을 뱉었다.

"뭐 저런 여자가 다 있지?"

"그러게요. 말을 엄청 잘하시네요."

태건은 감탄하며 고개를 끄덕였다. 욕으로 뱉은 말을 칭찬으로 맞장구치는 격이었다. 찬재는 못마땅해 태건을 노려보았다. 그러나 태건은 거실을 건너다보느라 그를 보지 못한 채 말을 이었다.

"결혼사진으로 볼 때하곤 느낌이 완전 다르죠?"

"결혼사진?"

찬재는 태건을 따라 시선을 옮겼다. 그러자 거실 벽에 붙어 있는 커다란 결혼사진이 보였다. 원래도 관심사에 들어온 적 없던 물건이지만, 결혼식 날 본 후론 아예 잊고 있었다.

"이사님이 저 사진 보고 그런 말 했었잖아요. 최혜주 씨가 그……. 비 올 것 같은 우중충한 날씨? 그런 분위기라고요."

순간 찬재는 태건이 기억해 내려는 그때의 발언을 정확하게 떠올렸다.

'보는 사람 기분 가라앉게 하는 그런 분위기네. 눈빛에 생기도 없고. 비 오기 전 우중충한 날씨 같달까.'

'……청순을 청승으로 잘못 알고 계시는 거 아니고요?'

'나한텐 둘 다 같은 말이야. 미지근하고 밋밋하고 재미없어 보이는 거지.'

확실히 지금 봐도 결혼사진 속 최혜주는 그래 보인다. 찬재는 일어나서 거실 가까이로 이동해 결혼사진을 좀 더 자세히 바라봤다.

"하긴 이쪽이 비 오기 전 날씨 느낌이라면······."

찬재는 자신이 직접 겪은 최혜주를 떠올려 보다 단호하게 덧붙였다.

"실물은 벼락이야."

"벼락이요?"

"벼락도 아주 날벼락이지."

찬재는 치를 떨며 식탁으로 돌아왔다.

"내가 결혼할 여자가 저런 여자일 거라곤 상상도 못 했었다. 아니, 세상에 저런 여자가 있다는 걸 상상도 못 했었지."

"그래도 같이 있으면 미지근하고 밋밋하진 않으시겠네요."

"미지근하고 싶다."

찬재는 뜨거운 한숨을 내쉬었다.

"자꾸 벼락 맞으니까, 열 받아서 돌겠거든."

이다는 서재 책상 위에 걸터앉은 채 수화기에 질문을 던졌다.

"근데 윤 비서님, 최혜주라면 이럴 때 어떻게 했을까요?"

[글쎄요. 어쩌면 최서한 씨한테 먼저 연락을 했을 수도 있겠죠. 그렇지만 최서한 씨가 먼저 연락할 때까지 기다리는 것도 이상하지 않습니다.]

"아뇨, 그 얘기가 아니라······."

그 문제라면 진작 답은 나와 있었다. 최서한이 먼저 연락하면 받아 주기나 하자고. 그러나 정작 답이 나오지 않는 문제는 따로 있었다.

"남은 4일 동안 어떻게 해야 하냔 거죠. 신혼여행 끝나는 날짜까지, 남들 눈에 띄지 말라는데. 그럼 집 안으로 외부인 불러들이는 일도 불가능하단 거고. 격투기도 4일 후에나 시작할 수 있는 거잖아요."

[그냥……. 집에서 놀고 있으면 되는 거 아닙니까?]

윤 비서는 뭐가 문제인지 모르는 말투였다.

"집에서, 뭘 하고 놀아야 되는 건지 모르겠다고요."

[…….]

"먹고 자고 며칠 해 봤는데. 너무 많이 잤더니, 허리 아프고 머리 아파요. 몸이 처지니까 기분도 처지고요. 대체 최혜주는 집에 처박혀서 뭘 하고 놀았대요?"

[TV도 있고, 스마트폰도 있고, 컴퓨터도 있잖습니까? 그걸로 놀면 됩니다.]

"그런 게 재미가 있으려나……."

이다는 별 기대 없이 중얼거렸다. 보육원을 떠나 자립해야 했던 열일곱 살 이후로 이다에게 집이란, 자는 곳을 의미했다. 집에 진득하게 들어앉아 공부란 걸 해 볼 생각은 없었다. 고등학생이 당장 먹고살 돈을 버는 방법은 머리 쓰는 일이 아니라 몸 쓰는 일이니까. 더 빨리, 더 많은 돈을 벌어 두기 위해 이다는 눈 떠 있는 시간 대부분을 집 밖에서 보내야 했다. 가게를 차리든 건물을 사든, 그럴 수 있는 자본금을 모을 때까진 계속 그렇게 살 작정이었다.

돈 벌 시간이 아까워서 고등학교마저 자퇴했었는데. 집에서 놀 시간은 더욱이 없었다. 놀 시간이 있으면 잠을 좀 더 자 두는 게 당연했다. 그런데 TV와 스마트폰, 컴퓨터로 놀아야 한다니. 어떤 느껌일지 감이 잘 오지 않았다. 과연 그게 재미있을까?

긴가민가한 얼굴로 이다는 다시금 서재 책장을 눈으로 훑었다. 그러다가 쩝 입맛을 다시고서 말했다.

"뭐, 어쨌든 책 읽는 것보단 재미있겠죠."

＊　＊　＊

주방으로 건너가려던 찬재는 복도에서 우뚝 걸음을 멈췄다. 그리고 거실 소파에 널브러져 있는 이다를 한심하게 쳐다봤다. 이다는 소파 팔걸이에 옆머리를 기댄 채로 모로 누워 TV 드라마를 시청 중이었다. 오전부터 지금까지, 무려 여덟 시간째.

찬재는 흘끗 TV를 확인했다. 아까 보았을 때와 같은 배우들이 눈에 들어왔다. 아까부터 같은 드라마를 1화부터 죽 몰아서 보는 모양이었다.

"이런 바보상자를 하루 종일 죽치고 보고 있다니. 참 언제 봐도 마음에 안 드는 여자야."

절레절레 고개를 내젓는데, 이다가 느닷없이 몸을 일으켰다.

"아, 안 돼!"

답지 않게 절박한 목소리에 찬재는 눈이 커다래졌다. 놀란 찬재의 시선 속에서 이다는 재빨리 리모컨을 들었다. TV에서는 드라마의 정지된 장면 위로 엔딩 크레딧이 시작되고 있었다.

여기서 끝내다니! 빨리 다음 편!

이다는 속으로 외치면서 꾹꾹 황급하게 버튼을 눌러 댔다. 누가 보면 전화기에 119 번호라도 누르는 줄 착각할 손길이었다.

"저딴 바보상자에 열까지 올리다니……."

찬재는 기가 막힌 얼굴로 TV와 이다를 번갈아 봤다. 다음 편이 시작되자 이다는 도로 눕지 않고 꼿꼿이 앉은 채로 화면에 집중했다.

"설마 죽진 않겠지? 주인공인데……. 아직 10화밖에 안 됐는데……."

이다는 불안한 눈빛으로 저도 모르게 혼잣말을 흘렸다.

"대체 뭔데 이래?"

대체 뭐가 이 여자 관심을 이렇게나 사로잡은 건지, 찬재는 호기심에 그녀를 따라 TV로 시선을 고정했다.

드라마에서는 조직폭력배들에게 둘러싸인 남자가 홀로 사투를 벌이고 있었다. 남자는 배에 상처를 입었는지, 찢어진 셔츠에서 피가 흘러나왔다. 그럼에도 남자는 굴하지 않는 거친 눈빛으로 사투를 이어 갔다.

그런데 남자의 등 뒤에서 느닷없이 쇠 파이프가 날아들었다. 남자가 쾅, 쇠 파이프로 머리를 맞는 순간 찬재는 깨달았다. 조금 전 최혜주로 하여금 '아, 안 돼!'를 외치게 한 9화 마지막 장면이 바로 이 장면임을.

"야, 저 정도로 안 죽어."

찬재는 어이없이 이다를 향해 말했다.

"저래 봤자 최악의 경우는 기억 상실증뿐이야. 드라마에서는."

주먹까지 꽉 쥐고서 드라마를 주시하고 있던 이다는 눈을 커다랗게 뜨고 찬재를 올려다봤다.

"진짜?"

이다는 진심으로 궁금해하는 눈빛이었다.

"너 드라마 처음 보냐?"

무심결에 고개를 끄덕일 뻔했지만, 이다는 얼른 참았다.

"이 드라마는 처음이야."

"이 드라마고, 저 드라마고. 드라마 중간에 주인공 죽는 경우 절대 없거든? 16 대 1로 처맞아도, 총에 맞아도, 트럭에 치여도, 주인공은 절대 안 죽지. 하다못해 전신 화상이어도 전신 성형으로 멀쩡하게 다시 돌아오는 게 주인공이잖아? 다른 사람 얼굴로 얼굴 성형까지 하고 말이지."

"다른 드라마가 그랬다고, 이 드라마까지 그러라는 법 있나? 이건 다를 수도 있지."

"내기할까?"

찬재는 이다의 옆으로 가 털썩 소파에 앉았다. 그리고 TV를 가리키며 다시 물었다.

"저 여자가 여주인공이지? 지금 쓰러진 남자 붙잡고 우는 여자."

"응."

"여자가 조폭들한테 인질로 잡혀 있는 거, 남자가 구하러 온 거겠네?"

"맞아."

"근데 남자 패션 보아하니, 회사 실장님, 이사님, 본부장님 스타일인데. 쟤 재벌 2세냐?"

"응."

"남자가 재벌이면 여자는 캔디 100%지. 그러니까 남자 집에서는 반대하고 있을 테고……. 근데 여자 지키려다 머리를 맞았다?"

"사실 저 조폭들, 남자 엄마가 사주했어. 저 여자 협박해서 자기 아들이랑 헤어지게 해 달라고."

"아하."

찬재는 한쪽 다리를 나머지 다리 위로 척 하니 올려놓고 턱을 매만졌다. 그리고 자신만만한 얼굴로 이어 말했다.

"기억 상실 확실하네. 저 남자 병원에서 깨어나면, 여자 못 알아봐."

때마침 드라마 속 장소가 병원으로 바뀌었다. 이다는 긴가민가한 마음으로 드라마를 지켜봤다.

남자는 환자복 차림으로 병실에 누워 잠들어 있었다. 영안실이 아닌 입원실에 누워 있으니, 살아 있다는 건 분명했다. 여자는 애틋한 눈빛으로 남자의 곁에 다가와 그의 손을 잡았다. 그때, 남자가 서서히 눈을 떴다. 그와 눈을 마주친 여자가 감격에 찬 얼굴로 눈물을 떨어뜨렸다. 그 모습에 남자는 멍하니 눈을 껌뻑이다가 입을 열었다.

[누구…… 시죠?]

순간 드라마 속 여자는 눈이 휘둥그레졌다. 이다는 그녀처럼 놀란 눈으로 고개 돌려 찬재를 쳐다봤다.

"진짜잖아?"

"당연하지."

찬재는 우쭐해진 기분으로 씩 웃어 보였다.

"이제 저 남자는 저 여자만 기억 못 해. 딴 건 다 기억하는데, 지가 좋아했던 저 여자만 기억 못 하는 거지. 그럼 남자 엄마가 남자한테 그럴 거야. 저 여자 아무것도 아니라고. 너랑 아무 사이도 아니니까, 신경 쓰지 말라고."

"왜?"

"그렇게 하면 둘을 떼어 놓을 수 있을 거라 생각하는 거지."

"설마⋯⋯."

이다는 못 믿겠단 얼굴로 TV를 응시했다.

"설마는 무슨. 보나 마나 뻔하지. 두고 봐. 내 말이 맞으니까."

찬재는 장담하며 가슴께로 팔짱을 꼈다. 그리고 내기의 결과를 기다리는 마음으로 빤히 TV를 지켜봤다.

얼마 후, 나란히 앉아 TV에 빠져 있는 두 사람 앞으로 태건은 저녁 식사를 가져다주게 되었다. 또 얼마 후, 태건은 빈 접시를 치웠고, 정리를 마치고서 펜트하우스를 나섰다. 그때까지 두 사람은 같은 모습을 유지하고 있었다.

* * *

다음 날 아침, 펜트하우스로 출근한 태건은 곧장 주방으로 향했다. 그러나 뜻밖에 거실 TV가 켜져 있어 태건의 발걸음은 거실에서 멈춰졌다.

"어제 TV를 안 끄고 들어가셨나?"

태건은 의아해 혼잣말을 하며 리모컨이 놓인 테이블로 다가갔다. 그러다가 얼핏 소파를 본 태건은 눈이 휘둥그레졌다.

"사, 사모님?"

이다는 어제처럼 소파에 앉은 채로 잠이 들어 있었다. 고개를 한껏 젖히고서 눈을 감은 점이 다를 뿐, 옷차림과 위치는 어제 모습 그대로였다. 그리고 그런 이다의 무릎에는⋯⋯.

"이…… 사님?"

베개 삼아 무릎을 베고 누운 찬재가 있었다.

"저기……."

하루아침에 웬 장족의 발전인지. 놀란 태건은 위아래로 두 사람의 얼굴을 번갈아 봤다. 그사이 잠에서 깬 이다가 스르르 눈을 떴다.

"아, 깨, 깨셨어요?"

눈을 마주친 태건이 당황한 기색으로 인사를 건넸다. 그러자 이다는 비몽사몽인 눈으로 주위를 둘러봤다. 하얗게 날이 밝아 있었다.

"아……. TV 보다 깜빡 잤나 보네요."

"어제 저 퇴근하고 나서도 계속 보신 거예요?"

이다는 고개를 끄덕였다.

"계속 두 분이서요?"

더욱 크게 고개를 끄덕이다가 이다는 가만히 고개를 멈추었다.

어제 드라마, 어디까지 확인했었더라?

기억 상실증에 걸린 남자 주인공은 정말 딱 자기 애인인 여자 주인공만 기억하지 못했고. 남자 주인공의 엄마는 그 틈을 타 다른 부잣집 여자를 아들과 결혼시키려 했고. 여자 주인공은 남자의 행복을 빌며 홀로 외국으로 떠날 준비를 하고…….

여기까진 모두 찬재의 예언대로 되었다. 하지만 뒤가 기억나지 않는 걸 보니, 여기서부터 잠이 들었던 모양이다.

그럼 뒤는? 뒤는 어떻게 되는 거지?

"설마 끝까지 다 맞는 건가?"

저도 모르게 중얼거리면서 이다는 얼른 리모컨으로 팔을 뻗었다. 그 바람에 들썩이는 무릎 위에서 찬재의 머리가 소파 아래로 미끄러졌다.

쿵, 바닥으로까지 순식간에 떨어졌다.

"거기 있는 줄 몰랐다니까."

소파에서 이다는 옆에 앉아 이글이글 노려보는 찬재의 눈동자를 태연히 마주한 채 말했다.

"네가 내 무릎을 베고 있을 줄은 전혀 몰랐다고. 일부러 내동댕이친 거 절대 아냐."

"내가 네 무릎을 베고 있었을 리 없어."

찬재는 전혀 납득할 수 없단 얼굴로 고개를 가로저었다.

"그냥 옆에서 자고 있는 나를, 네가 밀었겠지."

"아니요. 정말 이사님이 사모님 무릎을 베고 있었는데요."

두 사람 앞 테이블에서 태건이 끼어들었다. 그러자 찬재는 태건에게로 사나운 시선을 쏘았다. 태건은 그를 못 본 체 외면하며 테이블에 아침 식사를 내려놓았다.

"믿을 수 없어. 내가 왜? 내가 왜 이 여자 무릎을 베?"

"알 게 뭐야. 무릎 벤 게 무슨 대수라고. 지금 그딴 건 중요하지 않아."

이다는 성가신 듯 타박하고 TV에 시선을 집중했다. 그리고 온 신경까지 집중시킨 표정으로 빠르게 덧붙였다.

"광고 끝났어, 시작한다, 마지막 회."

이 순간 드라마의 결말보다 중요한 건 아무것도 없는 듯했다.

"와, 무슨 드라마 못 보고 죽은 귀신이 붙었나."

찬재는 기막혀서 쳐다보다 밥이나 먹잔 생각으로 시선을 옮겼다. 그러자 테이블 위에 놓인 아침 식사가 눈에 들어왔다. 최혜주의 접시에는 어김없이 스테이크가 있었다.

"스테이크도 못 먹어 본 귀신인가."

찬재의 시선이 다시 최혜주에게 향했다. 자꾸자꾸 제게 끌려오는 그 시선 앞에서 이다는 아무런 자각 없이 오로지 자신의 관심사에만 몰두하고 있었다.

* * *

결국 모든 것이 강찬재의 예언대로였다.

떠나려는 여자 주인공은 마지막 인사를 하기 위해 남자 주인공을 찾아갔다. 그러다 남자 주인공에게로 달려드는 트럭을 발견했고, 그를 구하려다 대신 트럭에 치였다. 순간 남자 주인공은 기억을 되찾았다. 이후 여자 주인공은 사경을 헤맸지만, 자신을 부르는 남자 주인공의 목소리에 기적적으로 눈을 떴다. 그리고 드라마의 마지막 장면은 두 사람의 결혼식이었다.

"어떻게 이걸 다 맞혔지?"

이다는 신기하단 눈빛으로 찬재를 쳐다봤다. 한 시간 내내 방치되어 있던 찬재는 심드렁한 얼굴로 TV를 응시하고 있었다.

"혹시 이거 이미 봤던 드라마 아니야?"

"이건 안 봤지만, 이 비슷한 건 수십 개쯤 봤지."

"드라마를 그렇게나 많이 봤다고?"

"이 비슷한 것만 수십 개. 안 비슷한 것도 수십 개. 다 합쳐서 한 수백 개는 봤을 거다."

"드라마 되게 좋아하나 보네."

"좋아서가 아니라 일이라서 봤다."

이다는 의아해진 얼굴로 찬재를 빤히 봤다.

"드라마 보는 게 일일 수도 있나?"

"이 건물 맡기 전에, 본사 PPL 전담 부서에 있었거든. 달랑 드라마 시놉시스 몇 장 보고 제작 지원을 결정해야 하는데. 그 제작 지원이 한두 푼도 아니고. 어느 드라마에 협찬해야 가장 많은 수익이 나오는지, 그게 항상 골치였단 말이지."

찬재는 그 시절을 떠올려 보며 말을 이어 갔다.

"그래서 온갖 드라마는 다 찾아봤었어. 대중들이 어떤 드라마에 열광했는지, 어떤 드라마를 외면했는지. 한 수백 개쯤 보다 보니까, 시놉시스 몇 장만 봐도 대충 견적이 나오게 됐어. 이 장르에 이 소재, 이 캐릭터들이 나오면 대충 전개가 어떻게 흘러갈지. 어떤 장면이 꼭 나오는지. 그리고 얼마나 흥행할지."

주절주절 별생각 없이 말하다가 찬재는 문득 든 생각에 미간을 좁혔다.

내가 뭐 이런 얘길 다 하고 있지? 나한테 관심도 없는 여자한테. 찬재는 냉소적인 생각과 함께 흘끗 최혜주를 향해 고개를 돌렸다. 그런데 예상외로 최혜주는 눈을 반짝이며 자신을 바라보고 있었다. 평소 자신을 대할 때의 무관심한 태도와는 정반대로, 생동감이 넘쳐 나는 밝은 모습이었다.

뭐야, 이런 표정일 땐 예쁘잖아?

눈앞의 여자가 꼭 다른 사람이 된 것 같은 색다른 느낌에 찬재는 기분이 얼떨떨해졌다.

원래 이 정도로 예쁜 얼굴이었나……?

찬재는 첫 만남부터 지금까지를 되짚어 보며 눈을 껌뻑거렸다. 이다는 그런 찬재를 향해 씩 미소까지 걸쳐 보였다.

더 예뻐졌잖아?

신기해하는 찰나 이다가 입을 열었다.

"의외네."

"뭐가?"

"혈기가 넘쳐서 흥분이 헤픈 줄만 알았는데. 의외로 침착하게 일하잖아."

"……혈기가 어쩌고, 흥분이 뭐?"

"툭하면 열 올리고 화내는 거 말이야."

"야, 나 웬만해선 화 안 내는 사람이야. 네가 웬만하지 않은 거지."

찬재는 정색하고 인상을 썼다.

"그건 모르겠고, 드라마 잘 아는 건 알겠어. 그래서 말인데."

이다는 기대하는 눈빛으로 찬재에게 리모컨을 내밀었다.

"재미있는 드라마 좀 골라 줘."

어째서인지 찬재는 이 기대를 저버리기 싫은 기분이 들었다. 그 래서 그는 리모컨을 받아 들었다.

이다가 드라마를 보는 동안, 찬재는 자꾸만 힐끗힐끗 그녀를 확인했다.

자신을 향해 눈을 반짝이던 모습이 언제 또 나올는지.

궁금해서 계속 훔쳐봤지만, 그녀는 그가 추천한 드라마에 푹 빠져 있을 따름이었다.

뭐……. 그런 표정 아니어도, 예쁘기는 한 얼굴이네.

한참 만에 마지못해 인정하고서 찬재는 쩝 입맛을 다셨다. 목이 말랐다.

성큼성큼 주방으로 건너온 찬재가 냉장고에서 맥주를 꺼냈다. 그러자 막 주방 정리를 마친 태건이 슬그머니 옆으로 다가왔다.

"두 분 사이좋아지신 겁니까?"

"같이 앉아서 TV 본다고 다 사이좋은 거냐?"

"한두 시간 같이 보는 거야, 뭐 극장에서 처음 본 옆 사람하고도 하는 일이죠. 근데 어제저녁부터 오늘 저녁까지, 게다가 밥 먹는 시간까지 쭉 같은 소파에서 같은 TV 보고 있는 건……."

태건은 아리송한 표정으로 고개를 갸웃거렸다.

"보통 금슬 좋은 부부도 그렇게는 안 살걸요."

"보통 금슬 나쁜 부부도, 한쪽이 비정상이면 그렇게 살아."

찬재는 고개 돌려 눈으로 최혜주를 가리켰다.

"아주 무슨, 16부작 드라마를 하루에 하나씩 볼 기세야. 하루 24시간 중에 16시간을 드라마에 쏟고 있다고."

"그 비정상인 한쪽이……. 저는 이사님 같은데요."

"뭐?"

찬재는 황당해져 태건을 쳐다봤다.

"하루 종일 드라마 보는 거야, 그럴 수도 있죠. 그런 사람 흔해 빠졌어요. 저도 한때 미드에 빠졌을 때, 휴일 내내 드라마만 봤으니까요. 근데 이사님은 지금 드라마를 보시는 게 아니잖아요. 드라마를 보고 있는 사모님을 보시는 거지."

태건의 지적에 찬재는 비웃듯이 피식 미소를 걸치고서 대꾸했다.

"원래 정상인은 비정상인이 신기해서 쳐다보기 마련이야."

찬재의 시선이 다시 최혜주에게 향했다. 최혜주는 소파에서 쿠션을 꽉 끌어안고 앉아 빨려 들 듯 TV에 몰입하고 있었다.

"저렇게 드라마 보는 건 비정상이 아니라니까요."

"그래. 보통 사람들은 저렇게 드라마를 보지. 근데 저 보통 아닌 여자가 보통 사람처럼 저러고 있으니까, 나는 그게 신기한 거야."

찬재는 당연하단 투로 말하고서 맥주 캔을 땄다.

"이왕이면 좀 친하게 지내세요. 어차피 평생 같이 사실 분이니까."

아쉬운 듯 조언하는 태건 앞에서 찬재는 맥주를 입에 댔다. 그러나 태건의 손이 잽싸게 찬재의 입에서 맥주를 떼어 냈다.

"좀 이런 것도 혼자 하지 말고요, 두 분 같이하시라고요. 그래야 친해지지."

"놔라."

찬재는 맥주 캔을 잡고 있는 태건의 손을 노려보며 낮은 목소리를 냈다. 태건은 손을 놓지 않고 도리도리 고갯짓을 했다.

"제가 안주 준비해서 술하고 가져다 드릴 테니까, 저기 사모님 옆에 돌아가 계세요."

"누가 안주 필요하대? 퇴근이나 해."

"아니, 밥은 잘만 같이 드시면서, 술은 내외하세요? 왜요?"

순간 찬재는 허를 찔린 기분에 잠시 '그런가?' 싶어졌다. 그 틈을 타 태건은 살짝 느슨해진 찬재의 손에서 맥주를 확 빼앗았다.

집에 들어앉아 TV만 보는 게 대체 무슨 재미일까?

바로 이런 재미겠지. 이다는 스스로 답을 내리면서 고개를 끄덕였다.

"다들 이 재미에 이걸 보는 거였어…….."

드라마를 지켜보며 중얼거리는데, 테이블 위로 무언가가 내려왔다.

맥주 캔 몇 개와 갖가지 견과류가 담긴 쟁반이었다. 쟁반을 내려놓은 태건이 입을 열었다.

"맥주하고 안주 좀 준비해 봤습니다. 두 분 함께 드시면서 즐거운 시간 되십시오. 전 이만 퇴근하겠습니다."

태건은 인사를 마치자마자 서둘러 현관으로 향했다. 이다는 도망치듯 사라지는 태건의 뒷모습을 잠시 지켜보다 맥주로 시선을 옮겼다. 그리고 맥주 캔 하나를 들고 살펴봤다.

"편의점에서 파는 거랑 똑같네."

이다는 심드렁해진 눈빛으로 중얼거렸다. 바로 며칠 전, 결혼식을 마친 날 밤 옥탑방 평상에서 세시와 홀짝였던 맥주가 이 맥주였는데. 재벌인 척 펜트하우스에 올라앉았어도 손에 쥔 건 같은 맥주라니.

"맛도 똑같겠네."

기대 없이 덧붙이는데, 옆에서 찬재의 목소리가 들렸다.

"맥주 싫어하나?"

"아니."

이다는 대답하며 옆을 봤다. 찬재는 똑같은 맥주를 손에 쥔 채 다리를 꼬고 앉아 있었다.

"별로 안 좋아하는 표정인데?"

"맥주는 좋은데. 종류가 이것밖에 없나 해서."

이다는 다시 맥주를 응시하며 생각했다.

이왕 재벌인 척하는 김에 왕창 재벌답게 살아 봐야지. 맥주 하날 마셔도, 최대한 비싼 걸로.

"이거 말고, 더 비싼 맥주 없어?"

콧대 높은 요구에 찬재는 헛웃음을 쳤다.

"SJ 사모님이 오냐오냐 극성으로 키웠다더니. 비싼 거 아니면 못 쓰는 병을 키워 주셨나. 너, 뭐든 비싸야만 좋은 건 줄 알고 컸어?"

나야 아니지만. 최혜주는 그랬겠지. 이다는 찬재의 눈을 보며 최혜주를 대신해서 고개를 끄덕였다.

"너 그거 자랑 아니야. 비싼 게 명품인 줄 아는 거, 한심한 거야. 명품은 비싼 물건이 아니라 자기 역할 제대로 하는 물건이 명품인 거지. 돈 많은 사람이 가질 수 있는 게 명품 아니고, 보는 눈 똑바로 박힌 사람이 가질 수 있는 게 명품이라고."

"그래서 뭐? 더 비싼 맥주, 있다는 거야, 없다는 거야?"

"이 집 냉장고엔 없으니까, 그거 먹든 말든 알아서 해."

"없다 소리, 길게도 한다."

한바탕 잔소리를 들은 기분에 이다는 절레절레 고개를 저으면서 맥주 캔을 땄다. 그때, TV에서 피아노 연주가 시작되었다.

"오……"

이다는 TV를 향해 감탄사를 흘렸다. TV에서는 드라마의 남자 주인공이 직접 피아노를 연주하고 있었다.

찬재는 힐끗 TV를 확인하며 맥주를 홀짝 들이켰다. 남자 주인공은 연주에 노래를 곁들이기 시작했다. 그를 바라보는 여자 주인공은 사랑에 폭폭 빠진 눈빛으로 황홀한 표정을 짓고 있었다. 그리고……. TV를 바라보는 이다도 마찬가지였다. 남자 주인공을 바라보며, 사랑에 폭폭 빠진 눈빛으로 황홀한 표정을 짓고 있기는.

"뭐냐, 그 반응은?"

이다를 본 찬재는 눈을 의심하며 질문을 던졌다. 그러나 이다는 TV에 꽂힌 시선을 조금도 움직이지 않았다. 눈을 깜빡이는 찰나조차 아까워서 계속 눈을 부릅뜬 채 지켜봤다.

이윽고 TV 속 남자 주인공의 노래가 끝났을 때, 이다는 꼭 술을 마신 것처럼 뺨이 붉어져 있었다. 정작 맥주는 두 손으로 모아 쥐었을 뿐, 입도 대지 않아 놓고.

진짜 사랑에 빠진 듯한 이다의 모습에 찬재는 왜인지 속이 뒤틀렸다.

"너 설마 저게 멋있어서 이러는 거냐?"

찬재는 눈으로 이다를, 손으로 TV를 가리키며 물었다. 이다는 곧장 고개를 끄덕였다. 그 모습에 찬재는 TV를 다시 바라봤다. 남자 주인공은 이제 여자 주인공의 앞에 무릎을 꿇고 반지를 내밀고 있었다.

[이렇게 하면 널 가질 수 있을 거라 생각했어.]

남자 주인공의 고백에 찬재는 인상을 찌푸렸다.

"저렇게 하면 널 가질 수 있는 거냐?"

저게 멋있다니. 찬재는 황당하단 투로 비꼬았다.

"저렇게 하면이 포인트가 아니라 쟤가 하면이 포인트지."

"뭐?"

"아무나 하면 안 되고, 쟤가 하면 되는 거야."

이다는 남자 주인공에게서 눈을 떼지 않고 말했다. 그리고 푹 빠져든 눈빛으로 끄덕끄덕 고개를 끄덕이며 혼잣말을 흘렸다.

"거참, 잘생겼네."

"……너 남자 얼굴 보냐?"

"당연하지. 프러포즈의 완성은 얼굴이야."

"……근데 날 이렇게 대해?"

이다는 고개 돌려 찬재의 얼굴을 확인했다. 찬재는 기가 찬단 표정으로 그녀를 쏘아보고 있었다.

아, 하긴 너도 잘생겼어.

순간 그런 생각이 들었지만, 이다는 이내 고개를 내저었다. 그리고 마음과는 다른 말을 내뱉었다.

"그러니까 널 이렇게 대하는 거지."

딱 잘라 냉정하게 말하고서 이다는 다시 TV로 시선을 돌렸다. 그리고 맥주를 입에 대고 마셨다. 그 모습에 찬재는 욱하고 화가 치솟았다.

"그러니까?! 그러니까?!"

찬재는 손에 쥔 맥주를 벌컥벌컥 들이마셨다. 단숨에 맥주 한 캔을 싹 비워 내고, 빈 맥주 캔을 테이블에 탕 내려놓았다.

"역시 화가 많아."

이다는 중얼거리고서 맥주를 입에 댔다. 그런데 찬재가 맥주를 휙 낚아채고는 따지듯이 물어 왔다.

"너, 내가 안 잘생겼어?"

"응."

이다는 찬재를 거들떠도 보지 않고 곧바로 답했다. 그러자 맥주를 내려놓은 찬재가 두 손으로 그녀의 얼굴을 붙잡더니, 자신을 마주 보게 돌려놓았다. 그러고는 한껏 진지한 눈빛으로 말했다.

"내 눈 똑바로 보고 말해. 아니, 내 얼굴 제대로 보고 말해."

"……."

"이게 안 잘생긴 얼굴로 보여?"

"응."

이다는 부릅뜬 찬재의 두 눈을 똑똑히 마주 보며 태연하게 대답했다. 물론 거짓말이었지만, 이다의 두 눈에는 한 치의 흔들림도 없었다. 그러나 그걸 보는 찬재의 눈동자는 바람 앞의 촛불처럼 흔들거렸다.

"왜 거짓말해?"

정색하고 묻는 말이 정곡을 찔렀지만, 이다는 아무렇지 않게 반문했다.

"진심인데?"

이다의 확인 사살에 찬재는 하, 웃음을 터뜨렸다. 그러더니 잡고 있던 최혜주의 얼굴을 놔 버리고, 테이블에 뒀던 그녀의 맥주를 덥석 들어 들이켰다.

"그거 내 건데."

이다가 지적했지만 찬재는 아랑곳없이 계속 마셨다. 이다는 제 입술이 닿았던 곳에 딱 붙어 있는 찬재의 입술을 잠시 응시했다. 세시라면 간접 키스네 뭐네, 입 닿은 곳 닦아 가며 유난을 떨었을 텐데. 세시하곤 달리 아무렇지 않은 모양이다.

보기보다 털털한 건 마음에 드네. 혹시 세면대에 머리 감는 것도 잔소리 안 하려나? 그거 진짜 편한데.

호기심을 갖는 사이 찬재가 빈 맥주 캔을 내려놓았다. 찬 맥주를 두 캔이나 들이켰건만, 좀처럼 열이 식지 않아 찬재는 한껏 인상을 썼다.

"거짓말 진짜 잘하네. 진짜 같게."

"진짜라니까."

"아니. 거짓말이야."

찬재는 단호하게 반박하고 다시 맥주를 땄다. 이다의 말이 진심일 거라곤 절대로, 전혀, 죽어도 믿지 않는 고집스러운 표정이었다.

"난 잘생겼으니까."

세뇌하듯 뇌까리고서 찬재는 맥주를 벌컥 들이켰다.

"그래, 믿고 싶은 대로 믿어. 속 편하게, 좋으실 대로."

이다는 믿든 말든 개의치 않는 투로 무신경하게 말했다. 마치 네 생각은 중요하지 않다는 듯이. 그래 놓고 TV로 시선을 돌린 이다는 눈을 반짝이며 온 신경을 집중하기 시작했다. 그 모습에 찬재는 더한층 열불이 나 벌컥벌컥 더욱 빨리 맥주를 들이켰다.

* * *

다음 날 아침, 잠에서 깬 찬재는 눈을 뜨자마자 태건을 발견했다. 소파 옆에 선 채 자신을 내려다보고 있는 태건을.

"이럴 바엔 그냥 침실에도 TV를 두는 게 좋을 것 같은데요?"

태건은 소파에 누워 있는 찬재에게 넌지시 제안했다.

"누구 좋으라고 그런 짓을 해?"

찬재는 눈살을 찌푸리며 허리를 일으켰다. 그런데 불현듯 옆이 허전하단 느낌에 고개를 돌렸다. 역시나 옆은 비어 있었다.

"뭐야, 어디 갔어?"

무의식적으로 벌떡 일어서는데, 태건이 대답을 들려줬다.

"방금 전에 샤워하러 가셨습니다."

"그 전엔 뭐 하고 있었는데?"

"예?"

"자기 혼자 침실에서 자고 있었던 거 아니야?"

"아니요. 어제처럼 소파에서 자고 계시던데요. 어제하고 똑같이."

"그래?"

"어찌나 똑같은지. 전 제가 어제로 회귀한 줄 알았습니다. TV는 켜져 있고, 사모님은 앉은 채로 주무시고, 이사님은 사모님 무릎 베고 있고."

"내가?"

찬재는 믿지 못할 이야기에 인상을 찌푸렸다.

"당연히 이사님이죠. 완전 어제 판박이였다니까요? 여기 맥주 캔만 빼고요."

태건은 테이블에 나뒹구는 빈 캔 여러 개를 가리켰다.

"근데 두 분이서 무슨 맥주를 이렇게 많이 마셨어요? 전 어제 네 캔만 놓고 갔었는데. 빈 캔이 열 개나 되네요?"

"나 혼자 마셨어."

"예?"

"속 터져서 나 혼자, 박 터지게 마셨다."

찬재는 지난밤을 떠올리며 이를 갈았다.

"저는 답답이 터집니다, 답답이. 아니, 좀 친해지시라고 술 챙겨 드렸더니. 술 한잔 나눌 새도 없이, 그새 또 싸웠어요?"

"저 날벼락 같은 여자가, 벼락 맞을 거짓말을 하잖아."

"무슨 거짓말이요?"

태건은 궁금한 얼굴로 질문했다. 그러자 찬재는 마침 잘됐다는 눈빛으로 태건의 눈을 주시했다. 찬재는 아예 태건의 어깨를 두 손으로 꽉 붙잡고서 반문했다.

"너, 나 잘생긴 거 알지?"

"……뭐죠, 이 질문은?"

"나 잘생겼잖아. 모를 수 없잖아."

"모르고 싶은데, 모를 수 없긴 하죠. 이사님도 거울 보면 알잖아요?"

태건은 황당해 미간을 찌푸리고 물었다. 그러자 찬재는 그보다 백 배쯤은 더 황당해하는 얼굴로 분통을 터뜨렸다.

"근데 그걸 왜 저 여자만 모르냐고!"

"왜요? 내가 거짓말이라도 하는 거 같아요?"

욕실에서 이다는 수화기 너머 윤 비서를 향해 무덤덤하게 질문했다.

[아닙니다. 그냥 좀 의아해서요. 지금쯤이면 당연히 최서한 씨가 전화를 했을 거라 생각했거든요. 혜주 씨 새 전화번호 알아 간 게 이틀 전인데.]

"이틀 동안 일이 많았나 보죠. 아님 까먹었거나."

이다는 대수롭지 않은 투로 반응했다.

"이왕이면 영영 까먹고 있는 편이 좋겠네요."

[저도 그편이 좋기는 합니다만······.]

윤 비서는 뭔가 마음에 걸리는 듯 말끝을 흐렸다.

이다는 막 샤워를 마친 몸에 한 손으로 대강 샤워 가운을 걸쳤다. 사용해 본 지 며칠 안 됐지만, 퍽 마음에 드는 편리한 물건이었다. 걸치는 것만으로 물기가 제법 닦이는 데다 가볍고 부드러운 착용감은 기분이 좋아지게 했다.

여기 떠나서도 이건 잊지 말고 계속 쓸까 보다. 생각하며 젖은 머리 위로 수건을 덮었다. 윤 비서는 그때까지 아무 말이 없었다.

"용건 끝났으면 끊을까요?"

[저기, 아무래도 좀 마음에 걸리는데요.]

"뭐가요?"

[원래 공항에서 강찬재 씨 봤단 얘기, 최서한 씨가 아니라 박 기사님이 하신 거거든요. 최서한 씨는 회장님 아셔 봤자 좋을 거 없겠다고, 최혜주 씨 생각해서 비밀로 하려 했던 모양인데. 그게 결국 회장님 귀에 들어갔으니까, 난처해하는 눈치였거든요. 혜주한테 미안하다고도 했고. 그런데 아직까지 연락을 안 했다는 게······. 좀 이상한데요.]

"미안한 거 잘 까먹는 사람들 있잖아요. 너무 바빠서든, 사과하기 싫어서든."

[서한 씨는 그런 타입 아닙니다. 기억력도 좋고, 바쁘면 문자라도 했을 사람인데.]

"그게 이상하면, 그 사람한테 직접 물어봐요."

[예? 서한 씨한테요?]

"나한테 묻는다고 답 나오는 거 아니잖아요. 그 사람한테 궁금한 게 있음 그 사람한테 직접 물어야지. 우리끼리 의심하고 상상한다고, 그게 답이 돼요?"

심드렁한 질문에 윤 비서는 잠시 침묵했다.

"혜주 씨한테 연락해 보셨냐. 그 사람한테 물어봐요. 그럼 답이 나오겠죠. 저 이제 머리 말려야 하니까, 이만 끊을게요."

이다는 간단하게 해결책을 제시하고 욕실을 나섰다. 문을 열고 바로 이어지는 침실에 발을 내디뎠다. 그런데 불쑥 코앞으로 찬재가 나타났다. 큰 키로 이다의 머리 위에 그림자를 드리운 채, 찬재는 엄한 표정으로 선언했다.

"앞으로 여기 욕실 말고, 바깥 욕실 쓰도록 해."

멈칫 몸을 세운 이다는 아무렇지 않은 얼굴로 찬재를 올려다봤다. 수건을 걸친 머리에서 물방울이 뚝뚝 하얀 샤워 가운 위로 떨어졌다. 반사적으로 물방울을 따라 찬재의 시선이 떨어지는데, 이다는 질문을 던졌다.

"이유 있어?"

"몸 안 섞는 여자하고 몸 씻는 곳 섞고 싶지 않아."

찬재는 물방울이 떨어지는 샤워 가운을 응시하며 대답했다. 여자치고 키가 큰 편인데, 팔다리는 길고 말라 보였다. 덕분에 샤워 가운으로 가려진 몸은 시원스러우면서도 여린 묘한 실루엣을 갖추고 있었다.

묘하게 예쁘다고, 인정하기 싫은 생각을 하며 찬재는 괜히 눈을 찌푸렸다. 그때 무심한 목소리가 들려왔다.

"난 너랑 같은 욕실 써도 상관없어. 그러니까 상관있는 사람이 딴 데 써."

"난 너랑 몸 섞어도 상관없는데, 상관있는 네가 금 그었잖아. 침대에다. 너 좋을 대로."

대꾸하고 찬재는 눈앞의 몸에서 얼굴로 시선을 옮겼다. 안에서 화장이라도 하고 나온 건지. 말갛게 물기를 머금은 피부가 유난히 하얗게 느껴졌다.

젠장, 왜 난 이 얼굴이 예뻐 보여?

똑같이 갚아 줘야 하는데. 나도 애를 안 예쁘다 생각해야 하는데. 생각이 반대로 흘러가서 찬재는 분한 마음에 이를 갈았다. 이다는 피곤하단 눈빛으로 입을 열었다.

"그래서? 욕실 금은 네가 긋겠다고?"

"그래."

찬재는 고집스럽게 눈을 부릅떴다.

"그럼 그렇게 해. 너 좋을 대로."

이다는 순순하게 고개를 끄덕였다.

"누가 네 허락 받으려고 얘기한 줄 알아? 이건 통보였어. 네가 싫든 말든 꼭 그렇게 해야 하는 통보."

심술껏 고압적인 태도로 말하고서 찬재는 성큼 발을 움직였다.

욕실로 향하려는 거침없는 기세에 이다는 슬쩍 옆으로 몸을 비켜 줬다. 찬재는 어깨가 스치도록 아슬아슬한 간격으로 그녀를 지나쳤다. 다분히 감정이 실린 발로 바닥을 거칠게 밟아 나가는데, 느닷없이 발바닥에 물이 밟혔다. 동시에 눈 깜짝할 새도 없이 발이

휙 미끄러지면서 몸이 뒤로 젖혀졌다.

"어어!"

훌렁 뒤로 넘어지며 찬재는 저도 모르게 고함을 터뜨렸다. 눈앞으론 천장만 보이고, 뒤통수는 쏜살처럼 바닥에 가까워졌다. 찬재는 속수무책으로 질끈 눈을 감았다.

그때, 몸을 붙잡는 손이 느껴졌다. 반쯤 넘어갔던 몸이 단단히 고정되어 추락을 멈추었다. 순간 살았다는 생각과 함께 찬재는 눈을 번쩍 떴다. 그러자 코앞에 얼굴이 보였다. 허리 숙여 안다시피 자신을 꽉 잡아 주고 있는, 빌어먹을 예쁜 얼굴이.

난데없이 구세주가 되어 버린 그 얼굴이, 자존심 상하게도 멋있어 보였다.

갑작스레 미끄러지는 찬재를 붙잡느라 이다는 반사적으로 움직였다. 그사이 머리 위의 수건은 바닥으로 떨어졌고, 허리는 반쯤 숙여졌다. 이다는 그렇게 찬재를 붙잡은 채 찬재의 얼굴을 내려다봤다. 찬재는 놀랐는지 커다랗게 눈을 뜨고 그녀를 올려다보고 있었다.

"다쳤어?"

머리를 부딪친 건 아니지만, 이다는 혹시 몰라 질문을 던졌다. 허리나 다리 쪽이 삐끗했을 수도 있으니까. 그러자 찬재의 눈동자가 크게 흔들렸다.

"뭐, 뭐야 이거?"

가슴속이 파도치듯 울렁대는 기분에 찬재는 저도 모르게 질문을 내뱉었다.

"뭐가?"

이다는 미동조차 없는 눈동자로 찬재를 바라보며 되물었다. 찬재는 입도 뻥끗 않고 빤히 이다를 마주 보기만 했다.

내 가슴이 왜 이러지⋯⋯. 왜 이러지⋯⋯.

찬재는 머릿속이 멍해졌다. 그러고 있노라니, 젖은 머리카락 끝이 이다의 귀 아래에서 똑, 물방울을 떨어뜨렸다. 물방울이 찬재의 얼굴에 부딪혔다. 그러나 찬재는 눈도 깜짝하지 않고 그녀만 바라봤다.

"안 다쳤으면 일어나지? 너 무거워."

이다는 성가신 투로 말했다. 그리고 팔에 닿은 어깨와 허리의 촉감을 느껴 보며 덧붙였다.

"상체는 튼튼한 거 같은데. 하체가 부실한가⋯⋯."

순간 찬재의 눈동자가 떨림을 멈췄다. 곧이어 찬재의 입이 움직였다.

"무슨 개소리야!"

욕실에서 터져 나온 찬재의 고함 소리가 펜트하우스 전체로 쩌렁쩌렁 울려 퍼졌다.

* * *

이다는 어제처럼 또다시 TV 앞 소파에 앉은 채로 아침 식사를 시작했다. 찬재 또한 어제처럼 그녀 옆에 앉아 있었다.

"내 하체, 네가 생각하는 그런 하체 절대 아니거든?"

찬재는 부리부리 눈을 뜨고 이다를 노려보며 강조했다.

"그런 하체거나 말거나. 나랑 무슨 상관이야."

TV만 쳐다보며 이다는 듣는 둥 마는 둥 성의 없이 대꾸했다.

"너랑 상관없는 일이라고, 진실을 외면하면 안 되지!"

버럭 발끈하는 찬재에게 이다는 눈길도 주지 않았다. 어제 몇 화까지 보다 잠이 들었는지, 열심히 기억을 되짚으며 리모컨을 조작할 따름이었다.

"어우, 내가 이걸 보여 줄 수도 없고!"

찬재는 분통을 터뜨리며 주먹으로 가슴을 두들겼다. 그러자 이다는 힐끗 찬재를 곁눈질했다.

"뭐, 정 억울하다면야 잠깐 봐 줄 수는 있어."

이다는 선심 쓰듯 말했다. 순간 찬재는 정색하며 벌떡 일어섰다.

"보긴 뭘 봐! 네가 뭔데 그걸 봐!"

귀까지 새빨개진 찬재와 달리 이다는 아무렇지 않은 얼굴로 그를 올려다봤다.

"좋아하지 않는 사이에 섹스도 할 수 있단 사람이, 허리 아래 아무나 좀 보면 어때?"

"아무나 다 보여 줘도, 너한테는 절대 안 보여 줘!"

되는대로 큰소리를 친 찬재는 성난 걸음으로 쿵쿵 자리를 떠나 버렸다. 이다는 그의 뒷모습을 지켜보다 절레절레 고개를 저었다.

"역시 흥분이 헤프다니까."

암만 봐도 그래…….

이다는 속으로 덧붙이고 다시 TV를 향해 고개를 돌렸다.

눈을 감고 침대에 누운 채 찬재는 혼잣말을 내뱉었다.

"신경 안 써, 관심 없어."

이미 수십 번을 되풀이한 말이건만 별 효과가 없는 듯했다. 그렇기에 찬재는 언짢은 표정으로 눈을 떴다.

"대체 드라마를 몇 시까지 보고 앉아 있어?"

시계를 확인하니 어느새 시간은 자정이 다 되어 있었다. 찬재는 아직까지 비어 있는 옆자리를 따갑게 쏘아보고는 침대에서 몸을 일으켰다.

침실을 빠져나와 거실 소파에 다가가자 예상대로 최혜주는 거기 있었다. 소파 팔걸이를 베개 삼아 옆으로 누운 채, 맞은편 TV엔 드라마를 틀어 놓은 채. 하지만 최혜주의 눈은 감겨 있었다.

내가 옆에 있든 없든. 어디서든 잘도 잔다, 이거지?

찬재는 잠이 안 와 뒤척이고 있던 자신을 떠올리니 괜스레 자존심이 상했다.

난 왜 푹신한 침대에서도 잠이 못 들어? 이 여자는 소파에서도 이렇게 잘만 자는데. 근데 이 여자……. 이틀 연속 소파에서, 더구나 꼿꼿하게 앉은 채로 잠을 잤으면서.

"불편하지도 않냐?"

지켜보는 자신이 다 불편해지는 기분이라서, 찬재는 거슬린단 눈빛으로 이다를 내려다보며 중얼거렸다. 그러다 TV로 시선을 돌리고서 덧붙였다.

"아니, 지겹지도 않아?"

다시 이다를 바라보며 찬재는 혀를 찼다.

"어떻게 하루 종일 드라마만 보고 있어? 그것도 3일씩이나. 드라

마 처음 보나 진짜. 늦게 배운 도둑질에 시간 가는 줄 모르는 것도
아니고."

찬재는 허리를 숙여 이다의 어깨를 슬쩍 잡아 흔들었다.

"야, 잠은 침대에서 자."

이다는 반쯤 눈을 떴다. 그리고 잠이 덜 깬 시선으로 찬재를 봤다.

"침대 가서 자라고."

"……귀찮아."

이다는 미간을 찡그리고 빙글 몸을 돌려 누웠다. 그렇게 찬재를
등진 채로 다시 눈을 감았다. 그 모습에 찬재는 중얼거렸다.

"나 참. 내가 귀찮다는 건지, 침대 가기 귀찮다는 건지."

"둘 다……."

이다는 잠꼬대처럼 대꾸했다.

"아, 그래?"

찬재는 비딱하게 반항심이 솟아나서 눈살을 찌푸렸다.

"그럼 제대로 귀찮게 해 줘야겠네."

선전 포고하듯 말하고서 찬재는 두 팔로 번쩍 이다를 안아 들었
다. 순간 이다는 반사적으로 눈을 떴다.

"뭐 하냐, 너?"

찬재와 눈을 마주친 이다는 황당한 눈빛으로 물었다. 그러자 찬
재는 눈 하나 깜짝 않고 대답했다.

"하체 증명."

찬재는 그대로 성큼성큼 발을 움직였다. 내리겠단 움직임이 있을
까 봐, 두 팔로 안은 몸을 단단히 붙들어 둔 채.

"뭐래……."

이다는 얼굴을 일그러뜨렸지만, 몸을 움직이진 않았다. 굳이 내려야 할 이유가 없으니까.

편하네…….

이다는 한 치의 흔들림도 없는 찬재의 발걸음을 느끼면서 생각했다. 갑작스러운 스킨십에 싫어하고 반발할 줄 알았는데, 예상외로 얌전한 반응에 찬재는 어째 지는 기분이 들었다. 귀찮게 해 주겠단 자신의 마음과 달리, 상대는 전혀 귀찮지 않은 얼굴이었다. 찝찝한 기분으로 침실에 들어서며 찬재는 목에 힘을 주고 말했다.

"내가 하체 부실이면, 너 이렇게 들고 서 있지도 못해. 알아?"

"모르지."

"뭐?"

"자고 일어나면 꿈인 줄 알 것 같은데."

이다는 비몽사몽인 양 반쯤 감긴 눈으로 중얼거렸다. 기가 막힌 얼굴로 찬재는 우뚝 침대 옆에 멈춰 섰다.

"꿈 아닌 거 확실해지게 해 줘?"

찬재는 으름장을 놓듯 위협적으로 질문을 던졌다. 그러자 이다는 태연하게 두 팔을 뻗어 찬재의 목을 끌어안았다. 순간 찬재는 바짝 굳어 버렸다.

"뭐, 뭐야?"

"너 나 떨어뜨릴 생각이잖아."

"……."

"헛수고하지 말고, 그냥 얌전히 손들어. 내가 알아서 내려갈 테니까."

손을 놔도 떨어지지 않을 만큼, 이다는 찬재의 목을 안은 두 팔에 힘을 들였다. 밀착되는 말랑한 가슴이 느껴지자 찬재는 어깨를 움찔했다. 가슴속이 북을 치는 듯이 쿵쿵 울렸다.

"너, 왜 함부로 스킨십 해?"

찬재는 마른침을 삼켜 내고 질문했다.

"원치 않는 신체 접촉, 절대 하지 않는다며."

"함부로 하지 않았어. 공평하게 하는 거지."

"공평하게?"

"네가 먼저 들어 올렸잖아."

"……."

"서로 공평하게 하나씩 한 걸로 쳐."

대수롭지 않은 태도에 찬재는 미간을 잔뜩 찌푸렸다.

"들어 올린 거랑 끌어안은 거랑 같아?"

"그럼 다른가?"

"당연히 다르지."

이다는 고개를 돌렸다. 그리고 찬재의 귓가에서 입술을 움직였다.

"뭐가 다른데?"

간지러운 숨결에 순간 찬재는 반사적으로 고개를 움직여 이다와 눈을 마주쳤다. 닿을 듯 말 듯 하게 아주 가까운 거리에 두 얼굴이 마주해 버렸다. 무심하고 초연한 눈동자가 코앞에서 빤히 자신을 지켜보자, 찬재는 가슴속의 쿵쿵 울림이 더욱 커지는 것만 같았다. 울림 때문인지, 몸도 더욱 떨려 왔다.

"왜 떨어?"

이다는 의아한 듯 눈을 깜빡였다. 그리고 이내 무신경하게 답을 내렸다.

"하체 부실 맞나 보네."

"뭐?"

"오래 들고 있으니까, 못 버티고 떠는 거잖아."

이다는 믿어 의심치 않는 눈빛이었다. 덕분에 찬재는 몸의 떨림을 멈추게 되었다.

"또 무슨 개소리야!"

또다시, 찬재의 고함 소리가 펜트하우스 전체로 쩌렁쩌렁 울려 퍼졌다.

자야 한다, 자야 한다, 자야 한다.

침대에 누운 찬재는 눈을 감고 같은 말만 수도 없이 반복했다. 그러나 오라는 잠은 오질 않고 가슴속의 열만 자꾸 올랐다.

이게 다, 옆에 누워 쿨쿨 잘도 자는 여자 때문이었다.

"진짜 뭐 이런 여자가 다 있지?"

찬재는 눈을 번쩍 뜨고 몸을 일으켰다. 그리고 고개 돌려 이다를 쏘아봤다.

백전백패.

인정하기 싫지만, 이 여자한텐 사사건건 매번 지는 기분이다. 말싸움에 지는 것만도 약 오르는데. 하체 부실이니 뭐니. 남자 취급은 쥐뿔도 해 주질 않고, 열 올려 봤자 콧방귀도 뀌지 않는 무관심이 더욱더 약이 올라 속이 펄펄 끓었다.

"이딴 말을 내가 하게 될 줄은 몰랐는데……. 진짜 날 이렇게 대한 여잔 네가 처음이다."

찬재는 이를 꽉 물고 으르렁거리듯이 중얼거렸다.

젠장, 이기고 싶다. 이 여자한테 이런 취급 받는 거, 도저히 못 참겠다.

잡아먹을 듯이 이다를 노려보면서 찬재는 뜨거운 한숨을 내쉬었다. 열대야를 겪는 것처럼, 도무지 잠이 오질 않는 밤이었다.

* * *

펜트하우스로 출근한 태건은 현관 바깥에서 비밀번호를 누르며 예상했다. 지난 이틀처럼 오늘 역시 두 사람이 소파에서 사이좋게 잠이 들어 있을 거라고. 그러나 현관문을 열고 거실까지 들어섰을 때, 예상과 달리 소파는 비어 있었다. 고개를 갸웃하던 태건은 헬스 공간에서 찬재를 발견했다.

"어젯밤엔 두 분 다 침실에서 주무셨나 보네요?"

태건은 의외라는 듯이 찬재에게 다가가며 질문했다. 찬재는 레그 프레스 기구에 앉아 사나운 얼굴로 하체 운동에 열중하고 있었다. 비 오듯이 땀까지 뻘뻘 흘려 가면서.

"뭐, 이사님이야 원래 이 시간에 이 모습이 정상적인 사람이긴 한데……. 아니, 지금 이건 정상을 넘어섰는데?"

태건은 평소보다 20kg이나 중량을 늘려 놓은 레그 프레스 기구를 확인하고 눈이 휘둥그레졌다.

"이사님, 무슨 올림픽 출전 준비합니까?"

"내 하체의 한계를 시험 중이야."

"예?"

"보다시피 멀쩡하게 정상을 넘어서고 있지."

찬재는 어금니를 악물고서 격렬하게 동작을 이어 갔다.

"대체……. 그 시험을 왜 하는 건데요?"

태건이 질문하는 사이, 등 뒤에서 침실 문이 열렸다. 순간 찬재는 동작을 멈추고 시선을 쏘아 보냈다. 침실 문을 열고 나온 이다에게로. 찬재의 시선을 따라 고개를 돌린 태건은 한발 늦게 이다를 발견했다.

"이제 일어나셨어요?"

태건의 질문에 이다는 막 잠에서 깬 얼굴을 끄덕였다.

"오늘은 웬일로 침실에서 주무셨대요? 계속 소파에서 주무시더니."

"누가 귀찮게 해서요."

"예?"

이다는 어리둥절해하는 태건에게서 찬재에게로 시선을 옮겼다. 그리고 착잡한 듯 입맛을 다시고서 중얼거렸다.

"왜 그렇게 하체에 집착하는 건지."

어쩐 의미심장하게 들리는 말에 태건은 놀란 눈으로 찬재와 이다를 번갈아 봤다.

"요상하게 돌려 말하지 마!"

찬재는 욱해서 인상을 찌푸리며 반박했다.

"너 나 귀찮게 하겠다고, 하체 증명하겠다고 침대까지 옮긴 거잖아? 돌려 말한 거, 아닌데?"

이다의 아무렇지 않은 대꾸에 태건의 얼굴이 빨개졌다. 그 모습에 찬재는 정색했다.

"앞뒤 없이 그렇게만 말하지 말라고! 요상하게 들리잖아!"

"원래 말이란 건, 듣는 사람이 듣고 싶은 대로 듣는 법이야."

이다는 내 알 바 아니라는 투로 무신경하게 대꾸했다. 그리고 고개 돌려 찬재를 외면한 채, 침실 바깥의 욕실을 향해 걸어갔다.

"사모님을 말로 이길 생각은······. 이제 안 할 때가 된 것 같은데요."

태건의 조언에 찬재는 분한 듯이 이를 갈며 이다의 뒷모습을 쏘아봤다. 그러다가 찬재는 입을 열었다.

"말로 못 이기면, 다른 걸로 이기면 돼."

"다른 거요? 뭐요?"

"뭐든, 말 빼고 전부 다."

야심 찬 눈빛으로 다음 시합을 예고한 뒤, 찬재는 다시 다리를 움직이기 시작했다.

2장

2장

남은 이틀 동안, 이다는 16부작 미니 시리즈를 두 가지나 시청했다. 하루에 열여섯 시간씩, 꼼짝없이 TV 앞에 앉은 채로. 찬재는 그런 그녀를 한심해하고, 이상해하고, 궁금해하느라고 종일 그녀 주위를 맴돌았다. 마치 태양 주위를 돌고 도는 지구처럼. 그러는 사이, 어느덧 공식적인 신혼여행 기간은 끝나 있었다.

공식적인 신혼여행 기간의 끝. 그건 곧 연극의 시작을 의미했다. 정상적인 부부인 척하기 위한 연극의 시작.

그렇기에 두 사람은 신혼여행 기간이 끝나자마자, 우선 최혜주의 친정으로 향했다. 신혼여행을 다녀온 대부분의 부부가 가장 먼저 들르는 곳은 신부의 친정이기에. 남 보기에 평범한, 정상적인 부부로 보이도록.

"기대되네."

차 뒷좌석에 팔짱을 끼고 앉은 채, 찬재는 비꼬듯이 말했다. 나란히 앉아 창밖을 응시하던 이다는 흘끗 찬재를 봤다.

"뭐가?"

"대체 어떤 가정환경이면 애가 이렇게 자라는지. 내 눈으로 확인할 거 생각하니, 기대된다고."

지피지기면 백전백승이지. 내가 오늘 너희 집에서, 너 제대로 파헤치고 온다. 찬재는 속으로만 덧붙였다.

"네 말 들으니까, 나도 궁금해지네."

이다는 심드렁히 다시 창밖으로 시선을 돌렸다.

"가정환경이라……. 그게 날 이렇게 만들었으려나?"

차창에 비친 제 모습을 훑어보며, 이다는 슬쩍 눈썹을 찡그렸다. 최혜주처럼 화장을 한 얼굴이 영 어색해 보이는 탓이다.

같은 얼굴인데. 최혜주에겐 이런 화장이 익숙했다니.

이토록 다른 취향은 환경이 만든 거려나.

이다는 생각에 잠겼다. 뒤통수에 따가운 시선이 느껴지건 말건, 귓가에 찬재의 시비가 들려오건 말건.

최혜주가 약 24년을 기거했던 저택에 난생처음 발을 들이면서, 이다는 익숙한 체 태연하게 행동했다. 그러나 찬재는 그녀보다도 더 익숙한 사람처럼, 거침없이 시원시원하게 행동했다. 그 또한 처음이긴 마찬가지면서.

"일주일 만에 뵙습니다, 장인어른."

응접실에서 최 회장을 마주한 찬재는 여유로운 미소와 함께 인사를 건넸다.

"잘 왔네, 강 이사."

최 회장은 흐뭇한 얼굴로 찬재에게 손을 내밀었다. 그러나 찬재는 손을 잡지 않고, 그저 여전히 웃는 얼굴로 입만 움직였다.

"강 이사라니요, 저희가 일 때문에 만난 사이도 아니고. 가족끼리 그런 호칭, 어째 서운한데요?"

"아차, 그렇지! 내 정신 좀 보게. 이제부턴 강 서방이라고 불러야 하는 게지?"

"사위도 엄연히 자식인데 그냥 자식처럼 대하시죠. 편하게 이름으로 불러 주십시오."

찬재는 넉살 좋게 대꾸하며 최 회장의 손을 잡았다. 그러자 최 회장은 호탕하게 웃으면서 남은 손으로 찬재의 어깨를 두드렸다.

자식처럼 많이 도와 달란 얘기겠네.

이다는 속으로 짐작하며 찬재를 지켜봤다.

"자식이다 생각하고, 많이 도와주시죠."

찬재는 잡은 손을 가볍게 흔들면서 의미심장하게 덧붙였다.

순간 이다는 제법이란 생각에 눈을 반짝였다. 자신과 둘만 있을 때와 달리 최 회장을 대하는 찬재의 모습은 정말이지 다른 사람 같았다. 여유 만만하게 분위기를 주도하는 그를 지켜보고 있자니, 이다는 문득 며칠 전 윤 비서의 말이 떠올랐다.

'다혈질……. 강찬재 씨가요? 그럴 리가 없는데……. 사업 스타일로 보면 냉정하거나 여유롭거나. 그렇게 둘 사이를 왔다 갔다 하는 타입이고. 또 여자 문제로 봐도…….'

정말 윤 비서 말이 사실인가?

의문이 스쳤지만 이다는 이내 상관없단 결론을 내렸다.

그러거나 말거나 무슨 상관일까? 이 남자가 원래 다혈질이건 말건. 내 앞에서만 흥분이 헤픈 거건 말건. 어차피 진짜 남편도 아닌데.

이다는 다시 평소처럼 무심해진 얼굴로 찬재에게서 시선을 거두었다.

누가 알까 두려운 비밀을 공유하는 사이로서, 차를 마시는 동안 최 회장은 이따금씩 불안한 시선으로 이다를 힐끔거렸다. 그러나 일말의 불안감도 없이 이다는 얌전하게 최혜주처럼 행동하고 있었다. 결혼식 때와 같은 돌발 행동도 없었다.

그 아이가 도망치지 않고, 얌전히 결혼했더라면 이런 모습이었겠지.

최 회장은 소파에 나란히 앉아 있는, 겉보기에 훈훈하게 어울리는 신혼부부를 바라보며 생각했다.

"형님들은 다들 바쁘신가 봅니다."

찬재는 찻잔을 내려놓으면서 운을 뗐다. 왜 아무도 보이지 않느냐, 하는 의미였다.

"애비가 일 벌인 게 많아 놔서, 자식들이 고생이지. 그래도 오늘 같은 날은 좀 시간이 났으면 좋았을 것을. 자네 오는데 인사도 못 나누고, 내가 면목이 없네."

"아닙니다. 저하고 인사야 밖에서 나눌 수도 있는 거죠."

찬재는 가볍게 웃어 보이고는 이다에게로 고개를 돌렸다. 조용히 차를 홀짝이던 이다는 그때 눈을 감았다. 그리고 고개 젖혀 남은 차를 단숨에 들이켰다. 잠시 만에 이다는 빈 찻잔을 내려놓았다.

"차 다 마셨으니까, 그만 일어날게요."

이다는 훌쩍 몸을 일으켰다. 찬재는 황당한 눈빛으로 그런 이다를 올려다봤다.

"벌써?"

찬재의 질문에 이다는 무표정하게 최 회장을 응시하며 답했다.

"아버지가 차나 한잔하고 가라셨잖아요."

"그렇다고 차 한 잔 비우자마자 가란 뜻이 아니잖아, 여보. 천천히 차 한잔 나누면서, 이런저런 얘기도 같이 나누자는 거지."

찬재는 답지 않게 부드러운 목소리로 타이르듯 말했다. 그때 최 회장이 벌떡 자리에서 일어났다.

"아닐세! 차 다 마셨으면, 그만 가 보게. 신혼부부 한창 좋을 땐데, 오래 붙잡고 있을 생각 없네."

최 회장은 진심으로 반색하는 눈빛이었다.

"들었죠? 가라시잖아요."

이다는 보란 듯이 당당한 태도로 찬재를 봤다.

최 회장의 죽은 본처가 애지중지 키운 입양아라더니. 역시 최 회장과는 별 애정이 없는 사이인가.

찬재는 속으로 짐작하며 이다와 최 회장 사이를 번갈아 봤다. 두 사람 다 원하는 바는 똑같아 보였다. 그들은 자신이 고개를 끄덕이길 바라는 게 분명했다. 그렇지만 찬재는 두 사람의 뜻과 다른 반응을 보였다.

"저는 이참에, 이 사람이 지내던 방을 한번 보고 싶은데요."

순간 최 회장의 눈썹이 움찔거렸다.

"방?"

"예. 이 사람이 어떤 곳에서 어떻게 자랐는지, 많이 궁금해서요."

네가 그걸 왜 궁금해하느냐는 듯이, 이다는 성가셔하는 눈빛으로 찬재를 봤다. 찬재는 그녀에게 다정하게 시선을 마주치며 덧붙였다.

"원래 물음표를 느낌표로 바꿔 가는 게, 사랑이잖습니까."

머릿속에 느낌표가 열 개쯤은 새겨지는 황당한 느낌인데. 이다는 그럼에도 초연하게 찬재를 향해 미소를 지어 보였다.

* * *

최혜주의 방쯤이야, 이다는 혼자서도 찾을 자신이 있었다. 결혼 전 이틀 동안, 윤 비서가 건넨 최혜주의 자료를 모두 외웠으니까. 그중에는 최 회장 본가 저택의 도면이 있었고, 특별히 최혜주의 방 위치는 붉게 표시가 되어 있었으니까.

그러나 이다의 기억력이 불안했던 모양인지, 최 회장은 직접 나서서 찬재를 안내했다. 그렇게 2층 최혜주의 방에 두 사람을 남겨 놓은 채, 최 회장은 문을 닫고 급히 1층으로 내려갔다.

"방은 멀쩡하네. 주인하고 다르게."

찬재는 한 발 한 발 느긋이 내디디며 방 안을 둘러봤다. 이다 역시 뒤에서 방을 둘러보며 대꾸했다.

"너도 집은 멀쩡해."

찬재는 우뚝 멈춰 서서 정색하고 뒤를 돌아봤다.

"내 집은 날 닮아서 멀쩡한 거고. 이 방은 널 안 닮았어. 그래서 멀쩡하단 거지."

다시 주위를 둘러보며, 찬재는 이상한 느낌에 고개를 갸웃거렸다.

"여긴 뭐라고 해야 하나……."

고급스러운 원목 가구들로 꾸며진 최혜주의 방은 차분하면서도 침울한 분위기가 흘렀다. 마치 결혼사진 속 최혜주의 모습처럼.

"그래. 비 오기 전 우중충한 느낌이네. 하필 벽지까지 회색인 게, 정확히 그 느낌이야."

확신하는 찬재의 목소리에 이다는 고개를 끄덕일 뻔했다.

이 방, 확실히 분위기가 축 가라앉아 보이기는 하네. 가라앉고 자시고 할 분위기도 없이, 마냥 난장판이었던 내 옥탑방과 비교하면, 달라도 너무 다르고.

속으로 공감하는데, 찬재의 목소리가 이어졌다.

"방 인테리어도 인테리어지만. 저 취미 생활……. 저거 진짜 네 거냐?"

찬재는 방 한편에 놓인 이젤과 미술 도구들을 가리켰다.

"맞아."

"내 집에선 샌드백 두들겨 패고 있더니. 네 집에선 저렇게 조신하게 살았다고?"

"미술이 조신하다는 건 편견이야."

이다는 무덤덤한 얼굴로 주장했다.

"편견?"

"미술도 얼마든지 격렬할 수 있어. 주먹 쥐고 샌드백을 대할 때도, 붓 쥐고 스케치북 대할 때도, 내가 쏟아부은 에너지는 똑같이 격렬하거든."

"붓 쥐고 스케치북 팼어?"

찬재는 기가 차서 질문했다.

"그러지 않고서야, 어떻게 두들겨 패기와 그림 그리기의 에너지 소비량이 같을 수 있단 거지?"

"너도 혼신의 힘을 써서 예술혼을 불태워 봐. 점 하나를 찍어도 손에 땀이 나게. 그럼 내 말 무슨 뜻인지 알게 될 거니까."

"어디 그 예술혼을 불태운 그림, 얼마나 대단한지 두고 보자."

찬재는 헛웃음을 쳐 주고서 성큼성큼 이젤로 걸어갔다. 그리고 이젤에 놓인 스케치북을 펼쳤다.

"……."

그림을 본 찬재는 말문이 막혔다. 한동안 심각해진 얼굴로 그림을 바라보다가, 이윽고 이다를 향해 고개를 돌렸다.

"너, 혹시 우울증 있어?"

이다는 잠자코 찬재의 어깨 너머로 그림을 응시했다.

최혜주가 그려 놓은 그림은, 정말 잘 그린 그림이었다.

보는 사람까지 우울해지게 만들 만큼, 기괴하게, 서럽게, 을씨년스럽게.

"이런 그림은 대체 왜 그린 거야?"

찬재는 걱정 섞인 눈빛으로 얼굴을 찌푸린 채 물었다.

"내 말이……."

이다는 들릴 듯 말 듯 하게 혼잣말했다.

이런 그림, 대체 왜 그렸대?

계속 그림을 바라보며 속으로 질문을 던지는데, 찬재가 눈앞을 가로막고 섰다.

"안 들려. 대답 제대로 해."

어째 고압적인 목소리였다. 이다는 눈살을 찡그리며 찬재와 눈을 마주했다. 찬재는 힘주어 재차 질문했다.

"이 그림, 대체 왜 그렸어? 무슨 생각으로."

"그걸 네가 왜 묻는데?"

"뭐?"

"내가 저걸 왜 그렸든, 네가 알 바 아니잖아. 저게 네 누드화도 아니고, 너랑 아무 상관 없는 그림인데."

이다는 냉담하게 대꾸했다.

"차라리 내 누드화면, 왜 그렸나 이해는 돼."

"그런 이해, 할 기회가 없을걸."

찬재는 이다의 대꾸를 들은 체도 않고 말을 이었다.

"그렇지만 저 그림, 저건 대체 왜 그렸나 이해 불가야."

"이해가 안 되면 안 된 채로 살아."

"아니. 그렇게는 못 살지. 넌 저 그림, 나한테 이해시킬 의무가 있어."

"의무?"

"어찌 됐든 우리 한 이불 덮고 자는 사이야. 너 자다가 숨넘어가면 제일 먼저 발견할 사람이 나고. 어디서 숨넘어가든 제일 먼저 연락 받을 사람도 나야. 그러니까 아픈 데 숨기지 마. 몸이든 정신이든. 난 알아 둘 필요가 있고, 넌 알려 줄 의무가 있어."

찬재는 진지하게 눈을 바라보면서 이다의 어깨를 지그시 잡았다. 그리고 심각한 목소리로 질문했다.

"아무리 싫은 사이여도, 부부 사이에 그 정도는 해야 하잖아?"

"왜?"

"서로 마지막을 책임질 사이니까."

마지막을 책임진다…….

이다는 묘한 기분에 미간을 좁혔다.

"그러니까 솔직하게 얘기해 봐. 너 저런 그림 그릴 만큼 우울했어?"

진심으로 걱정하는 듯한 찬재의 눈빛에 이다는 속이 불편한 것처럼 울렁거렸다.

내가 봐도 심란해지는 그림이긴 한데. 그래도 고작 그림 하나일 뿐이잖아? 뭘 이렇게까지 신경을 써?

이다는 왜인지 찬재의 눈을 피하고 싶어 그림을 향해 시선을 옮겼다.

"난 우울한 적 없어."

"근데 왜 저런 그림을 그려?"

"전설의 고향은 귀신이 써?"

"뭐?"

"귀신 얘기 귀신만 쓸 수 있는 거 아니잖아. 우울한 그림, 우울한 사람만 그리는 것도 아니고."

정말 별거 아니라는 듯이, 이다는 무덤덤한 태도로 말했다. 꼭 남의 그림 보는 듯한 그 태도에 찬재는 긴가민가해져 다시 그림을 바라봤다.

"저 그림에, 네 감정이 반영된 건 아니라는 얘긴가?"

"전혀."

이다는 단호하게 대답했다.

저건 최혜주의 그림이지, 내 그림이 아니니까. 최혜주는 어땠는지 몰라도, 나는 우울을 느낀 적이 없었으니까.

"아니면 됐다."

찬재는 다행이라 생각하며 가볍게 말했다.

"어쨌든 뭐, 예술혼을 불태운 건 맞네. 스타일은 호러지만, 스킬은 제법이야."

덧붙이고서 찬재는 그림에서 고개를 돌렸다. 그리고 이번에는 책장으로 건너갔다.

"그만하고 가지?"

"아직 반도 못 봤어."

찬재는 책장 앞에 서더니, 꽂혀 있는 책 제목을 일일이 훑기 시작했다. 돋보기와 파이프를 쥐어 주면 딱 어울릴 것 같은, 탐정처럼 예리한 눈빛으로.

"남의 방은 뭐하러 봐?"

"아까 말했잖아. 물음표를 느낌표로 바꿔 가는 게, 사랑이라고. 물음표를 느낌표로 바꿔 보는 그 과정이야. 그렇다고 널 상대로 결과가 사랑일 린 없겠지만. 궁금한 건 풀어야지."

"물음표를 느낌표로 바꾸고 싶다?"

"그래."

"정신 빠지도록 처맞아도, 물음표는 느낌표가 될 수 있어."

이다는 의미심장하게 찬재의 뒤통수를 주시하며 말했다. 찬재는 뒤통수가 따끔거렸지만, 개의치 않고 계속 책장을 관찰했다.

"여기 책들 장식용이지?"

"글쎄."

"내 집에선 책 한 자도 안 보면서, 이 집에는 웬 책이 이렇게 많아? 심지어 다 시집이네."

찬재는 못 믿겠단 눈빛으로 시집 한 권을 꺼내 들었다.

"게다가 프랑스어로 되어 있잖아?"

시집 표지를 훑어보다 아무 페이지나 펼친 순간, 찬재는 눈을 크게 떴다.

"이걸 진짜 읽은 거야?"

시집 속에는 밑줄과 필기가 난무하고 있었다. 놀라워하는 찬재의 곁에 슬쩍 다가서서, 이다는 어깨 너머로 그 사실을 확인했다.

할 수 있는 몇 안 되는 영단어가 떠오르는 순간이었다.

"Shit……."

나지막한 목소리에 찬재는 얼굴을 구겼다.

"뭐?"

"됐어, 그만 보고 집에 가."

최혜주의 잘난 미술 실력에 프랑스어 능력에. 더 있다간 또 뭐가 튀어나올지 몰라 이다는 덥석 찬재의 팔을 잡아끌었다. 그러나 찬재는 버티고 선 채 반발했다.

"아직 반도 못 봤다니까?"

"대체 왜 이렇게 나한테 관심이 많아?"

비난조로 쏘아붙인 말에 찬재는 그게 무슨 소리냐는 듯이 눈을 커다랗게 떴다.

"관심? 내 마음을 고작 관심으로 받아들이면 서운하지, 여보."

찬재는 최 회장 앞에서처럼 부드러운 목소리로 연기를 시작했다.

"여보에 대한 물음표를 없애려는 내 노력은 다 여보를 위한 거야. 여보가 어떤 사람인지, 뭐가 좋고 뭐가 싫은 사람인지. 다 알아야 여보한테 꼭 맞는 행복한 결혼 생활을 건설할 수 있을 테니까. 여보, 이런 내 마음은 관심 그 이상이야. 배려라고 해야 할까? 아니, 배려로도 모자라지. 이건 희생이야."

이다는 굳은 표정으로 찬재의 눈을 보며 눈을 깜빡였다. 연기인 걸 뻔히 아는데, 받아칠 말이 떠오르지 않았다. 얼굴에서 열은 왜 오르는지, 답도 떠오르지 않았다. 순간적으로 힘이 풀려 버린 이다의 손아귀에서 찬재는 팔을 빼냈다. 그리고 몸을 돌려 이다를 등진 채로 주위를 둘러보며 덧붙였다.

"내 희생이 헛되지 않게, 협조 좀 해. 이 방에서 내 물음표 다 없앨 때까지, 얌전히 구경이나 해 달라고."

평소대로 돌아온 찬재의 태도에 이다 역시 평소대로 머리가 돌아가기 시작했다.

"그럼 너도 얌전히 구경이나 해."

"뭘?"

"다음 차례 너희 집인 거 알지?"

의미심장한 질문에 찬재는 뒤를 돌아봤다. 이다는 찬재의 눈을 마주 보며 이어 말했다.

"원래 신혼여행 다녀와서 인사드리는 거, 친정 다음이 시댁이잖아."

"그래서?"

"이 집에서 내가 얌전하길 바란다면, 그 집에선 네가 얌전해야 할 거야. 내가 무슨 짓을 하건."

"……."

불현듯 결혼식의 기억이 떠올라서 찬재는 얼굴을 구겼다. 이다는 그런 찬재의 어깨에 손을 얹고, 격려하듯 살짝 두드리며 제안했다.

"이쯤하고 나가 주면 서로 좋지 않을까?"

*　　*　　*

최 회장의 본가를 나서는 신혼부부의 분위기는 좋아 보였다. 대문 바깥 가장 가까운 길목에서, 주차 된 차의 운전대를 쥔 채 서한은 그런 둘을 지켜봤다.

검게 선팅 된 차 유리 너머로, 강찬재의 에스코트를 받는 가짜 혜주의 모습에 서한은 운전대를 더욱 꽉 끌어 쥐었다. 결혼사진에서의 모습처럼 가짜 혜주는 진짜 혜주와 똑같은 얼굴을 갖고 있었다. 심지어 키도, 몸매까지 똑같아 보였다. 그저 다른 것이라곤 짧은 머리카락뿐.

"어떻게 저렇게까지 똑같을 수 있지?"

실물을 직접 확인하고도 도무지 믿어지지 않아 서한은 혼잣말을 터뜨렸다. 꼭 진짜 혜주처럼 느껴지는 모습에 소름이 끼쳤다.

"진짜 혜주일 리 없는데……."

온몸을 덮친 오한 탓에 목소리가 떨렸다.

"혹시 쌍둥이였나?"

혜주는 보육원에서 입양한 아이였으니까. 친부모가 누군지도 모르고, 형제가 누군지도 모르는 게 당연하다. 그러니까 혹시 혜주 본인도 몰랐던 쌍둥이가 존재했을지도 모른다. 어쩌면 도플갱어인지도 모를 일이지.

몇 안 되는 가능성을 곱씹어 보는 사이, 가짜 혜주는 차 안으로 모습을 감추었다.

혜주의 쌍둥이인지, 도플갱어인지.

저 여자의 정체가 무엇이건, 아버지에게 저 여자는 행운의 여신일 뿐이겠지. 저 여자가 없었다면 이 결혼, 가당치도 않았을 테니까.

서한은 멀어지는 강찬재의 차를 지켜보며 생각했다. 이윽고 시야에서 차가 완전히 사라졌을 때, 서한은 운전대에서 손을 뗐다. 그리고 그새 땀이 맺혀 있는 손바닥을 손수건으로 닦았다.

"나에게도 저 여자는 행운이야."

서한은 구석구석 손을 닦으면서 중얼거렸다. 세뇌하듯이, 몇 번이나 반복해서.

* * *

강찬재가 살고 있는 최신식 펜트하우스와 달리 강 회장의 본가는 전통 한옥이었다. 강 회장은 한복 차림으로 안방 방석에 앉은 채, 심히 못마땅한 얼굴로 막내아들 내외를 맞이했다.

"저희 왔습니다."

찬재는 무뚝뚝하게 인사하고 강 회장의 맞은편에 책상다리를 하고 앉았다. 넉살 좋게 최 회장을 대할 때와 다른 모습이라 이다는 내심 의아해하며 그의 옆에 나란히 무릎을 내렸다. 그런데 무릎이 채 방석에 닿기도 전에, 강 회장의 쩌렁쩌렁한 목소리가 귀를 따갑게 파고들었다.

"이 쌍으로 못돼 먹은 천생연분 호래자식들아!"

이다가 흠칫 바닥으로 무릎을 떨어뜨린 찰나, 다음 말이 곧장 퍼부어졌다.

"싸웠다고 비행기 표 바꾼 놈이나! 그렇다고 비행기에 안 탄 놈이나! 아주 나잇값을 꼴값으로 하고 와서는! 그래 놓고 아무 일도 없었던 양, 신혼여행 가 있는 척 날 속이려 들어?!"

노발대발하는 강 회장이 익숙한 듯 찬재는 태연하게 반응했다.

"이러실 거 뻔하니까, 속이려고 했던 거죠."

"뭐야?"

"모르는 게 약이고, 아는 게 엿일 때가 있잖습니까? 신혼여행 그렇게 된 거, 그냥 모르고 계셨으면 지금 아버지 편하셨을 텐데. 들켜서 괜한 불편 끼치고, 면목이 없네요."

"들킨 게 면목 없어?! 싸운 게 면목 없어야지!"

"싸운 건 면목 없을 일이 아니죠."

"아니긴 뭐가 아니야, 이놈아!"

강 회장은 손바닥으로 탁자를 내리쳤다. 그러나 찬재는 눈 하나 깜짝하지 않았다.

"지금껏 남남으로 살던 사이끼리 갑자기 부부로서 사는 건데, 좀 싸울 수도 있는 거죠. 그게 왜 면목 없을 일입니까? 전 오히려 지금 아버지가 이러시는 게, 면목 없을 일이네요."

"뭐, 네가 내가 면목이 없어?! 네가?!"

혈기가 넘치는 건 아버지 쪽 유전인가…….

이다는 격분하는 강 회장을 바라보며 짐작했다.

"저희 싸운 일, 아버지께서 알게 되면 괜한 걱정에 아버지 마음만 불편하실 거라 생각했습니다. 그런데 이렇게 대놓고, 며느리 마음까지 불편하게 하실 줄은 정말 몰랐네요."

찬재는 이다에게로 고개를 돌렸다. 무덤덤한 얼굴로 강 회장을 보고 있던 이다는 시선을 느끼고 찬재를 마주 봤다. 그러자 찬재는 사려 깊은 눈길로 이다를 바라보며 이어 말했다.

"이 사람, 가뜩이나 시집와서 자기편 하나 없는 기분일 텐데. 부부 사이에 있었던 사소한 마찰쯤은, 알아도 모르는 척해 주시는 게 며느리 사랑 아닙니까?"

오……. 왠지 멋져 보이는데?

이다는 찬재를 향해 엄지를 쓱 들어 보였다. 제법이란 칭찬을 담아 미소도 지어 줬다.

흥분 안 하고, 말 잘하고. 보기 좋네.

진심으로 흡족해서 눈웃음이 절로 지어지는데, 어째 눈앞에서 찬재는 표정이 굳었다. 눈동자는 뭐에 부딪히기라도 한 것처럼 흔들렸다.

왜 저러지? 아, 이 상황에 이 행동은 이상한가?

이다는 척 치켜든 엄지를 의식하고 아예 손을 내렸다. 그때, 강 회장의 쩌렁쩌렁한 목소리가 귓전으로 날아들었다.

"신혼여행 깽판 치고 온 것들이! 여기로 신혼여행 왔냐?! 여기가 니들 신혼집 안방이야?!"

* * *

펜트하우스가 있는 태강 타워 지하 주차장에 차가 멈췄을 때, 이다는 차창에 머리를 기댄 채로 잠에 빠져 있었다. 옆에 앉은 찬재는 잠시 그런 그녀를 지켜봤다.

"사모님이 많이 피곤하셨나 보네요."

운전석에서 태건이 조용히 말을 건넸다.

"하기야 강 회장님 성격 보통 아니신데. 몇 시간을 붙들려 계셨으니."

태건은 쯔쯔 혀를 찼다.

"오늘 좋은 소리도 안 나왔을 거잖아요?"

자꾸 이어지는 태건의 목소리에 찬재는 눈살을 찌푸렸다.

"됐으니까, 그만 퇴근해."

"예? 지금요?"

찬재는 대답 대신 나가라는 손짓을 해 보였다. 토 달지 말라는 듯 표정은 험악했다.

뭘 어쩌려는 건지. 태건은 아리송한 기분이었지만 조용히 차에서 내렸다. 그리고 슬쩍 차 문을 닫았다.

차 문을 닫는 소리가 뭐 이렇게 크게 들리는지. 찬재는 못마땅한 얼굴로 창밖의 태건을 봤다. 그러나 뒤돌아선 태건은 날아갈 듯 가벼운 발걸음으로 빠르게 멀어져 갈 따름이었다.

찬재는 다시 이다에게로 시선을 돌렸다.

혼자 두고 가 버리면, 이 여자도 열 좀 받으려나?

자다 깨서 주위를 둘러보면, 최소한 황당하기라도 하겠지. 비행기에서 내가 느낀 만큼은 아니겠지만.

찬재는 세상모르고 쿨쿨 자는 얼굴을 지켜보며 생각했다. 하지만 과연 그럴까? 이내 의구심이 들어 고개를 갸웃거렸다. 대꾸할 틈도 없이 속사포처럼 쏟아지던 아버지의 호통을, 이 여자는 아무런 동요 없는 얼굴로 잠자코 듣기만 하지 않았던가.

'심려 끼쳐드려 죄송합니다, 아버님. 입이 열 개라도 드릴 말이 없습니다.'

귓가에 맴도는 목소리에 어이없이 실소가 났다. 흥분해서 이 말 저 말, 그야말로 막말을 퍼붓고 난 사람에게 그리도 평정을 유지하며 사과를 전하다니. 아버지 말 심했는데, 상처도 안 받았나?
신기하다 생각하는 찰나, 또 다른 발언이 떠올랐다.

'난 우울한 적 없어.'

그런 그림을 그려 놓고, 우울한 적이 없었다니.
상처나 우울을 느낄 만한 감수성이 이 여자에겐 없는 건가? 아니……. 감수성 없는 여자가 시를 읽나? 그 손때 타게 읽어 놓은 프랑스 시집은 뭐야?
최혜주의 방에서 본 시집들을 떠올리며, 찬재는 고개를 절레절레 저었다.
"진짜 모를 여자네."
입 밖으로 혼잣말이 절로 흘러나갔다. 찬재는 아예 이다를 향해 몸을 돌려 앉았다. 카시트에서 모로 앉으려니, 자연히 한쪽 다리는 다른 쪽 무릎 위에 올라갔다. 그런 채로 팔짱을 끼고, 빤히 주시했다.
도대체 이 여자는 뭘까?

수없이 많은 물음표가 머릿속에 빼곡 차는 느낌이다.

"너 진짜 뭐냐?"

답 없을 거 뻔히 알고 뱉은 질문인데, 잠들어 있던 이다에게서 소리가 났다.

꼬르륵.

뜻밖의 소리에 순간 찬재는 흠칫했다.

꼬르르륵.

배 속에서 나는 소리에 이다는 눈을 떴다. 배에 손을 대고, 인상을 찡그렸다. 그러고서 이다는 주위를 둘러보다 찬재와 눈을 마주쳤다.

"왜 그러고 있어?"

머릿속의 무수한 물음표가 몽땅 느낌표로 바뀌는 순간이었다.

그냥 빨리 두고 갈걸. 찬재는 후회하며 오만상을 찌푸렸다.

"깨우려던 참이야. 깼으니까 됐다."

퉁명하게 말하고서 찬재는 얼른 반대편으로 몸을 돌렸다. 그리고 곧장 차 문을 열고 바깥으로 빠져나갔다.

지하 주차장의 승강기 문이 열렸을 때, 승강기에는 아무도 없었다. 찬재와 이다는 나란히 승강기에 올라탔다. 문이 닫히자 찬재는 펜트하우스 층을 누르고서 마음 편히 운을 뗐다.

"아직 도우미들 집에 있어."

"아직도?"

"그 사람들 퇴근 시간은 정해져 있지 않아. 우리 저녁 다 먹을 때까지 기다렸다가, 그거 치우고 퇴근하는 게 원칙이야. 그러니까 집 도착했다고 방심 말고, 그 사람들 퇴근할 때까지 신혼부부 모드 잘 유지해."

그때, 또다시 꼬르르륵 소리가 울려 퍼졌다. 제 배에서 나는 소리에 이다는 덜컥 손을 뻗어 승강기의 버튼을 눌렀다. 잠시 만에 승강기가 멈췄다. 문이 열리면서 3층의 전경이 눈앞에 펼쳐졌다.

"뭐야? 왜 여기 세워?"

"여기서 먹고 들어가."

"뭐?"

이다는 성큼 승강기 바깥으로 발을 내디뎠다. 그리고 뒤를 돌아 승강기 안 찬재를 마주했다.

"배고파서 말할 기운 없어. 근데 도우미들 앞에서 말 한마디 없이 밥 먹을 순 없잖아?"

"그러니까 식당에서 말 한마디 없이 밥 먹겠다?"

"그래."

"내가 싫다면?"

"너 좋을 대로 해. 넌 집에 가서 나 좀 늦는다고 하고, 서로 따로 먹지, 뭐. 둘이 같이 있으면서 말 안 하는 것보단, 따로 있어서 말 못 하는 게 낫겠지."

그건 문제 될 거 없다는 듯, 이다는 가볍게 어깨를 으쓱하고 뒤로 돌아섰다. 그리고 발걸음을 재촉했다. 정말이지 속이 쓰릴 만큼 배가 고파 더 시간을 끌 수 없었다.

어이없어하는 찬재의 눈앞에서 승강기 문이 스르르 닫혔다.

"예, 집사람하고 같이 외식하고 들어갈 테니까. 먼저들 퇴근하세요."

레스토랑에 앉아 도우미와 전화 통화를 마친 찬재는 휴대 전화를 테이블에 내려놓았다. 그리고 맞은편 자리에 마주 앉아 있는 이다를 못마땅한 얼굴로 쳐다봤다. 이다는 온 신경을 집중해서 스테이크를 썰고 있었다.

"그놈의 스테이크 질리지도 않냐?"

이다는 한 조각을 썰자마자 곧장 입에 넣고 우물거렸다. 배 속이 아우성을 치고 있어 대답할 틈도 없었다. 오후 내내 두 집을 방문하는 동안, 쏟아 낸 에너지가 생각보다 컸던 모양이다.

"안 질렸네, 확실히."

찬재는 고개를 끄덕였다. 그러다가 착잡한 얼굴로 고개를 저으며 덧붙였다.

"보는 나는 참 지겹다, 그놈의 스테이크."

뭐라거나 말거나 이다는 오로지 스테이크만 바라보며, 또 한 조각을 썰어 입에 넣었다.

"먹는 너는 왜 안 질리지?"

질문이 요상하게 느껴졌다. 이다는 그제야 찬재에게 눈길을 줬다. 레스토랑에 들어온 후, 처음으로.

"내가 안 질린다고?"

의아해하는 이다의 눈빛에 찬재는 금세 그녀의 오해를 알아차렸다.

"꿈이 야무지네."

찬재는 느긋이 턱을 괴고 자신만만한 미소를 지어 보였다.

"그런 뜻이면 좋겠어?"

"뭐가?"

"원래 말이란 건, 듣는 사람이 듣고 싶은 대로 듣는 거라며?"

"……."

어쩐 일로 이다는 반박할 말이 떠오르지 않았다.

아직 배가 덜 찼기 때문이겠지.

이다는 얼른 배를 채우려고 다시 칼질을 시작했다. 시선은 찬재에게 고정한 채, 한 조각을 얼른 잘라 내서 입에 넣었다. 찬재는 그런 이다를 지켜보며 마치 승자인 양 즐거운 표정으로 말했다.

"나는 스테이크 얘길 한 거거든. 그걸 보는 나는 질리는데, 그걸 먹는 너는 왜 안 질리는지. 그게 궁금했던 거라고."

"나는 네가, 이걸 먹는 내 모습이 왜 안 질리는지, 신기해하는 줄 알았어."

어느새 입안을 비워 내고서, 이다는 당당하게 찬재의 눈을 보며 대꾸했다. 그러자 찬재는 놀리듯이 질문을 던졌다.

"네가 듣고 싶은 말이 그런 거였나 봐?"

"당연하지."

서슴없는 이다의 대답에 찬재는 내심 놀라 눈을 깜빡거렸다. 이다는 곧이어 덧붙였다.

"난 그런 말 좋아해. 그걸 말하는 상대가 누구든."

"……."

"누가 나를 특별하게 생각한다는 건, 듣기 좋은 말이지. 그게 상대의 진담이건 농담이건, 뭐든 상관 안 해. 듣는 내 기분이 좋아지면 그걸로 됐어. 고맙다, 잘못 알아듣고 기분 좋아지게 해 줘서."

뭐 이렇게……. 이렇게까지 솔직해?

찬재는 놀려 먹으려다 된통 먹은 기분으로 말문이 막혀 버렸다.

이다는 그런 찬재에게서 무심히 시선을 내려 다시 식사에 집중하기 시작했다.

기운 없어 말 한마디 안 하고 식사만 하고 싶었는데. 왜 이렇게 말을 많이 하게 된 건지. 무시하면 그뿐일 상대에게 너무 신경을 쓰고 말았다고. 이다는 스스로를 지적하며 부러 찬재에게 눈길도 주지 않았다.

*   *   *

두 사람이 식사를 마치고 돌아왔을 때, 펜트하우스에는 아무도 없었다. 바깥에서 종일 부부인 척 연극을 하다 온 탓인지, 집 안에 둘뿐이란 사실에 이다는 마음이 한결 편해졌다.

이다는 손님방 옆의 욕실에서 샤워를 하고 나와 곧장 거실 소파로 향했다. 머릿수건에 샤워 가운 차림을 한 이다가 소파에 앉아 TV를 켜는데, 주방에서 찬재의 목소리가 들려왔다.

"또 시작이냐?"

캔 맥주를 꺼내 들고 거실로 걸어오는 찬재의 머리칼은 젖어 있었다. 그 역시도 샤워 가운 차림이었다.

"오늘부턴 밤새 거실에서 TV 보는 거, 절대 안 돼."

찬재는 이다 앞에 서서 엄한 표정으로 선언했다.

"왜?"

"너 한 번이라도, 여기서 TV 보다 네 발로 침대 가서 잔 적 있어?"

"없어."

"잘 아네. 너 여기서 TV 보다 여기서 잠들었어, 매일매일. 물론 어제까진 그래도 상관없었지. 도우미들 보는 눈 없을 때였으니까. 근데 이젠 도우미들 보는 눈이 있을 거거든. 아침부터 저녁까지, 매일매일. 신혼인데 새색시 혼자 소파에서 자고 있는 모습, 그 사람들한테 보이지 마. 부부 사이 문제 있어 보여."

이다는 잠시 생각하다 입을 열었다.

"오늘 TV 주문해도, 내일은 돼야 오겠지?"

"……침실에 TV 들이려고?"

"침대에서, 네 옆에서 TV 보다 잠드는 건 문제없잖아."

"……."

"내일 TV 사다 침실에 설치할 테니까. 오늘까진 여기서 TV 볼게."

이다는 무심하게 덧붙이고 리모컨으로 TV를 켰다. 그리고 앞을 가린 찬재의 옆쪽으로 비켜 앉았다.

"너, 자기 전에 침대로 올 자신 있어?"

찬재는 다시 이다의 앞을 가로막으면서 질문했다.

"TV 보다 잠 안 들고, 내 옆에 와서 잘 자신 있냐고."

덧붙임에 이다는 눈을 내리뜨고 생각에 잠겼다. 잠시 후, 넌지시 찬재를 올려다보며 질문을 건넸다.

"앉을래?"

"뭐?"

이다는 옆자리를 손바닥으로 두드리며 말했다.

"소파에서 TV 보다 잠들어도 네 옆이면 괜찮잖아."

"뭐가 괜찮아? 내가 옆에서 대기 타고 있다가, 너 잠들면 침대까지 옮겨 줄까 봐?"

"대기 탈 거 없이 그냥 자도 돼. 소파에서 너랑 나랑 둘 다 잠들면, 부부끼리 사이좋게 TV 보다 잠든 걸로 보이겠지."

해결책이랍시고 태연하게 제시한 말에 찬재는 발끈했다.

"내가 왜 너 때문에 소파에서 자야 해?! 됐어, 네가 침대로 와."

"어차피 침대에서 할 일도 없잖아."

"없긴 뭐가 없어!"

"있어? 뭐가 있는데?"

"잠이나 자!"

"나 지금 잠 안 오는데?"

"그럼 잠 잘 오게 시나 읽든가!"

"시?"

"그래, 시! 아니, 도대체가 너는 시집올 때, 네 집에 취미 생활 다 버리고 왔어? 그 고상한 취미 두고, 왜 이래?"

찬재의 지적에 이다는 최혜주의 시집들을 떠올리며 착잡한 입맛을 다셨다. 정말 어쩜 그리 취미가 다른 건지. 그러나 이다는 이내 아무렇지 않게 대답했다.

"새 술은 새 부대에, 새 환경엔 새 취미지."

순간 찬재는 대꾸할 말이 떠오르지 않아 속이 갑갑해졌다.

어우, 진짜 말을 왜 저렇게 잘해!

욱하는 마음에 찬재는 손에 든 캔 맥주를 따서 벌컥 들이켰다.

"왜 서서 마셔? 앉아서 편하게 마시지."

찬재는 대답 없이 계속해서 맥주를 들이마셨다. 그리고 맥주를 다 비워 버린 뒤, 빈 캔을 우그러뜨리면서 입을 열었다.

"난 침대에서 잘 거니까. 네가 내 옆으로 와."

경고하듯 명령하고 찬재는 침실로 걸어갔다.

물을 마신다고, 간식을 찾는다고. 구차한 핑계를 대 가면서 찬재는 몇 번을 주방에 들락거렸다. 그러는 사이 이다는 말똥말똥한 눈으로 거실 소파에 앉아 드라마를 보고 있었다.

잘 때 되면 알아서, 네 발로 들어와라. 그렇게 지나가며 던진 말에 이다는 알겠다고 고개를 끄덕였었다.

그런데 자정쯤이 되었을 때, 이다는 소파에 모로 누워 잠이 들어 있었다. 그 모습에 찬재는 혀를 차며 소파로 다가섰다.

"이럴 거면 대답이나 말 것이지."

찬재는 허리 숙여 이다의 어깨로 손을 뻗었다.

"야, 잠은 침대에서……."

찬재가 슬그머니 어깨를 잡아 흔들자, 이다는 인상을 찌푸리며 몸을 돌려 누웠다. 찬재는 자신을 등지고서 다시 잠에 빠져드는 이다의 뒷모습을 어이없이 쳐다봤다.

"이런다고 누가 안아서 옮겨 줄 줄 알아?"

괜한 승부욕이 발동한 찬재는 다시 이다의 어깨를 잡아 소파에 똑바로 돌려 눕혔다. 순간 흐트러진 샤워 가운의 앞섶이 벌어졌다.

"당장 일어……."

훤히 드러난 가슴골을 발견하자, 찬재는 말을 멈췄다.

"……."

눈……. 돌려야 하나?

찬재는 봉긋 솟은 곳에 아슬아슬 걸쳐진 앞섶을 뚫어지게 바라보며 마른침을 삼켰다. 한참 동안, 답은 내지 않고 바라보기만 했다.

그러자 그 시선이 느껴지는 것처럼, 이다는 잠결에 가려운 듯 손으로 하얀 가슴을 긁적거렸다.

긁적긁적, 희고 가는 손가락의 움직임에 샤워 가운은 더욱 벌어지며 들썩거렸다. 왜인지 지켜보는 찬재의 손가락도 움찔움찔 들썩거렸다.

저걸 말려?

⋯⋯왜?

아니, 깨워야지.

⋯⋯왜?

눈이라도 돌려, 인마.

⋯⋯왜?

찬재는 답이 안 나 이러지도 저러지도 않았다. 다만 눈을 뗄 수 없어 시선을 유지할 뿐.

잠시 후, 이다는 가슴에서 손을 내렸다. 그러자 가슴에는 긁힌 자국이 선연하게 남아 있었다.

피부는 여린 타입인가? 성격은 안 그런데.

하얀 가슴에 난 분홍색 손톱자국을 숨죽여 응시하는데, 목소리가 들려왔다.

"내 가슴에 볼일 있어?"

순간 벼락이라도 맞은 듯이 찬재의 눈이 커다래졌다. 반사적으로 시선을 옮긴 찬재는 이다와 눈을 마주쳤다. 이다는 잠기운이 어린 눈으로 찬재를 올려다보고 있었다.

"다 보일 것 같아서, 가려 줄 생각 중이었어."

찬재는 애써 태연하게 표정을 관리하며 시치미를 뗐다.

"가려 줄 생각, 참 오래도 한다."

"……뭔 소리야, 오래라니."

"나 가슴 긁을 때부터 깨어 있었어."

"…….'

"너 계속 내 가슴만 보던데."

"그걸 왜 보고만 있어?!"

찬재는 솟구치는 민망함에 얼굴이 다 빨개졌다.

"네가 보고만 있길래. 나도 보고만 있었지."

태연하게 대꾸하며 이다는 몸을 일으켰다. 이 와중에 눈은 또 왜 가슴으로 향하는지, 찬재는 본능을 억제하려 눈을 질끈 감았다.

"근데 깨어 있을 땐 못 보는 곳, 잠잘 때도 안 보는 게 상식 아닌가?"

이다는 샤워 가운을 여며 입으면서 차분하게 지적했다. 찬재는 눈을 감은 채로 눈썹을 찌푸리며 대꾸했다.

"못 보던 게 보이면, 눈 가는 게 본능이야."

이다는 땅이 꺼지게 한숨을 내쉬었다. 그 소리에 찬재는 뭐지 싶어 눈을 떴다. 그러자 이다의 두 손이 찬재의 어깨 위로 턱 올라왔다. 이다는 걱정하는 눈빛으로 찬재와 눈을 마주쳤다.

"혈기가 넘치는 건 알겠는데. 나한테 그런 본능 느끼지 마. 너만 힘들어져."

"뭐?"

"본능에 지지 말고, 이성 꼭 붙잡아."

이다는 찬재의 어깨를 꼭 붙잡고 강조했다.

"너 그거 과대망상이야!"

찬재는 욱해서 두 손을 떼어 내며 외쳤다.

"와, 내가 진짜! 꼴랑 반도 안 드러난 가슴, 그거 잠깐 보고 별소리를 다 듣네!"

찬재는 열이 올라 도저히 못 참겠단 얼굴로 잠옷 상의를 벗어젖혔다.

"자! 너도 봐라, 봐!"

우람하게 떡 벌어진 가슴을 내밀면서 찬재는 눈을 부릅떴다.

"너도 한 번, 나도 한 번. 서로 못 보던 데 공평하게 봤다, 이제."

이다는 숨 쉬는 법도 잊은 채, 집중해서 찬재의 가슴을 지켜봤다.

"그러니까 서로 없던 일로 쳐라, 앞으로."

이어지는 경고가 들리지도 않는지, 이다는 손을 들어 천천히 손뼉을 쳤다.

"뭐냐, 그 반응?"

뜻밖의 행동에 찬재는 황당해져 눈살을 구겼다. 그러자 이다는 박수를 멈추고, 잠시 눈을 깜빡거렸다.

본능에 졌었구나, 내가.

이다는 아차 싶어 손을 내리고서, 겉으로는 태연한 체 찬재의 눈을 봤다.

"반쪽 주고 두 쪽 받았는데. 박수 정도 쳐 줘야지 공평한 거 같아서. 그냥 나만큼만, 반쪽만 보여 줘도 됐을 텐데. 두 쪽뿐인 가슴, 아낌없이 다 보여 주다니. 그 아낌없이 주는 가슴, 받아 줄 순 없지만 박수라도 쳐 줄게."

이다는 다시 짝짝, 가볍게 손뼉을 쳤다. 그리고 기가 막혀 말문이 막혀 버린 찬재를 내버려 둔 채, 사뿐히 침실로 걸음을 재촉했다.

침실에 발을 딛자마자 후다닥 침대로 달려가는데, 거실에서 분통을 터뜨리는 찬재의 소리가 들려왔다. 이다는 얼른 침대에 드러누워 이불을 덮고 눈을 감았다.

자야 한다, 자야 한다.

이다는 세뇌하며 잠을 청했지만, 아른거리는 근육질 가슴이 자꾸만 잠을 내쫓아 댔다.

애국가를 불러 볼까?

생각하는 이다의 곁으로 찬재는 쿵쿵 거친 발소리를 내며 다가왔다. 그 소리에 이다는 눈 하나 꿈쩍 않고 자는 척 무표정을 유지했다. 찬재는 침대 곁에 서서 그런 이다를 어이없이 노려봤다.

"그새 자냐? 또?"

찬재의 질문에 이다는 색색 고른 숨을 내쉴 뿐이었다.

"하기야 네가 언제는 깨어 있었냐? 거기 머리 대면, 바로 곯아떨어져야 그게 너지. 이젠 놀랍지도 않다. 그러고 안 자는 게 놀라울 일이지."

찬재는 비난조로 말하고서 리모컨을 들어 전등을 껐다. 그리고 지기 싫은 마음으로 이다의 옆에 누워 잠을 청했다.

그렇지만 좀처럼 잠이 오질 않았다. 눈을 감자 선명하게 떠오르는 하얗고 봉긋한 가슴 때문에.

애국가를 불러 볼까?

얼마간 뒤척이던 찬재는 이대로는 안 되겠다 싶어 생각했다.

나란히 누운 두 사람은 그렇게 서로의 가슴을 떠올린 채, 마음속으로 같은 노래를 부르기 시작했다.

* * *

　결혼 후 첫 출근에 나선 찬재는 결혼 전과 다를 바가 전혀 없이 행동했다. 영업 시작 전, 모든 입점 매장을 일일이 둘러보는 첫 순서부터 그랬다.

　"오랜만이죠, 김 매니저?"

　찬재는 성큼성큼 매장으로 들어서며 매장 매니저인 남자에게 활기차게 인사를 건넸다.

　"아! 이사님, 신혼여행은 잘 다녀오셨어요?"

　"덕분에요. 근데 어째 김 매니저 얼굴이 나보다 더 훤해진 거 같은데?"

　"제가요?"

　"그 얼굴로 매장 관리해서 그런가? 나 없는 동안 매출이 두 배로 늘었던데. 혹시 김 매니저는 내가 없어야 얼굴도 훨씬 좋아지고, 능력도 훨씬 좋아지는 건가? 혹시 나 싫어하나?"

　"에이, 그럴 리가요!"

　"에이인지 비인지, 그럴 리가 있나 없나. 오늘 얼굴, 오늘 매출로 확인할 겁니다. 더도 말고 어제만큼만, 오늘도 파이팅입니다."

　씩 웃으며 농담조로 독려한 뒤, 찬재는 다음 매장으로 발길을 옮겼다. 태건은 그런 찬재의 뒤를 따르며 몰래 한숨을 내쉬었다. 아직 돌아봐야 할 매장이 수십 개나 더 남았다고, 속으로 불평하면서.

펜트하우스 헬스 공간에서 막 격투기 수업을 마친 이다는 윤 비서가 건넨 물병을 입에 가져다 댔다. 그리고 운동복을 흥건히 적신 땀만큼을 몸속에 채우려는 듯이, 벌컥벌컥 물을 들이마셨다.

"보기보다 체력이 좋으시네요."

윤 비서는 평소보다 긴장한 듯 경직된 목소리로 말했다. 곁에 있는 격투기 트레이너와 집 안 곳곳에 있는 도우미들을 의식하는 모양이었다.

"체력보단 깡인 거 같습니다."

불쑥 끼어드는 트레이너의 말에 이다는 계속 물을 마시면서 흘끗 그에게로 시선을 보냈다.

"운동할 때 힘으로 밀어붙이는 타입 있고, 깡으로 버티는 타입 있는데요. 사모님은 그 깡이 좋은 타입 같다, 이 말입니다."

"나 체력 좋아요."

이다는 물통을 내리고서 대꾸했다.

"체력도 좋은 건 맞는데. 깡이 훨씬 좋습니다."

"그걸 어떻게 구별해요?"

"운동하다 힘에 부치는데, 이 악물고 계속할 때부턴 깡 쓰는 거거든요. 체력만 좋고, 깡 없는 사람은 힘들 때 그 지점에서 포기해요. 근데 사모님은 힘에 부치는 거 빤히 보이는데, 포기를 전혀 안 하니까. 깡이 엄청 좋은 거죠."

"그런가?"

이다는 고개를 갸웃거리고는 다시 물병을 입에 댔다. 한 모금 삼키는데, 트레이너가 휴대 전화로 달력을 확인하며 질문을 던졌다.

"그럼 다음 수업은 언제로 잡을까요?"

"내일요."

"내일요?"

트레이너와 윤 비서의 눈이 휘둥그레졌다.

"내일 근육통 심할 텐데. 괜찮겠어요?"

트레이너의 조심스러운 질문에 이다는 주저 없이 고개를 끄덕였다. 그리고 이번에는 자신이 질문을 던졌다.

"앞으로 매일 수업 받고 싶은데. 시간 괜찮겠어요?"

차 운전석에 앉은 윤 비서는 뒷좌석의 이다를 돌아보며 벼르고 있던 말을 뱉었다.

"주 5회 수업은 무리라고 봅니다. 그렇게까지 배울 필요가 뭐 있습니까?"

"1년 안에 최대한 많이 배우려고요."

"1년이요?"

"최혜주로 사는 동안 말이에요."

이다는 고개 돌려 차창을 응시하며 대답했다. 차창에는 최혜주처럼 꾸며 놓은 자신의 모습이 비치고 있었다.

"격투기는 최혜주로 사는 동안에만 배울 수 있는 겁니까? 그건 아닐 텐데요."

"물론 서이다로 돌아가도 배울 수는 있죠. 그런데요."

"그런데요?"

"저 선생님한텐 두 번 다시 못 배우잖아요. 최혜주를 가르쳤던 저 선생님한테, 서이다는. 배우는 건 고사하고 눈앞에 얼씬도 하지 말아야죠."

"아⋯⋯."

"나 저 선생님 마음에 들어요. 이 정도로 마음에 드는 선생님, 다시 없을지 모르는 거잖아요. 그러니까 저 사람한테 배울 수 있을때, 최혜주일 때 최대한 배워 두려고요."

윤 비서는 이제야 이해가 간단 표정으로 고개를 끄덕였다.

"거기까지 생각하고 있는 줄은 몰랐네요."

"당연히 하고 있어야죠. 이 계약이 끝날 때, 완전히 없던 사람처럼 사라질 생각."

이다는 차창에 비친 자신의 눈을 보며, 또박또박 분명한 목소리로 말했다.

* * *

임직원의 점심시간이 거의 끝날 무렵, 태건은 이사 사무실의 문을 열고 들어섰다. 찬재는 응접용 소파에 누운 채 잠이 들어 있었다.

회사에선 결혼 전과 달라진 게 전혀 없는 줄로 알았는데. 웬일로 사내 취침 중이래?

태건은 의아한 얼굴로 다가가서 찬재의 어깨를 흔들었다.

"이사님? 이사님!"

태건의 목소리에 찬재는 스르르 눈을 떴다. 뭐냐는 듯 바라보는 멍한 시선에 태건은 큰 소리로 말했다.

"신성 로펌 신 대표 장인어른이 돌아가셨답니다!"

찬재는 여전히 몽롱한 얼굴로 손목시계를 확인했다. 그리고 눈살을 찌푸렸다.

"아직 두 시도 안 됐는데. 그걸 왜 벌써 말해?"

"예?"

"지금 당장 가야 하는 일도 아니고, 어차피 저녁 돼서 갈 장례식, 꼭 이렇게 자는 사람 깨워 가며 말해야 하나? 지금 엄연히 점심시간이잖아? 근무 시간 아니라 점심시간."

"아니, 결혼 전이시면 저도 지금 안 깨우죠. 이사님 혼자 대충 검은 양복 챙겨 입고, 얼굴 쓱 비추고 오면 되니까요. 근데 이젠 사모님도 같이 가셔야 하는데. 여자는 준비할 게 많잖습니까? 머리며, 화장이며, 옷이며. 그러니까 미리미리 여유 있게 알려 드려야죠, 사모님께."

"미리미리 여유 있게 네가 알려, 그 여자한테."

찬재는 몹시도 심기가 불편한 투로 말하고서 등을 돌려 누웠다. 다시 잠을 청하려고 눈을 감는 찬재의 모습에 태건은 고개를 갸웃거렸다.

"아니, 야근을 밥 먹듯이 해도 회사에선 피곤한 티 절대 안 보이던 분이, 대체 어젯밤에 뭘 했기에……."

불현듯 사모님과의 대화가 태건의 뇌리를 스쳤다.

'오늘은 웬일로 침실에서 주무셨대요? 계속 소파에서 주무시더니.'

'누가 귀찮게 해서요.'

'예?'

'왜 그렇게 하체에 집착하는 건지.'

순간 얼굴이 확 빨개진 채, 태건은 찬재의 허리 아래로 넌지시 시선을 옮겼다.

"싫다 싫다 하시면서, 할 건 다 하시는 건가⋯⋯."

중얼거리는 태건의 목소리에 찬재는 욱해서 허리를 일으키며 소리쳤다.

"하긴 뭘 해! 나가!"

이다는 최혜주가 즐겨 찾던 백화점 명품 매장을 윤 비서와 둘러보던 중 태건의 연락을 받았다. 그 자리에서 곧장 검은 원피스를 구입해 입고, 이다는 최혜주의 단골 미용실로 이동했다. 장례식에 걸맞도록 수수하게, 그러나 아름답게. 윤 비서의 주문대로 머리와 얼굴을 꾸미는 사이 시간은 잘도 갔다.

가만히 앉아 손길을 받기만 했을 뿐인데, 왜 이렇게 피곤한 건지.

안 꾸민 듯 꾸며 놓은 가면을 쓴 채, 이동하는 차 안에서 이다는 연신 하품을 했다. 마침내 장례식장에 도착했을 때는 벌써 해가 저문 시간이었다.

"신성 로펌 신 대표님이면, 태강뿐만 아니라 저희 SJ 그룹과도 연이 깊은 분입니다."

윤 비서는 주차장에 차를 주차하며 말했다.

"거듭 부탁드립니다. 부디 최혜주 씨처럼, 얌전하게 행동해 주세요."

"그야 최혜주 씨 남편 하기에 달렸죠."

이다는 무심하게 대꾸했다.

"서이다 씨⋯⋯. 저 땀나게 하지 마십시오⋯⋯."

윤 비서가 원망 어린 눈길로 말하자, 이다는 가볍게 미소를 보였다.

"농담이에요. 윤 비서님 눈에서 땀 나는 일, 여기서는 없어야죠. 남의 장례식인데. 아, 그런데 SJ 그룹 쪽에서는 누가 조문 오나요?"

"최서한 씨가 조문한다고 들었는데. 이미 한 시간 전에 방문한 걸로 알고 있습니다. 시간 겹치지 않으니까, 그쪽은 신경 안 쓰셔도 됩니다."

"그래요? 편하게 됐네요."

대답하는 이다의 옆에서 문이 열렸다. 이다는 반사적으로 고개를 돌렸다. 그러자 문을 활짝 열어젖힌 찬재가 그녀에게 손을 내밀었다. 허리를 숙이지 않아 검은 정장에 검은 타이를 갖춰 입은 몸만 보였지만, 이다는 그가 찬재라는 사실을 한눈에 알 수 있었다.

이런 몸이 흔치는 않지.

간밤에 본 가슴을 떠올리며, 이다는 찬재의 손을 잡았다. 그러자 찬재는 뒤로 물러나며 적당한 힘을 들여 차 바깥으로 그녀를 이끌었다.

"좀 늦었네?"

마주 서자마자 찬재는 다정한 목소리로 물었다. 주차장의 조문객들을 의식한 듯, 얼굴에는 부드러운 미소가 걸려 있었다.

"차가 막혀서요."

찬재는 슬그머니 이다의 어깨를 끌어안았다.

"오느라고 수고했어."

이어서 이다의 귓가로 입술을 가까이 대고 속삭였다.

"진짜 수고는 지금부터니까. 서로 잘해 보자고."

가벼운 포옹을 마친 다음, 두 사람은 손을 잡은 채 장례식장으로 걸음을 옮겼다.

* * *

　장례식장 복도의 맨 끝에는 화장실과 휴게실이 마주해 있었다.
빈소에 찬재를 둔 채, 이다는 홀로 화장실로 향했다. 그녀보다 두
어 발자국 앞서가던 두 남자는 휴게실 문을 열었다. 이다는 그들과
는 반대편으로 몸을 돌려 화장실 문을 열고 안으로 들어섰다. 그러
나 이다와 달리 두 남자는 휴게실로 들어서지 못했다. 그들은 이미
휴게실 안에 자리해 있는 사람들을 발견하고, 하는 수 없이 발걸음
을 돌려야 했다.

　잠시 후, 화장실 세면대에 선 이다는 손을 씻었다. 그런데 벽 너
머 남자 화장실에서 두 남자의 목소리가 들려왔다.

　"야, 뭔 장인어른 장례식에 거물들이 저렇게나 많이 왔대? 신 대
표 친아버지 장례식 땐 이 정도 아니었지 않아?"

　"너 몰랐냐? 신 대표 개천 용이잖아. 친아버지 쪽은 별 볼 일 없
었어. 데릴사위 거둬들여 이만큼 키워 준 게 장인어른이지."

　"그래? 어쩐지. 왜 신 대표가 상주 노릇을 하나 싶더라니."

　"난 왜 신 대표 장모가 이 와중에 뚜쟁이 노릇을 하나 싶다."

　"뚜쟁이?"

　"방금 휴게실에 그 여자, 신 대표 장모잖아."

　"아, 그 셋 중에 머리 희끗한 아줌마?"

　"그래. 같이 있던 젊은 여잔 그 장모 친척이고. 우리 로펌에 낙하

산 취직도 시킨 여자야."

"그럼 나머지 한 사람은 누구야?"

"누군지는 몰라도 딱 보면 견적 나오지. 그 남자 아까부터 붙잡혀 있던데. 아마 엄청 조건 좋은 미혼남일 거다. 신 대표 장모, 둘이 엮으려고 눈에 불 켠 거지."

볼일을 마친 이다는 두 남자의 수다를 뒤로한 채 화장실 문을 열었다. 곧이어 화장실 바깥으로 발을 내디뎠을 때, 맞은편 휴게실의 문이 열렸다. 그 문에서 빠져나온 남자와 이다는 눈을 마주쳤다.

순간 이다는 낯익은 그의 얼굴을 바라보며, 그의 이름을 짐작했다.

최서한.

아마 그게 그의 이름이겠지.

결혼식 전, 최혜주로 살기 위해 외워야 했던 자료 중 그의 사진이 있었다. 최서한. 최 회장의 첩이 낳은 두 딸과 두 아들 중 차남. 최 회장의 본처가 사망한 뒤, 최혜주가 유일하게 의지했던 가족.

"서한 오빠?"

이다는 망설이지 않고 그의 이름을 불렀다. 진짜 최혜주라면, 그를 몰라볼 리 없으니까.

그런데 정작 서한은 반응이 없었다. 굳은 얼굴로 우두커니 이다를 응시할 뿐.

"왜 그래?"

이다가 이상하다 싶어 묻자 서한은 그제야 표정을 풀고 입을 열었다.

"헤어스타일이 너무 달라져서, 하마터면 못 알아볼 뻔했어."

서한은 희미하게 미소를 지어 보였다. 그를 따라 이다도 미소를 지었다. 사진에서 본 최혜주의 미소처럼, 차분하고 우아하게.

"남편하고 같이 왔겠구나?"

"응."

이다는 진짜 최혜주인 양 태연하게 서한의 눈을 보며 말했다. 서한은 시선을 피하려고 자연스레 빈소 방향으로 고개를 돌렸다.

"남편은 빈소에 있어?"

"응. 빈소 식당에서 식사 중이야."

음성이라도 듣고 연습한 걸까? 가짜 최혜주는 목소리마저 진짜와 똑같았다.

"가서 인사해야겠네."

소름이 돋았지만 서한은 애써 아무렇지 않게 빈소로 걸음을 옮겼다. 진짜 혜주를 대할 때와 똑같이 행동해야 한다고, 스스로를 채찍질하면서.

찬재는 빈소 식당의 긴 좌식 테이블에 앉아 있었다. 앞에 놓인 육개장에 밥을 말고, 훌훌 마시다시피 먹고 있는 그의 앞으로 이다는 서한과 함께 다가갔다.

"여보."

답지 않게 살가운 이다의 목소리에 찬재는 의아한 눈빛으로 고개를 들었다.

"복도에서 둘째 오빠 마주쳤는데. 오빠가 당신한테 인사하고 싶어 해서."

찬재는 이다의 옆에 선 서한을 보고 얼른 몸을 일으켰다.

"아, 형님. 와 계신 줄 몰랐네요."

"반가워, 매제. 초면은 아니지만, 혜주하고 결혼하곤 처음 보지?"

서한은 미소 짓는 얼굴로 찬재에게 한 손을 내밀었다.

"그러네요. 결혼식 때 못 뵈어서 아쉬웠는데, 이런 데서 마주치게 될 줄이야. 역시 만나야 할 사람은 어떻게든 만나지네요."

찬재는 손을 잡고 위아래로 흔들면서 시원시원한 어조로 대답했다.

만나야 할 사람은 어떻게든 만나진다…….

별 뜻 없이 던진 말에 서한은 불길해져 저도 모르게 힐끗 가짜 최혜주를 곁눈질했다. 그의 눈에 가짜 최혜주일 뿐인 이다는 진짜 최혜주와 같은 얼굴로 스스럼없이 그와 시선을 마주쳤다.

만나지 말아야 할 사람이, 하필 만나진 것뿐이야.

서한은 애써 시선을 유지하며 속으로 스스로를 안심시켰다. 찬재는 자연스레 악수를 풀며 말했다.

"다리 불편하게 서 있지 마시고, 앉아서 얘기 나누시죠. 아, 식사는 하셨습니까?"

찬재의 질문에 서한은 난처한 표정을 지었다.

"어쩌지? 나는 그만 가 봐야 할 것 같아. 생각지 못한 일로 너무 오래 붙잡혀 있었거든."

"저런. 잠깐 밥 한 끼 할 시간도 안 되십니까?"

"아쉽지만 바로 가 봐야 해. 매제가 여기 있는 거 뻔히 아는데, 인사도 안 하는 건 예의가 아닌 것 같아서, 지금은 잠깐 얼굴만 비치러 온 거야."

"아……. 정말 아쉽네요."

찬재는 보란 듯이 실망하는 표정으로 아쉬움을 강조했다.

"그럼 조만간 시간 좀 내주시죠. 저희가 식사 대접하겠습니다."

"그래. 그럼 다음에 또 보자고, 매제."

찬재의 인사치레에 서한 또한 인사치레로 화기애애하게 대화를 마무리 지었다.

*　*　*

빈소를 빠져나와 차에 올라타자마자 찬재는 기다렸단 듯이 질문을 던졌다.

"너 둘째 오빠하고도 계약 맺었어?"

나란히 앉은 이다는 무뚝뚝한 표정으로 찬재를 쳐다봤다.

"무슨 질문이 그래? 뭔 소린지 알 수가 없네."

"나하고 계약 이행할 때나 보여 주는 나긋나긋한 태도, 아까 그 오빠한테 계속 보여 주고 있었잖아. 그래서 혹시 그쪽하고도 계약 관계인가, 궁금해졌어."

"계약 같은 거 없어. 둘째 오빠한텐 그냥 나오는 태도야."

이다는 당연하단 투로 말했다.

"몰랐네. 계약 없이도 그럴 수 있는 여자인지."

"친한 사람한텐 그래."

"둘째 오빠하곤 친하시다?"

"친해."

이다는 철저히 최혜주의 입장에서 대답했다.

"놀랍네. 네가 누군가하고 친하게 지낼 수 있다는 게."

찬재는 흥미로운 듯 팔짱을 끼며 말했다.

"놀라울 것도 많다."

이다는 심드렁히 눈을 감고 머리를 뒤로 기댔다. 어제 잠을 설쳤는데 격투기에 장례식에, 거기다 뜻하지 않은 서한과의 마주침까지. 계획보다 많은 에너지를 써 버린 탓에 심신이 고단했다. 이대로 집에 도착할 때까지 잠이나 자야지. 생각하며 잠을 청하는데, 또다시 찬재의 질문이 날아들었다.

"둘째 오빠 말고, 친한 사람 또 있어?"

"······."

"둘째 오빠하곤 어릴 때부터 죽 친했던 건가?"

"······."

"넌 그런 타입하고 성격이 잘 맞는 건가?"

"······."

"자냐?"

전부터 느낀 건데. 이 인간은 물음표가 너무 많다. 뭐 이렇게 궁금한 게 많은 건지.

자꾸 나한테 관심 가져 봐야 너만 힘들다고, 이다는 말해 주고 싶었지만 할 수 없었다. 솔솔 밀려드는 잠 때문에 눈꺼풀도 입술도 무거워진 탓이다.

이다가 스르르 다시 눈을 떴을 때, 차는 이미 태강 타워 주차장에 도착해 있었다. 그리고 옆에 앉은 찬재는 이다의 어깨를 한 손으로 지그시 잡아 흔들고 있었다.

"일어나라. 집에 다 왔다."

이다는 가물가물한 시선으로 앞을 봤다. 운전석은 비어 있었고, 차 안에는 둘뿐이었다.

"두고 가……."

이다는 도로 눈을 감아 버리며 신음하듯 말했다.

"뭐?"

"귀찮아……."

까무룩 잠이 들 듯 이다의 몸이 축 늘어졌다. 찬재는 어이없이 쳐다보며 다시 이다의 어깨를 흔들었다.

"야, 잠은 침대에서 자."

"두고 가라니까……."

여전히 눈을 감은 채 이다는 성가신 듯 눈살을 찌푸렸다. 그 모습에 찬재 역시 눈살을 찌푸렸다.

"두고 가라면 못 두고 갈 줄 알아?"

두고 보라는 듯 퉁명하게 말하고서 찬재는 반대편으로 몸을 돌렸다. 서슴없이 문을 열고 나가 쿵, 소리 나게 문을 닫았다. 그런데도 이다는 꼼짝 않고 가만히 있었다. 잠시 후, 제 옆의 문이 열릴 때까지도 마찬가지였다.

"너 진짜 여기서 잘 생각이야?"

"……."

낮게 깔리는 찬재의 목소리에도 이다는 반응하지 않았다.

"나 너 못 두고 가는 거 아니다."

"……."

"안 두고 가는 거지."

분명하게 강조한 뒤 찬재는 허리 숙여 차 안으로 손을 내렸다. 이다는 목 뒤로, 무릎 뒤로 파고드는 단단한 두 팔에 미간을 찌푸렸다. 이어 온몸이 차 밖으로 훌쩍 안아 올려졌다.

"너 여기서 자면, 내 꼴 우스워져. 그러니까 안 두고 가는 거야."

찬재는 한쪽 무릎으로 차 문을 툭 닫았다.

"어디 남편 두고 차 안에서 외박을 해? 결혼한 지 며칠 만에. 우리 사이 이상한 거, 광고할 일 있어?"

성큼성큼 걸으면서 이어 가는 목소리에 흔들림은 전혀 없었다. 뺨에 닿은 건장한 가슴이 생생히 느껴져서 이다는 얼굴이 더워졌다. 어제 봤던 이 가슴의 훌륭한 모양새가 기억에서 절로 떠올랐다.

보기 좋은 몸이 힘도 좋네.

이다의 감탄이 무색하지 않게 찬재는 힘든 기색 하나 없이 금세 승강기에 도착했다.

보기 좋은 떡이 먹기도 좋다더니…….

이다는 옛말을 떠올리다 고개를 끄덕일 뻔했다.

안 돼. 깬 티 내지 말고, 다시 잠이나 자.

안겨 가는 편안함을 만끽하며 이다는 다시 잠을 청했다. 절대 흔들리지 않는 안정감 속에 체온은 점점 따뜻해져 갔다.

* * *

다음 날 아침, 운동 후 샤워를 마친 찬재는 침실을 빠져나왔다.

복도에서 마주친 도우미에게 까딱 인사를 건네고, 주방의 식탁으로 가 앉았다. 식탁에는 서양식 아침상이 차려져 있었다.

오믈렛과 크루아상, 수프와 샐러드. 제 접시에 놓인 식사를 슥 훑어보며 찬재는 포크를 들었다. 맞은편에서 그를 기다리고 있던 이다도 비로소 포크를 들었다. 찬재는 그런 이다에게 불쑥 말을 건넸다.

"어제 만난 둘째 형님 말인데."

이다는 멈칫 찬재와 눈을 마주쳤다.

"집에 초대할까 해."

가볍게 말하고서 찬재는 이다보다 먼저 아침상의 첫술을 떴다. 마치 첫술부터 배부르고 싶은 사람처럼, 크게 자른 오믈렛 덩어리를 한입에 덥석 넣었다. 별맛 없는 장례식장 육개장도 시원스레 다 비우더니. 한식이고 양식이고, 뭐든 가리는 게 없는 식성인 모양이다.

"아무거나 잘 먹는 거 보기 좋네."

이다는 어색한 침묵 대신 칭찬으로 운을 뗐다. 그러면서 속으로 잠시 다짐했다. 나중에 이런 남편 만나야지, 하고.

"근데 아무나 집에 초대하는 건 좋지 않아."

"아무나라니? 당신 오빠잖아. 그것도 당신하고 제일 친한 오빠."

"신혼집에 초대하고 싶을 정도로 친하진 않아."

"무슨 뜻인지 잘 이해가 안 가는데."

찬재는 고개를 갸웃거리고는 크루아상 반쪽을 한입에 쏙 넣었다. 이다는 눈을 내리뜨고 접시 위의 오믈렛을 썰며 말했다.

"찬재 씨 집에 있는 시간, 24시간 아니잖아."

도우미의 기척을 느끼면서 이다는 묘한 뉘앙스로 덧붙였다.

"난 찬재 씨가 집에 있는 시간, 1초도 아까운데. 찬재 씨하고 둘만 있을 시간 양보해 줄 만큼 친한 사람 없어."

"……."

"찬재 씨는, 아니야?"

이다는 넌지시 찬재의 얼굴을 확인했다. 그런데 눈을 마주친 찬재는 왜인지 석고처럼 굳어 있었다. 어련히 알아서 화답할 줄 알았건만, 찬재에게서는 침묵만이 흘렀다.

"……뭐 해?"

이다는 아주 작은 목소리로 입 모양이 보이게끔 말했다. 찬재는 그제야 눈을 깜빡이고 헛기침을 했다. 그렇게 뜸을 들여 정신을 수습한 뒤, 마침내 입을 열었다.

"나는 있어. 당신하고 둘만 있을 시간 양보해 줄 만큼 친한 사람. 아니, 친해지고 싶은 사람."

"누구? 설마 둘째 오빠 얘기야?"

"아니. 내가 몰랐던 시절의 당신 얘기야."

"뭐?"

"아주 어릴 때부터 나 만나기 전까지의 당신. 나는 그 사람하고도 잘 알고 지내고 싶어. 그래서 둘째 형님 초대하고 싶은 거야. 당신 어릴 때 어땠는지, 어떻게 자랐는지. 형님한테 듣고, 배우고 싶어서."

그 형님은 내 어릴 적 몰라.

이다는 뱉을 수 없는 말을 입안에 둔 채 물과 함께 삼켰다.

"그러니까 여보, 형님하고 자리 한번 만들어 봐."

찬재는 다정하게 권유하며 미소를 지어 보였다. 그를 따라 미소를 지으면서 이다는 마음에 없는 말을 내뱉었다.

"그래, 그럼. 오빠한텐 내가 연락할게."

　　　　　＊　＊　＊

태강 타워의 가전제품 매장 안, 전시된 벽걸이형 TV 앞에 선 채 이다는 팔짱을 끼고 빤히 TV 화면을 바라봤다. 윤 비서는 그런 이다의 뒤에 서서 신기한 듯 질문했다.

"어제 그렇게나 운동하고 근육통도 없으십니까?"

"있어요."

"있어요? 전혀 안 그래 보이는데요. 지금도 그렇고, 아까 수업 받을 때도 아주 멀쩡하시던데요."

"멀쩡하지 않아요."

이다는 옆에 걸린 TV를 향해 걸음을 옮기면서 말했다.

이게 어딜 봐서 멀쩡하지 않은 건지. 윤 비서는 무덤덤한 이다의 표정을 보며 고개를 갸웃거렸다.

"빨리 TV 사고, 침대 가서 눕고 싶은 마음 굴뚝이에요."

"그렇게 안 보이시는데…… . 진짭니까?"

"왜요? 거짓말 같아요?"

"보기엔 전혀 티가 안 나서요. 어떻게 이렇게 티가 안 나나, 놀라워서 그럽니다."

"아픈 거 티 내 봤자, 안 아파지는 거 아니잖아요."

대수롭지 않은 투로 말하고서 이다는 멈춰 섰다. 그리고 좌우에 걸린 두 개의 TV를 비교하듯 번갈아 봤다. 상대가 가볍게 던진 말이 어째 무겁게 받아들여져서, 윤 비서는 잠시 침묵하다 입을 열었다.

"몸이 안 좋으면, 이런 일은 그냥 저한테 맡기셔도 됩니다. 제가 알아서 사다 놓을 수 있으니까요."

"아뇨, 이런 일은 꼭 내가 할 거예요."

이다는 고개를 내저으며 딱 잘라 말했다. 그리고 지갑에서 신용 카드를 끄집어냈다. 마치 레드카드를 들어 보이는 심판처럼, 이다는 최혜주의 이름으로 된 신용 카드를 윤 비서의 눈앞에 들어 보였다.

"어제 꿈도 꿨어요. 이 카드로 TV 사는 거."

이다는 눈을 반짝이며 이어 말했다.

"꿈을 이루는 건 자주 있는 일이 아니죠?"

질문을 마친 이다의 입가에 싱긋 해맑은 미소가 떠올랐다.

여름맞이 세일 기간임을 홍보하기 위해 태강 타워 내부에는 갖가지 조형물과 안내판이 설치되어 있었다. 오늘이 세일 기간의 첫날이기에, 찬재는 오전 시찰을 마쳤음에도 점심 직전 또다시 시찰에 나섰다.

꼭대기 층인 펜트하우스의 바로 아래층, 자신의 사무실에서 출발한 찬재는 에스컬레이터를 타고 한 층씩 아래로 향했다. 바로 아래층에서부터 세 층을 차지하고 있는 극장을 지나자 쇼핑몰이 나타났다. 에스컬레이터에 선 채 찬재는 점점 가까워지는 쇼핑몰 층을 응시했다. 태건은 그의 옆에서 그처럼 정면을 응시하며 운을 뗐다.

"많아요."

"그렇지? 너무 많네. 정신 사납게."

"예?"

"조형물 말이야. 덕지덕지 지나치게 많으니까, 오히려 센스 없어 보이잖아."

"아니, 그거 말고요."

"그럼 뭐?"

"사모님한테 관심이요. 그게 많다고요."

"내가?"

"예, 네가요. 아, 아니. 이사님이요."

태건이 얼른 말실수를 정정하는 사이, 두 사람은 에스컬레이터의 바닥에 다다랐다. 찬재는 자연스레 에스컬레이터를 떠나 걸으며 대꾸했다.

"내가 언제 최혜주 줄 선물 준비하랬어? 최서한 줄 선물 준비하랬지."

"그게 어디 최서한 씨한테 관심 있어 준비하는 선물입니까? 최서한 씨한테 사모님 정보 캐내려고 준비하는 뇌물이지."

"물론 그건 사실이야. 근데 내가 그 여자 정보를 캐내려는 건 그 여자한테 관심이 있어서가 아니라, 그 여자하고의 싸움에서 이기기 위해서지. 지피지기면 백전백승, 몰라?"

찬재는 시원시원하게 자신 있는 목소리로 주장했다.

"이사님 이러는 게 관심이 아니라, 전술이라고요?"

"정확한 표현이야. 전술. 말 빼고 뭐든, 다 이기기 위한 전술."

찬재는 멈칫 서서 칭찬하듯 태건의 어깨를 두드렸다.

"아……. 예……."

태건은 떨떠름한 얼굴이었지만, 입으로는 대충 수긍하는 듯한 소리를 냈다.

계산대 앞에 선 이다는 신용 카드를 받아 쥔 직원의 손을 뚫어지게 지켜봤다.

"고객님, 할부는 어떻게 할까요?"

"일시불이요."

이다는 오로지 신용 카드에만 시선을 집중한 채 주저 없이 대답했다.

"이, 일시불이요?"

직원이 세 자릿수 결제액을 확인하며 다시 묻자, 이다는 흘끗 직원의 표정을 확인했다. 직원은 놀라워하는 얼굴로 덧붙였다.

"가격대가 높은 제품이라, 보통은 카드 한도 때문에 할부를 많이 하시거든요."

이다는 뒤를 돌아봤다. 그리고 거기 서 있는 윤 비서에게 질문했다.

"이 카드 한도, 얼마예요?"

"없습니다."

"그럼 이거, 일시불로 사도 되는 거겠죠?"

"혜주 씨는 일시불로 안 사는 게 이상한 일이죠. 혜주 씨가 언제 그런 거 신경 쓰셨다고요."

진짜 최혜주라면 당연히 일시불로 결제했을 거란 의미였다.

윤 비서의 답변에 이다는 문득 뭔가 이상하단 기분이 들었지만, 일단 다시 직원에게 고개를 돌렸다. 그리고 흔쾌하게 선언했다.

"마음 놓고 긁으세요, 일시불로."

이다는 일시불로 결제된 영수증을 손에 쥐고 매장을 빠져나왔다. 그러다 잠시 멈춰 서서는 영수증을 확인하며 감탄을 흘렸다.

"개처럼 쓰는 재미가 이런 거구나."

홀로 고개를 끄덕이는데, 윤 비서가 옆에 서서 말을 걸었다.

"전에도 얘기했지만, 카드는 최혜주 씨처럼 마음껏 쓰세요. 많이 쓰던 사람이 갑자기 안 쓰면 더 이상하니까요."

순간 이다는 다시금 뭔가 이상하단 생각에 윤 비서를 향해 물었다.

"그렇게 많이 쓰던 사람이, 이 카드 없이 어떻게 살고 있을까요?"

"……."

생각지 못한 질문에 윤 비서는 멍하니 눈만 껌뻑거렸다.

"혹시 그 사람한테 다른 카드가 더 있나요?"

"아니요. 집에 카드며, 지갑이며 다 두고 떠난 걸로 압니다."

"하긴 카드를 쓰고 있었으면, 금방 위치 파악이 됐겠죠. 그럼 현금을 쓰고 있나?"

"아…… 마 그렇지 않을까요?"

윤 비서는 고개를 갸웃거리며 반문했다.

"가지고 있던 명품, 중고로 팔아도 현금이 꽤 나오니까요."

"이 씀씀이 유지할 만큼, 그렇게나 많이 나와요?"

"그 정도는 아니지만……. 씀씀이를 많이 줄이면, 도피 생활할 정도는 될 겁니다."

"근데 하루아침에 씀씀이 바꾸는 거, 쉬운 일 아니잖아요."

이다의 주장에 윤 비서는 물끄러미 이다를 바라봤다.

"쉬운 일…… 같던데요."

"그거 내 얘긴가요?"

"예. 어찌나 손바닥 뒤집듯이 쉽게 바꾸시던지."

"손바닥 뒤집는 건 말이죠."

이다는 천장으로 향하게끔 오른손을 펼쳐 보였다. 그리고 그 손바닥이 바닥으로 향하도록 뒤집으며 덧붙여 말했다.

"이렇게 손바닥에 아무것도 없을 때나 쉬운 거죠."

이다는 이번에는 윤 비서의 손을 잡고, 그의 손바닥이 천장으로 향하게끔 만들었다. 그리고 손바닥 위에 자신의 휴대 전화를 얹었다.

"이 손바닥 펼친 채로, 그냥 뒤집어 봐요."

"예? 그럼 이 휴대 전화, 깨질 텐데요?"

"그러니까 못 뒤집겠죠?"

"아……."

윤 비서는 이다의 뜻을 알아차리고 고개를 끄덕였다.

"사람은 손바닥에 뭐가 있으면, 움켜쥐는 게 본능이더라고요."

이다는 윤 비서의 손등을 손바닥으로 받친 채, 다른 손으로 윤 비서의 손바닥 위 휴대 전화를 잡았다. 그리고 휴대 전화를 가져가려는데, 손 위로 그림자가 졌다.

"뭐 해? 그렇게 둘이."

이다는 고개 돌려 그림자의 주인을 확인했다. 그러자 험악하게 인상을 찌푸린 채 윤 비서의 손을 노려보는 강찬재가 보였다.

"앗, 저, 이건……!"

윤 비서는 불에 덴 듯 화들짝 당황하며 이다의 손에서 손을 휙 빼냈다. 그 바람에 윤 비서의 손바닥에 놓여 있던 휴대 전화가 바닥으로 떨어지고 말았다. 가진 것을 움켜쥐는 본능보다 더욱 강한, 생존 본능이 낳은 참사였다.

"앗! 죄, 죄송합니다!"

윤 비서는 재빨리 몸을 낮추어 바닥에서 휴대 전화를 집었다. 그때, 찬재는 이다의 손을 잡았다.

"이건 이렇게 둘이 할 일이잖아. 그렇게 둘이 아니라."

경고처럼 낮은 목소리를 내며 찬재는 손에 잡힌 손을 꽉 움켜쥐었다.

이다는 순간 느껴지는 이상한 기분에 미간을 찡그렸다.

이 인간 왜 이래?

이다는 손을 감싸 쥔 커다란 손을 보며 의문을 느꼈다. 그의 손바닥에서 자신의 손등으로, 체온이 더해지는 감각이 선명했다.

난 또 왜 이러지?

손이 닿지 않은 곳까지도, 저절로 체온이 높아지는 감각에 의문이 늘어났다.

"여보, 점심은 먹었어?"

무뚝뚝한 찬재의 질문이 보태졌다. 이다는 찬재의 눈을 올려다봤다. 목소리와 달리 찬재는 다정하게 미소를 지어 보였다.

"먹었어도 아니라고 해 줘. 점심 핑계로 같이 있게."

찬재는 표정처럼 다정한 목소리를 냈다. 한 박자 늦게나마, 이유 모를 불쾌감을 애써 억누르면서.

* * *

　같은 건물 안의 레스토랑 밀실에 찬재와 마주 앉은 채, 이다는
메뉴판을 바라보며 질문을 던졌다.

　"아침, 저녁 매일 같이 먹는데. 점심까지 같이 먹을 필요 있나?"

　"점심에 딱 맞춰서 마주쳤는데, 당연히 점심까지 같이 먹어야지.
눈만 마주쳐도 깨가 쏟아지는 신혼에."

　"남의 눈 참 어지간히 신경 쓴다."

　"나만 쓰게 두지 말고, 너도 써라 좀. 도대체가 남들 앞에서 다른
남자 손은 왜 잡아?"

　보는 눈이 없기에 찬재는 대놓고 인상을 구겼다. 그러나 이다는
아무렇지 않게 대꾸했다.

　"남들 앞에서 안 잡을게. 됐지?"

　"뭐?"

　"남들 앞에서 안 잡으면 되는 거잖아."

　"남들 뒤에서는 잡을 거고?"

　"봐서."

　"……."

　"딱히 계획은 없지만. 못 할 일은 아니잖아. 계약서에 그러지 말
란 조항도 없었고. 서로 사생활엔 관여하지 않기로 했었잖아?"

　태연하게 이어지는 말에 찬재는 두 주먹을 꽉 쥔 채로 부들부들
떨었다. 욱하고 열은 치솟는데, 반박할 논리가 없는 탓이다.

그래······. 이 여자 말이 맞다. 뒤에서도 잡지 말라는 건, 진짜 사랑하는 사이에나 할 소리야. 쓸데없이 열 올리지 말자. 이길 생각만 해. 지피지기 백전백승.

찬재는 애써 이성을 다잡다가 불현듯 떠오른 생각에 질문을 던졌다.

"둘째 오빠하곤 어떻게 됐어? 약속 날짜 잡았나?"

"당분간은 바쁘다던데."

이다는 무심한 표정으로 대답했다.

"아무리 바빠도 밥은 먹고 살 거잖아? 같이 식사할 시간쯤은 있을 텐데?"

"다음에 오빠 여유 생기면, 그때 약속 잡을게."

더 이상 왈가왈부 말란 듯이, 이다는 딱 잘라 말하고서 메뉴판을 덮었다. 답은 애초에 정해져 있었으니까, 더 볼 필요가 없었다.

점심 식사 후, 찬재는 사무실로 들어서자마자 휴대 전화를 꺼내 들었다. 그리고 버튼을 누르면서 책상으로 이동한 뒤, 수화기를 귀에 댄 채 자리에 앉았다.

"이사님? 갑자기 누구한테 전화······?"

태건의 질문이 채 끝나기도 전에 찬재는 조용히 하라는 듯 검지를 들어 보였다. 그 모습에 태건은 뭔가 중요한 통화인가 싶어 입을 꾹 다물고 기다렸다. 한참 만에 상대가 전화를 받았는지, 찬재는 침묵을 깼다.

"어젠 잘 들어가셨습니까?"

찬재는 여유로운 미소를 걸친 채로 보이지 않는 상대에게 인사를 건넸다.

"저 강찬잽니다, 형님."

순간 수화기 너머로 침묵이 흘렀다.

"어제 제 전화번호 알려 드릴 새도 없이 그렇게 헤어진 게 마음에 걸려서요."

[아……. 그랬지, 참……. 그런데 매제, 내 번호는 어떻게 안 거야? 혹시 혜주가 알려 줬어?]

"저야 원래 알고 있었죠. 형님 워낙 능력자시니까. 언젠가 어디서, 어떤 일로든 함께할 거 같아서요."

과하거나 인위적이지 않게, 자연스레 상대를 높여 주는 능숙한 말솜씨에 태건은 새삼 감탄했다.

상대가 사모님만 아니라면, 말싸움에 지는 일이 없을 사람인데…….

"그런데 형님, 아무래도 제 아내가 많이 아쉬워하는 눈치인데. 도저히 시간이 전혀 안 되십니까?"

찬재는 불쑥 본론으로 돌입했다. 최혜주가 못 해낸 거, 나는 해낼 수 있을 거라 자신하면서.

* * *

이다가 사들인 TV는 펜트하우스의 침실 벽에 설치되었다. 설치가 끝난 직후부터 이다는 마치 침대 위에 설치된 인형인 양 침대에 딱 붙어 있었다. 침대 맞은편에 딱 맞게 걸려 있는 TV를 보느라고, 시간 가는 줄도 모르고.

"저, 그만 가 봐도 되겠습니까?"

노크 후 침실 문을 연 윤 비서가 넌지시 물어 왔다.

"그러세요."

이다는 흔쾌히 대답했지만, 윤 비서는 뭔가 마음에 걸리는 표정으로 슬쩍 한 발을 더 내디뎠다. 그리고 조심스레 문을 닫고 말했다.

"종일 집에만 있기 불편하진 않습니까?"

밖에 있는 도우미들에게는 들릴 리 없는 작은 목소리였다.

"글쎄요. 불편할 게 있나?"

"밖에서 일하던 사람들은, 일 안 하고 집에만 있기 답답할 수 있다던데. 혹시 그런 점이 불편하진 않나 해서요."

"그건 나하곤 상관없는 얘기죠. 이래 봬도 지금, 일하는 중이니까."

"지금, 일하는 중이라고요?"

윤 비서는 의아한 표정으로 물었다.

"최혜주는 돈 쓸 때 말곤 밖에 나가는 일 거의 없었다면서요. 그러니까 최혜주처럼 집에 처박혀 있는 게, 나한테는 일이죠."

"아······. 그렇기는 합니다만. 그래도 너무 종일 틀어박혀 있진 않으셔도 됩니다. 혹시 답답하면 얘기하세요. 제가 동행해서 외출하면······."

"아니요. 최혜주처럼 돈 쓸 때 말곤, 그냥 종일 틀어박혀 있을 작정이에요."

이다는 윤 비서의 말허리를 자르며 단호하게 말했다.

"집 밖에선 어떤 변수를 마주칠지 모르니까."

"변수요?"

"최혜주를 아는 사람이나 서이다를 아는 사람 말이에요. 그런 변수는 되도록 마주치지 않는 편이 좋죠."

느닷없이 맞닥뜨리게 됐던 최서한을 떠올리며, 이다는 다시 피로감을 느꼈다. 같은 얼굴을 떠올리고서 윤 비서는 아차 싶은 얼굴로 입을 열었다.

"예, 그런 변수가 있다는 걸 잠시 깜빡했습니다. 그러고 보면 집 안에만 있는 편이 가장 안전하겠군요."

이다는 고개를 끄덕였다. 그리고 확고한 시선으로 윤 비서를 응시하며 말했다.

"가능한 한 집 안에만 있으면서 어떤 변수도 마주치지 않는 게, 남은 1년 동안의 내 계획이에요."

퇴근 시간 사무실을 빠져나온 찬재는 승강기에 올라탔다. 펜트하우스로 향하는 P 버튼을 누르면서 스위치를 끈 것처럼 일 생각을 멈췄다. 그리고 일하는 내내 애써 꺼 두었던 생각을 다시 떠올렸다.

'그런데 형님, 아무래도 제 아내가 많이 아쉬워하는 눈치인데. 도저히 시간이 전혀 안 되십니까?'

'……'

'여보세요?'

'아, 미안. 지금 중요한 전화가 걸려 와서 말이야. 내가 이따 다시 전화해도 될까?'

그렇게 전화를 끊어 놓고, 왜 여태 아무 소식도 없는 건지.

찬재는 혹시 몰라 주머니에서 휴대 전화를 꺼내 확인했다. 그사이 승강기는 금세 펜트하우스에 도착했다.

"정말 없네."

확인을 마친 휴대 전화를 도로 주머니에 집어넣으며, 찬재는 승강기를 빠져나왔다.

"정말 그렇게까지 바쁜가?"

찬재는 고개를 갸웃거리면서 펜트하우스의 출입문을 열었다. 문소리를 들은 도우미가 찬재를 발견하고 인사를 건넸다. 성큼성큼 복도를 가로질러 거실로 들어선 찬재의 시선은 소파에 꽂혔다. 비어 있는 소파를 확인하자 발걸음이 우뚝 멈췄다.

"아주머니."

찬재는 소파에 시선을 고정한 채 도우미에게 질문을 던졌다.

"집사람, 어디 나갔습니까?"

"나가시긴요. 오후 내내 침실에서 한 발짝도 안 나오신걸요."

"아, 그래요?"

이 여자가 오후 내내 TV를 안 봤단 말인가?

찬재는 의아해하며 침실로 건너갔다. 그리고 침실 문을 열었을 때, 찬재는 침대에 앉아 있는 이다를 발견하고 깨달았다.

이 여자가 오후 내내, 거실 TV를 안 봤단 말이군.

"아니, 저걸 왜 못 알아봐?"

침실 벽에 걸린 TV를 시청하며, 이다는 황당한 듯 혼잣말을 터뜨렸다.

"너나 알아보고 인사 좀 하지? 사람이 문을 열고 들어오는데, 그걸 왜 못 알아채?"

찬재는 비난하며 어슬렁어슬렁 침대로 걸어갔다. 이다는 찬재를 보고, 그의 등 뒤로 닫혀 있는 문을 확인했다.

"어, 왔어?"

다른 사람 없으니까, 이다는 편하게 인사를 내뱉고서 도로 TV에 시선을 집중했다. 찬재는 금방 침대에 도착했다. TV 속에서는 한복을 입은 두 남녀가 칼싸움을 하고 있었다.

"이젠 아주 사극까지 손을 대셨어?"

찬재는 어이없단 투로 코웃음을 친 뒤, 이다 옆에 털썩 앉았다.

"마침 잘 왔어. 저거 봤던 드라마야?"

이다는 눈길은 주지도 않으면서 입으로만 물어 왔다.

"그래. 저건 봤던 거네."

지기 싫은 기분에 찬재 역시 TV에만 시선을 꽂고 대답했다.

"쟤네 둘, 자기들이 남매인 거, 대체 언제 알아봐?"

"마지막 회 직전에야 알지."

"뭐? 아직 10회나 남았는데. 그때까지 못 알아본다고? 아니, 저걸 왜 못 알아봐? 아무리 어릴 때 헤어졌어도 그렇지. 서로 그렇게나 찾아다녔으면서? 하나밖에 없는 핏줄, 하루도 잊은 적이 없다면서?"

"그때까지 못 알아봐야 돼, 이 드라마는."

"왜?"

이다는 고개 돌려 관심 가득한 시선으로 찬재를 바라봤다. 그 시선을 모르는 채 찬재는 계속 TV를 응시하며 설명을 시작했다.

"이 드라마의 셀링 포인트는 금단의 사랑이야. 서로 남매인 걸 모르는 채, 운명적인 끌림으로 맺어지는 사랑. 이 금단의 사랑이라는 건, 어떻게 다루느냐에 따라 시청자의 반응이 아주 극명하게 갈리는 법이지."

"어떻게 갈리는데?"

"근친에도 종류가 있는데. 크게 두 가지로 나눌 수 있지. 서로 피가 섞인 진짜 혈육인 경우, 피는 안 섞였지만 진짜 혈육으로 믿고 있는 경우. 저 드라마의 경우는 전자에 속하지."

"그렇지."

이다는 고개를 끄덕이며 계속 찬재에게 관심을 집중했다.

"서로 피가 섞인 진짜 혈육인 경우, 그걸 알면서도 사랑을 시작하는 두 사람은 시청자를 불쾌하게 하지. 하지만 모르고 사랑했는데, 알고 보니 남매였다? 그런 두 사람은 시청자를 열광하게 해. 알고 사랑하느냐, 모르고 사랑하느냐. 그 한 끗 차이가 시청률을 천국과 지옥 수준으로 갈라놓는 거야."

"그럼 저 드라마는, 모르고 사랑하게 계속 내버려 둬서, 시청률 잘 나왔어?"

"잘 나왔지. 이미 사랑하게 돼 버렸는데, 서로 남매인 걸 알게 되면 얼마나 충격일까? 저렇게 서로 죽고 못 사는데, 왜 하필 남매인 걸까? 그런 마음으로 저 둘의 사랑을 응원하는 시청자들이 많았으니까."

"흠……. 그런 재미가 있을 줄은 몰랐네. 그럼 후자의 경우는 어때?"

찬재의 지론에 재미를 느끼면서 이다는 눈을 반짝거렸다.

"피는 안 섞였지만 진짜 혈육으로 믿고 있는 경우 말이야."

"그 경우는 일단 그 믿음이 깨져야지. 혈육인 줄 알았는데, 알고 보니 아니었다. 그렇게 믿음이 깨진 다음부터 사랑을 시작해야 돼.

남매라고 굳건히 믿으면서, 사랑을 시작한다는 건 아주 위험한 전개야. 시청률 지옥문 여는 거지."

"혈육인 줄 알았는데, 알고 보니 아니었다. 하긴 그러고 시작하는 사랑이면, 욕할 사람 아무도 없겠네. 친남매도 아닌데, 뭐 어때?"

"그러니까 근친 소재는, 무늬만 근친인 멜로가 대부분이지. 한집에서 자랐지만 한쪽이 입양아라든가……."

찬재는 무심코 설명을 이어 가다 말고 멈칫 말을 멈췄다.

그러고 보니, 이 여자도 입양아잖아? 이 여자도 알고 형제들도 다 아는…….

입양아인 당사자 앞에서, 입양아 얘기는 괜히 내뱉었다 싶어 찬재는 눈살을 구겼다. 찬재가 미안해진 눈빛으로 흘끗 옆을 보는데, 이다는 빛나는 눈망울로 그와 눈을 마주쳤다.

"그리고?"

"뭐?"

"한쪽이 입양아라든가, 또 뭐?"

꼭 흥미진진한 이야기에 푹 빠져든 아이처럼, 이다는 빤히 찬재를 바라보며 다음 말을 기다렸다.

"어……. 그게……."

자다 깨도 줄줄 외울 수 있는 분석 결과인데. 왜 갑자기 아무 말도 생각나지 않는 건지.

찬재는 이다의 눈을 보며 마른침을 삼켰다. 이 여자의 관심과 기대가 자신에게 쏠린 기분이, 낯설고 설레었다.

"그러니까 그게."

찬재는 어떻게든 말을 이어 보려 입술을 움직였다. 그런데 하필 그때 휴대 전화가 울렸다.

"아, 젠장."

저도 모르게 중얼거리고서 찬재는 얼른 휴대 전화를 확인했다.

중요한 상대가 아니라면 받지 않았을 텐데. 상대가 최서한이기에 그럴 수는 없었다. 찬재는 헛기침을 한 뒤 전화를 받았다. 그리고 느긋한 목소리로 말문을 열었다.

"중요한 전화 받으신다더니, 통화가 꽤 길어졌던 모양이네요."

이다는 통화에 방해되지 않도록 리모컨을 들어 TV 소리를 줄였다. 통화 상대가 누구인지는 딱히 관심 갖지 않았다.

[미안, 아까 전화 그렇게 끊고부터 일이 너무 바빴어. 매제, 우리 무슨 얘길 하다 말았지?]

"제 아내가 많이 아쉬워해서, 제가 다시 초대 시도하는 중이었습니다."

TV를 바라보던 이다는 설마 하는 눈빛으로 고개 돌려 찬재의 얼굴을 봤다. 찬재는 보란 듯이 이다와 눈을 마주쳤다.

"형님, 도저히 시간이 전혀 안 되십니까?

이어지는 질문에 이다는 순간 가슴이 철렁했다.

"너 설마?"

이다가 당황해서 묻는 찰나, 수화기에서 서한의 목소리가 흘러나왔다.

[시간 내 볼게.]

찬재는 의기양양해져 이다와 눈을 마주한 채 씩 웃어 보였다. 그리고 여유로운 목소리로 말을 건넸다.

"여보, 형님이 시간 내주신다는데?"

네가 못한 걸 내가 해냈다는 자랑 같은 통보였다.

* * *

윤 비서는 퇴근길에 들려온 청천벽력 같은 소식에 곧장 태강 타워로 차를 돌렸다. 태강 타워 주차장에 도착하자, 기다리고 있던 이다가 조수석에 올라탔다.

보다 자세하게 자초지종을 설명하고 난 뒤, 이다는 짧게 한숨을 내쉬었다. 그리고 단둘뿐인 차 안이지만, 차창 밖을 예의 주시하며 말을 뺐다.

"변수는 집 밖에만 있는 건 줄 알았더니. 그게 아니었네요."

"……."

"집 밖으로 안 나가면 마주칠 일 없을 줄 알았는데. 집 안으로 찾아 들어오는 변수가 다 있네."

"……."

윤 비서는 아무 말이 없었다. 윤 비서의 침묵이 이상해서 이다는 그를 향해 넌지시 시선을 돌렸다. 그러자 입술을 꾹 깨문 채 앞만 보고 있는 윤 비서가 보였다. 윤 비서의 눈에서는 눈물이 뚝뚝 떨어졌다.

"윤 비서님, 울어요?"

"아닙니다."

"눈에서."

"땀입니다."

윤 비서는 이다의 말을 끝까지 듣지도 않고 말했다.

딱 봐도 눈물인데, 뭘 자꾸 땀이래.

이다는 잠시 착잡하게 윤 비서를 바라보다 입을 열었다.

"에어컨 틀어 드릴까요?"

"예?"

윤 비서는 당황해 반사적으로 이다를 향해 고개 돌렸다. 그러자 이다는 윤 비서의 얼굴로 무심히 손을 뻗으며 말했다.

"땀 너무 흘리시네."

스스럼없이 눈물을 훔치는 손길에 윤 비서는 왜인지 위로 받는 기분이라 더 눈물이 났다.

"너무 걱정하지 마요."

이다는 줄줄 늘어나는 눈물방울을 아예 소매로 닦아 주며 말했다.

"최서한 씨 상대하는 거, 피곤하긴 하지만 못할 일은 아니에요. 내가 가짜인 거 알아채지 못하게, 잘만 하면 되는 일이죠."

"자, 잘, 하셔야 하는데……."

윤 비서는 어깨를 들썩이며 울먹였다.

"잘하려고 윤 비서님 부른 거예요."

"예?"

"내일 저녁 약속이니까. 그때까지 최대한 윤 비서님 앞에서 연습하려고요. 최혜주처럼 말하고, 행동하는 연습. 최혜주와 가장 가까운 사람 상대하려면, 최혜주를 조금이라도 아는 사람하고 많이 연습해야 할 것 같아서요."

믿음직하게 흔들림이 없는 이다의 눈빛에 윤 비서는 애써 눈물을 삼켰다. 그리고 믿는다는 눈빛으로 고개를 끄덕였다.

　이다는 자정이 다 되어서야 펜트하우스로 돌아왔다. 이 시간이면 강찬재는 자고 있겠거니, 생각하며 이다는 거실로 들어섰다. 그런데 예상외로 찬재는 거실 소파에 앉아 있었다.

　"어딜 갔다 이제 와?"

　찬재는 못마땅한 얼굴로 몸을 일으켰다.

　"약속 있었어."

　이다는 대수롭지 않게 대답하며 침실로 직행했다. 가볍게 문턱을 넘고 옷장으로 향하는데, 등 뒤에서 또다시 찬재의 질문이 날아들었다.

　"약속? 무슨 약속?"

　"묻지 마, 사생활이야."

　이다는 딱 잘라 말하고서 옷장 문을 달칵 열었다.

　"서로 사생활에 관여하지 않는다. 계약서에 적혀 있잖아."

　"관여하지 않는다, 질문하지 않는다. 둘은 다른 말이거든?"

　찬재가 대꾸하며 이다의 곁에 다다랐을 때, 이다는 옷장에서 잠옷을 꺼냈다. 찬재는 그런 이다의 앞에 서서 이어 말했다.

　"관여하지 않는다와 같은 말은, 간섭하지 않는다, 개입하지 않는다야. 나는 그냥 질문만 했지, 관여한 게 절대 아니라고."

　"그냥 질문이면 뭐, 질문은 자유지."

　이다는 수긍하는 투로 고개를 끄덕였다. 그러다가 고개를 멈추고서 똑바로 찬재의 눈을 보며 덧붙였다.

"대답도 자유고."

더 할 말이 없다는 듯 이다는 휙 찬재를 스쳐 욕실로 향했다. 반박할 말이 없어 찬재는 말문이 막힌 채로 이다의 뒷모습을 쏘아봤다. 이윽고 이다가 욕실 문을 열고 들어서자 찬재는 할 말이 떠올랐다.

"내가 그 욕실 쓰지 말라고 했지!"

"몸 씻을 거 아니야."

이다는 찬재를 돌아보며 대꾸했다.

"뭐?"

"몸 안 섞는 여자하고 몸 씻는 곳 섞기 싫다며? 그래서 욕실 따로 쓰자며? 근데 난 지금 몸 씻을 거 아니라, 옷 갈아입을 거거든. 그럼 여기 써도 상관없지 않나?"

"난 상관있으니까, 저쪽 욕실 가서 갈아입어."

찬재는 명령하듯 고압적인 태도로 침실 문을 가리켰다.

이 인간은 왜 이렇게 나를 피곤하게 하는 걸까?

이다는 성가시단 눈빛으로 찬재를 응시하며 한숨을 내쉬었다.

"가지가지 피곤하게 한다, 진짜……."

이어지는 혼잣말에 찬재는 인상을 찌푸렸다. 그런데 이다가 갑자기 잠옷을 툭 바닥으로 떨어뜨렸다. 그리고 아무렇지 않게 허리에서부터 옷자락을 훌렁 들어 올렸다. 느닷없이 드러나는 맨 허리에 찬재는 불에 덴 듯 반사적으로 고개를 돌렸다.

"야, 너! 뭐야?!"

"이 욕실 쓰지 말라며?"

"그렇다고 아무 데서나 막 벗어?!"

"너도 거실에서 잘 벗던데, 뭘."

등 돌린 채 흥분하는 찬재와 달리 이다는 태연하게 대꾸하며 잠옷을 입었다.

"나는 너 보라고 벗은 거고!"

찬재는 발끈하다가 문득 스친 생각에 입을 꾹 다물었다. 그리고 잠시 기다렸지만, 이다는 아무런 대꾸가 없었다. 찬재는 기다리다 못해 입을 열었다.

"야, 너 왜 평소처럼 안 해?"

"뭘?"

"공평하게 나도 너 보라고 벗은 거다, 그래야지 너다운 거 아닌가?"

그 말 기다리고 있었는데. 왜 안 해?

찬재가 속으로 덧붙이는 찰나, 이다는 찬재의 앞을 지나갔다. 완전하게 잠옷을 갖춰 입은 채로.

"네가 나 보라고 벗었던 건, 이미 공평하게 계산 끝난 얘기지. 내 가슴 반쪽이랑 네 가슴 두 쪽으로."

이다는 심드렁히 대답하며 침대에 몸을 눕혔다. 그 모습에 찬재는 쳇 소리가 절로 났다.

하여간 마음에 안 들어. 진짜 마음에 안 드는 여자야.

찬재는 잔뜩 얼굴을 구긴 채 침대로 다가갔다. 이다는 그새 눈을 감고 있었다. 찬재는 시트가 들썩일 만큼 털썩 거친 몸짓으로 이다의 옆자리에 누웠다. 그럼에도 이다는 그를 의식하지 않고 가만히 잠을 청할 따름이었다.

* * *

다음 날 저녁, 약속 장소인 레스토랑 룸에는 서한이 먼저 도착해 있었다. 찬재와 함께 룸에 들어선 이다는 안경을 쓴 서한의 모습에 의아한 표정을 지었다.

찬재와 서한이 가볍게 악수를 하고 난 뒤, 다 함께 자리에 앉으면서 이다는 말문을 열었다.

"웬 안경이야? 오빠 원래 안경 안 쓰잖아. 요즘 시력 안 좋아졌어?"

걱정하듯 묻는 다정한 말투에 찬재는 흘끗 이다의 얼굴을 봤다.

지 오빠한텐 이렇게 잘하면서. 사람 차별 끝내주게 잘하는군.

찬재는 속으로 삐죽 솟는 불쾌감을 씻어 내려 물을 마셨다.

"그냥 한번 써 본 거야."

서한은 찬재의 맞은편에 앉은 채 이다를 향해 부드러운 목소리로 대답했다. 그리고 그 또한 찬재처럼 물을 마셨다. 안경을 쓴 이 모습을 진짜 혜주가 봤더라도 저런 얘길 했을 텐데. 제법 진짜 같다고 생각하면서.

물을 먼저 삼킨 찬재가 먼저 입을 열었다.

"형님도 아시다시피 저희 부부, 연애 기간 없이 결혼부터 했습니다. 그래서 제가 모르는 게 많은데. 하나씩 알아 가기엔 제가 마음이 너무 급해서요."

찬재는 미소를 띤 얼굴로 이다를 지그시 바라보며 이어 말했다.

"이 사람하고 하루빨리, 제일 많이 가까워지고 싶은데. 형님이 좀 도와주셨으면 합니다."

이다는 부러 메뉴를 펼쳐 얼굴을 가렸다. 그리고 메뉴를 고르는 일에 집중하려 했다. 서한은 메뉴판 너머에 있을 그녀를 응시하며, 찬재를 의식해서 미소를 지었다.

"원래 혜주가 빨리 친해지기 쉽지 않은 성격이지."

가짜 최혜주의 얼굴이 보이지 않아 한결 편한 마음으로, 서한은 진짜 혜주의 이야기를 시작했다.

"나하고 친해진 것도, 아마 십 년은 걸렸을걸."

그렇게 시작된 최혜주의 과거 이야기는 한참 계속되었다. 메뉴를 주문하고부터 식사가 거의 끝날 때까지, 이다는 딱히 대화에 참여할 필요가 없었다. 유치원 때의 혜주가 어땠는지, 중학교 때의 혜주가 어땠는지. 서한은 자신의 기억을 늘어놓을 뿐, 이다에게 질문을 던지거나 반응을 요구하는 일이 없었다. 찬재는 그런 서한의 이야기를 흥미롭게 경청할 따름이었다.

직접 만나 본 적이 없기 때문인가?

한배에서 태어난 쌍둥이의 이야기인데, 왜 이렇게 남 얘기로만 들리는지. 아니, 남이라기보다도……. 꼭 동화 속 공주님 이야기 같네.

최혜주의 옛날이야기에 이다는 묘한 기분이었지만, 내색하지 않으려 표정을 관리했다.

이윽고 후식을 기다리는 사이, 찬재는 잠시 전화를 받기 위해 자리를 떠났다. 찬재가 문을 닫고 사라지자 서한은 한숨을 돌리듯이 깊게 숨을 내쉬었다. 이다는 그런 서한에게 말을 건넸다.

"오늘 시간 내줘서 고마워."

서한은 눈을 내리뜬 채 조심스러운 목소리로 질문을 던졌다.

"매제는 네가 나한테 먼저 연락했던 걸로 알고 있던데. 어떻게 된 거야? 너 나한테 연락 안 했었잖아."

"……."

"매제 앞에서는 네 연락 받았던 척했지만, 나 많이 당황했었어. 왜 그런 거짓말을 했어?"

"그게……. 오빠가 바쁠 것 같기도 했고, 내가 불편하기도 했어. 나 아직 이 사람하고 안 친하니까."

이다는 면목 없다는 듯 고개를 숙였다.

"나하고 네 남편 못 만나게 거짓말한 이유……. 그게 전부니?"

묘한 질문에 이다는 고개 들어 서한을 봤다. 서한은 여전히 눈을 내리뜨고 테이블만 응시하고 있었다.

"응. 그것뿐이야."

이다의 대답에 서한은 깊은 한숨을 내쉬었다. 그리고 의미심장하게 말했다.

"나는 네가, 알고 그러는 줄 알았어."

"알다니……? 뭘?"

서한은 괴로운 듯 미간을 찌푸리며 대답했다.

"내가 너, 사랑하는 거."

사랑한다? 최서한이 최혜주를?

난데없는 고백에 이다는 심각해진 얼굴로 서한을 주시했다. 그리고 귀를 의심하듯 혼란스러운 목소리로 물었다.

"사랑?"

"정말 몰랐어?"

서한은 계속 시선을 내린 채로 서글프게 되물었다.

"몰랐어, 난."

"몰랐어도, 이젠 알아야 돼."

"……."

"내가 너희 부부 만나는 건 이게 마지막일 테니까."

"마지막이라니……?"

"다른 남자와 결혼한 널 계속 보는 게 나는 힘들어. 그래서 네가 결혼한 순간부터 난 널 피할 생각이었어. 그런데……. 장례식장에서 하필 너하고 마주쳤던 거야."

만나지 말아야 할 사람이, 하필 만나졌던 거지.

서한은 속으로 생각하며 두 손을 모아 쥐었다. 그리고 하나로 깍지를 채운 손을 응시하며 입을 열었다.

"태연한 척했었지만…… 빨리 벗어나고 싶었어, 그 자리에서."

"……."

"다른 남자와 결혼한 너도, 너와 결혼한 남자도. 마주한다는 게 상상 이상으로 힘들었어."

"그럼……. 오늘 이 자리는 왜 나온 거야?"

이다는 최혜주와 같은 목소리로 조심스럽게 질문했다.

"너하고 나, 친형제처럼 지냈던 거 네 남편이 뻔히 아는데. 결혼식도 참석 못 해 놓고 마냥 피하는 건 이상해 보일 테니까. 거기다 네 남편은 우리 관계 많이 궁금해하는 눈친데, 한 번쯤은 만나야겠다 생각했어. 예전처럼 아무 문제 없는, 그냥 친한 남매처럼 보이도록. 하지만 이걸로 마지막이야."

"……."

"네가 알고 있었든, 몰랐었든. 나는 이제 우리, 예전처럼 지낼 수 없을 거라 판단했어. 이렇게 내 입으로 내 마음 고백하고, 제대로 정리하는 게 너를 위한 것 같아."

서한은 내내 아래로 향해 있던 시선을 서서히 이다에게로 뻗었다.

"너는 잘……."

마침내 가짜 최혜주와 눈을 마주친 채, 서한은 슬픈 눈빛으로 이어 말했다.

"살아야지."

이것만은 진심이야.

서한은 가짜 최혜주를 향해 마음으로 속삭였다.

"……."

섣불리 어떤 말도 하지 않고 이다는 서한의 눈을 마주 보기만 했다.

최서한이 최혜주를……. 이 상황에 최혜주는 어떤 반응이었을까?

이다는 뭘 어째야 할지 모르겠단 혼란스러운 표정을 지었다. 지금 상황에서 최혜주라면, 이게 가장 자연스러운 반응일 거라 생각하면서.

서한은 그런 이다에게서 시선을 거두면서 자리에서 일어났다.

"오늘로써 마지막이야. 나 더 이상 너하고, 오빠 동생으로 만날 생각 없어. 그러니까 내가 너희 부부 피하는 거, 이해해 줘."

"……."

"이런 얘기 들었는데, 남편 앞에서 내 얼굴 보고 있기 너도 곤란하겠지. 이만 먼저 갈게. 네 남편한텐 급한 일 생겼다고 대신 전해 줘."

시선을 피한 채로 통보한 뒤, 서한은 이다에게 눈길 한번 주지 않고 걸음을 옮겼다. 이다는 서이다로서도 혼란스러운 지금 상황에 흔들리는 눈동자로 그를 지켜봤다. 서한은 등을 돌려 뒷모습을 보이고, 문을 향해 멀어졌다.

문 앞에 다다른 서한이 문을 열었을 때, 이다의 눈동자엔 한 사람이 더 들어서게 되었다. 문 바깥에서 서한의 앞에 마주 선, 강찬재가.

순간 서한은 멈칫 굳었다.

설마 들었나?

당황한 서한의 눈앞에서 찬재는 무표정한 얼굴이었다.

"벌써 가시게요?"

찬재는 서한의 어깨 너머로, 이다의 표정으로 눈길을 보내면서 태평하게 질문했다.

못 들었나?

종잡을 수 없는 상황에 이다는 미간을 찡그렸다. 집 안이든 집 밖이든 식당 안이든. 무슨 놈의 변수가 자꾸 내 앞까지 배달을 오는 건지. 정말이지 뭘 어째야 할지 모르겠는 기분이다.

"어쩌지? 급한 일이 생겨서 말이야."

서한은 애써 침착하게 찬재를 향해 대답했다.

"그래요?"

이다에게 시선을 꽂아 둔 채, 찬재는 입으로만 싱긋 웃었다.

"그럼 가셔야죠. 제 아내하고 볼일은 이미 끝나셨을 테니까."

어쩐 의미심장한 말로 들려 서한은 미간을 좁혔다. 찬재는 그에게 눈길도 주지 않고 성큼성큼 이다에게 다가갔다. 금세 바로 곁에 도착한 찬재가 테이블 위 이다의 손에 손을 뻗었다.

"여보, 우리도 그만 갈까?"

찬재는 허리 숙여 지그시 왼손으로 이다의 손을 덮으면서 질문했다. 그리고 다정하게 이다의 어깨에 오른팔을 두르면서 덧붙였다.

"둘만 있을 거면, 둘만 있기 더 좋은 데로 가야지."

둘만 있기 더 좋은 데? 집에 가잔 얘긴가?

묘한 뉘앙스에 이다가 눈을 깜빡이는 찰나, 찬재는 어깨를 안은 팔에 힘을 들여 자연스레 그녀를 일으켜 세웠다.

"디저트는 여기 말고, 가서 줄게. 나만 줄 수 있는 걸로."

눈을 마주한 채 약속하고서, 찬재는 쥐고 있던 이다의 손을 들어 손등에 입을 맞췄다.

"많이 먹여야겠어. 중독돼서 내 것만 생각나게."

야릇하게 들려오는 말에 이다는 멍해졌다. 꽤 오랜 시간, 아무 말도 떠오르지 않을 정도로.

3장

3장

최서한과 헤어지면 끝날 연극이라 생각했다. 최서한의 앞이라서, 강찬재는 둘도 없는 신혼부부 행세를 하는 거라고. 그러나 최서한이 떠나가고 둘만 남은 뒤로도, 연극은 계속 이어졌다.

이다의 손을 잡고 레스토랑을 빠져나온 찬재는 차 조수석에 이다를 앉히고서야 손을 놓아주었다. 그런 다음 찬재는 운전석에 앉아 직접 운전을 했다.

"집에 가는 거 아니었어?"

얼마 후, 예상과 다른 도착지에 이다는 의아해 질문을 던졌다.

"집에 가자고 한 적 없어. 둘만 있기 더 좋은 데로 가자고 했지."

찬재는 가볍게 답하고서 차 문을 열고 나갔다. 차 앞을 지나 조수석으로 건너오는 찬재의 모습에 이다는 일단 안전벨트를 풀었다. 이어 스스로 문을 열 생각이었으나, 금세 도착한 찬재가 먼저 조수석의 문을 열었다.

"여기 뭔데?"

이다는 손을 내미는 찬재에게 경계하는 눈초리로 물었다.

"디저트 가게."

대답한 뒤 찬재는 더 기다리지 않고 먼저 이다의 손을 성큼 잡았다. 갑작스러운 접촉이 왜인지 전과 같지 않아 이다는 반사적으로 몸에 힘이 들어갔다. 버티려는 이다의 힘을 느낀 찬재가 귀엽다는 듯이 실소하며 질문했다.

"뭘 그렇게 무서워해?"

"뭐?"

"당신 지금, 주사 맞기 싫은 애처럼 버티고 있잖아. 설마 우리 공주님, 디저트가 무서운 거야?"

찬재는 아이 대하듯이 장난스럽게 말했다. 놀리는 게 분명한 말투에 이다는 눈을 찌푸렸다. 그리고 선뜻 차 바깥으로 몸을 일으켰다.

"당신 공주님은 그럴지도 모르지. 난 아니지만."

이다는 찬재와 마주 선 채 아무렇지 않은 얼굴로 말했다.

"우리 공주님이 뭘 잘 모르시네."

찬재는 픽 웃으며 이다와 나란히 서서 어깨동무하듯 그녀의 어깨를 살짝 안았다.

"당신 남편한테 누가 공주님인지, 오늘 제대로 가르쳐 줄게."

찬재는 그대로 발걸음을 움직였다. 목적지인 건물 입구로 다가가자, 문을 지키고 있던 정장 차림 직원이 그를 알아본 듯 눈인사를 건넸다. 그리고 아무런 제지 없이 건물 입구의 문을 열었다.

건물 승강기가 가장 높은 층에 다다랐다. 이다는 찬재를 따라 승강기 바깥으로 나섰다. 그러자 탁 트인 옥상의 밤하늘이, 야외 수영장이 눈에 들어왔다. 그러나 수영장은 장식용일 뿐인 건지, 그 안에는 아무도 없었다. 반면 수영장 둘레에선 정장과 파티 드레스를 갖춰 입은 남녀들이 선베드에 눕거나 바에 앉아 칵테일을 즐기고 있었다.

"이게 디저트 가게라고?"

멈춰 서서 이다는 찬재를 쏘아보며 비난하듯 질문했다. 대체 이게 어딜 봐서 디저트 가게냐는 의미였다.

"당연히 디저트 가게지. 오늘, 나만 줄 수 있는 디저트를 당신한테만 파는 곳이니까."

빙긋이 웃어 보이는 찬재에게 이다는 기가 막혀 미간을 찌푸렸다. 오늘 왜 이래?

"그 디저트 나는 안 사, 안 먹어."

냉정하게 딱 잘라 말하고는 팔을 뿌리치려는데, 낯선 여자의 목소리가 들려왔다.

"어머, 웬일이야? 다시 안 올 사람처럼 굴고 가더니?"

이다는 고개 돌려 목소리의 주인공인 젊은 여자를 확인했다. 여자는 찬재에게 다가서서 이다를 위아래로 훑어봤다. 그러더니 고개를 갸웃거리면서 찬재에게 질문했다.

"TV에선 못 본 얼굴 같은데. 누구야? 데뷔 전?"

"데뷔했어."

"어? 근데 왜 내가 모르지?"

여자는 눈을 동그랗게 뜨고 이다를 다시 봤다.

"이 얼굴로 안 떴을 리 없잖아."

"내 인생의 여자 주인공이라, 그 드라마 시청자가 나밖에 없어서 그래."

순간 경직하는 이다의 손으로 찬재의 손이 능숙하게 파고들어 깍지를 채웠다.

"인사해. 내 아내야."

찬재의 소개에 여자는 소스라치듯 놀라워했다.

"지, 진짜 와이프? 왜, 왜 와이프를 여기 데려와? 여기……."

힐끗 이다의 눈치를 본 여자가 억지로 지어낸 듯한 말을 이었다.

"여기 가족 모임 할 만한 데가 아닐 텐데?"

"가족 모임 하자는 거 아니야."

찬재는 이다에게로 시선을 옮겼다. 그리고 열띤 눈빛으로 빤히 쳐다보며 덧붙였다.

"이 여자한테 남자 짓 하려는 거지."

선전 포고하듯 범상치 않은 목소리였다.

대체 아까부터 왜 이러는 건지.

이다가 이해할 수 없단 눈으로 찬재를 쳐다보는데, 찬재의 입술이 귓가로 내려왔다.

"여보, 여기 우리 아는 사람 많을 거야."

속삭이는 입술에서 낮은 음성과 더운 숨결이 건너왔다.

"계약서 두 번째 조항 기억하지? 강찬재와 최혜주는 쇼윈도 부부로서, 남들 앞에서는 사이좋은 부부 역할을 충실히 이행한다."

토씨 하나 틀리지 않게 계약 내용을 읊어 주고서, 찬재는 귓가에서 뺨으로 입술을 옮겼다. 이어 지그시 입맞춤을 전한 다음 맞은편의 여자를 향해 말했다.

"너 오늘 돈 주고도 못 볼 구경하겠는데?"

"어? 무슨 구경?"

"내가 간 빼고 쓸개 빼서, 이 여자한테 줄 거거든."

찬재는 고개 돌려 이다를 향해 덧붙였다.

"그게 오늘 디저트야."

* * *

승강기 앞에 바로 보인 수영장은 꽤 넓었지만, 옥상의 일부일 뿐
이었다. 수영장을 지나치자 실내 공간으로 이어지는 통로가 나타
났다.

"대체 뭐 하자는 거야?"

이다는 실내 공간 출입문 앞에 멈춰 서서 따지듯 물었다. 수영
장 주위에서 자신들을 바라보는 사람들과는 멀어졌고, 출입문 앞
엔 자신들뿐이므로 이다는 마음껏 인상을 썼다. 그러나 찬재는 소
리 없이 웃는 얼굴로 이다를 마주 봤다. 그리고 보란 듯이 한 손으
로 출입문을 툭툭, 두드렸다.

잠시 만에 출입문이 열렸다.

"아, 강 이사님."

안에서 출입문을 연 정장 차림 직원이 찬재를 보자 반색했다.

"여보, 인사해야지?"

찬재는 이다에게 시선을 고정한 채 살짝 장난기가 묻어나는 여유

로운 미소로 질문을 던졌다. 보는 눈이 생겼으니, 계속 부부 역할을 이행하란 의미였다.

이 자식 봐라…….

기가 막혀 속으로 벼르면서, 이다는 하는 수 없이 미소를 지었다. 그리고 직원을 향해 고개를 돌리자 찬재의 소개가 이어졌다.

"이쪽은 이 클럽 매니저."

이다는 가볍게 인사를 건넸다. 이어 찬재는 매니저를 향해 말했다.

"하 매니저, 이쪽은 내 아내야."

"예?"

매니저는 당황한 듯 눈이 휘둥그레졌다.

"뭘 그런 표정이야? 부부끼리 못 올 데라도 왔어?"

"아, 그, 그렇지는 않죠. 그냥 처음 있는 일이라 그럽니다. 여기 회원님들은……. 아내분하곤 안 오시니까요."

"여기 데려와서 분위기 잡고 싶은 딴 여자 있으면, 나도 그러겠는데."

찬재는 어깨를 으쓱해 보이더니 이다에게 시선을 보냈다.

"그럴 만큼 끌리는 여자가, 이 여자밖에 없네."

그윽한 목소리가 마치 진심 같았다.

어두운 실내 공간에선 느릿한 탱고 음악이 연주되고 있었다. 연주자들의 무대 앞으로는 플로어가, 플로어 주위로는 소파와 테이블이 띄엄띄엄 넓은 간격으로 놓여 있었다.

매니저의 안내를 따라 테이블로 향하던 찬재는 플로어를 지나치다 우뚝 멈춰 섰다. 플로어에서 유유히 춤을 추고 있는 한 커플을 응시하며 찬재는 입을 열었다.

"우리 같이 춤춰 본 적 없지, 참?"

"춤?"

무슨 뚱딴지같은 소리냐고, 이다는 눈빛으로 찬재에게 말했다. 그러나 고개 돌려 그런 그녀의 눈을 보고도 찬재는 개의치 않았다.

"이리 와 봐."

찬재는 이다의 손을 잡은 채 플로어로 이끌었다.

"탱고 추는 법, 알기는 해?"

플로어 중앙에 마주 서자마자 찬재가 질문했다.

"내가 알아야 할 건 지금 네 행동의 이유거든?"

이다는 부드러운 미소와 함께 반문했다. 음악 속에서 딱 찬재에게 들릴 정도로만 힘이 들어간 목소리였다. 주위에서 춤을 추는 커플에게도, 조금 멀리에서 지켜보는 매니저에게도 들릴 리는 없었다. 물론 어느 쪽에게든 표정은 잘도 보이겠지만.

"아까부터 이유 엄청 따지는데."

찬재 역시 웃는 얼굴을 유지하며 이다에게만 들리도록 말했다. 그리고 이다의 두 손을 자신의 가슴으로 당겨 왔다.

"남자가 여자한테 이러는 이유가 뭐겠어?"

찬재는 두 손바닥을 가슴 위에 얹었다. 이다는 단단한 근육으로 채워진 넓은 가슴을 손으로 느꼈다.

"당신 유혹해서, 침대에서 할 일 있단 거지."

이어지는 말에 이다는 손을 대지 않은 자신의 가슴을 느꼈다. 그 가슴이 북처럼 쿵 울렸다.

"……갑자기 그럴 일이 왜 생긴 건데?"

"춤을 춰야 답이 나올걸?"

"……."

"손은 여기 두고, 내가 움직이는 대로 따라와."

찬재는 간단하게 설명하고 이다의 허리를 감쌌다. 순간 이다는 흠칫 가슴에서 손을 뗐다. 그러자 곧장 지적이 날아들었다.

"왜 이래? 부부 사이에, 이 정도 스킨십은 자연스러워야지. 이 정도도 못 하겠어?"

부드럽게 놀리는 말투였다.

"못 하긴."

이다는 태연한 체 찬재의 가슴에 손을 척 얹었다. 손바닥과 가슴 사이의 셔츠 한 겹이 종이 한 장처럼 얇게 느껴졌다.

"내가 한 발 물러나면 네가 한 발 다가오고. 내가 한 발 다가가면 네가 한 발 물러나는 거야."

설명한 뒤 찬재는 곧장 한 발을 내밀었다. 순간 발끝이 닿을 듯해 반사적으로 한 발 뒤로 물러났다. 그때 허리를 잡고 있던 찬재의 손아귀에 힘이 들어갔다.

"너무 많이 물러났어."

붙잡아 오듯 당기는 힘에 이끌려 이다는 찬재의 발 앞에 다가섰다. 찬재는 한 팔로 이다의 허리를 두르고서 다른 한 손을 이다에게 내밀었다.

"자, 손."

뜻을 알아차린 이다가 자연스레 그의 손을 잡았다. 손을 꼭 쥔 채로 찬재는 서서히 춤을 이었다.

"이제 말해. 갑자기 그럴 일이 왜 생긴 건데?"

"본능이야."

"뭐?"

"여유 부리면서 방목해 주는 건, 양 떼 주위에 늑대가 없을 때지."

코앞까지 밀착되게 허리를 당겨 놓고, 찬재는 가만히 서서 이다의 귓가로 입술을 내렸다.

"딴 놈한테 물려 가라고, 너 그냥 구경만 하고 있지 않아."

경고 같은 귀엣말에 이다는 눈을 감고 탄식했다.

역시 들었어.

"어디서부터 뭘 어떻게 들었는지 모르겠지만."

눈을 뜨며 해명하려는데, 바로 눈앞에서 찬재가 이마를 맞붙이며 끼어들었다.

"그 고백에 네가 흔들렸는지 아닌지. 그건 내가 알 바 아냐."

"……."

"네가 나를 사랑한다, 난 그것만 알면 돼."

순간 이다는 불에 덴 듯 주춤 뒤로 물러났다. 찬재는 곧장 그만큼 다가서며 이다의 허리를 꽉 끌어안았다.

"지금은 모를 일이고, 앞으로 알게 될 일이야."

"아니. 넌 평생 가도 알 일 없어."

이다는 찬재의 눈을 마주 보며 반박했다. 눈동자가 흔들리지 않도록 애를 쓰면서.

"왜 그렇게 장담해?"

"난 너 사랑 안 할 거거든."

"그래야 할 이유라도 있나?"

그야 나는 떠날 거니까.

이다는 속마음과 다른 말을 내뱉었다.

"내가 원래 첫눈에 반해야만 사랑이 가능해서 말이지."

주위를 쓱 둘러본 뒤, 이다는 보는 눈을 의식한 듯 찬재에게 미소를 보였다. 정말 사랑하는 사이처럼 다정한 표정으로, 이다는 무정한 말을 이었다.

"너 처음 볼 때, 아무 느낌 없었어. 우린 불가능해."

"처음은 그랬을 수 있지."

"지금까지도 아무 느낌 없어."

"처음부터 지금까지, 다 그럴 수 있어."

찬재는 고개를 끄덕였다. 그리고 의미심장하게 덧붙였다.

"내가 널 여자로 대한 적이 없었으니까."

또 한 발을 내딛는 움직임에 이다는 피하듯이 뒤로 물러났다.

"이제 두고 보자고."

고개 내린 찬재의 입술이 귓가에 닿았다. 허리를 안고 있던 손이 등을 타고 올라 안다시피 한쪽 어깨를 움켜잡았다.

"내가 남자고, 네가 여자인 건 지금부터야."

귀에 박히도록 또렷한 목소리에 불안한 듯 가슴이 떨렸다. 이다는 억지로 마른침을 삼켜 내고 단호하게 입을 열었다.

"난 서한 오빠한테도 아무 느낌 없어. 양치기 넌 그냥 하던 방목 계속해. 딴 놈한테 물려 갈 일 없으니까."

"말했잖아? 그 고백에 네가 흔들렸는지 아닌지. 그건 내가 알 바 아니라고. 내가 지금 내 거 뺏길까 봐, 승부욕에 치기 부리는 줄 알아?"

"그래 보이는데? 그러니까 쓸데없이 기운 빼지 말고, 너나 나나 살던 대로 그냥 살아."

찬재는 이다의 귓가에서 입술을 떼고 이다의 얼굴을 마주했다.

"내가 양 떼 비유 썼다고, 네가 진짜 양이란 건 아니지."

씩 웃으며 찬재는 이다의 어깨에 있던 손을 그녀의 뒷머리로 올렸다. 그리고 지그시 붙잡은 채 말했다.

"양치기한테 양은 재산이야. 수백 마리 양 떼 중에 어느 양이 물려 가도, 양치기는 화나는 게 당연하지. 근데 남자 여잔 달라."

이다의 뒷머리를 잡은 손을 유지한 채, 찬재는 마주 잡은 손을 움직여 허리를 껴안았다. 가슴이 닿을 만큼 가까워지고, 코끝이 닿을 만큼 가까워졌다.

"좋아하지도 않는 여자, 딴 놈이 물어 가든 말든 알 게 뭐야."

"……."

"내가 이렇게 화난다는 건, 내가……."

찬재는 말을 잇지 않고 빤히 이다의 눈을 직시했다. 무슨 말을 하려는지 이다는 알 것 같았다. 이윽고 더 다가오는 찬재의 입술에, 확실히 알게 되었다. 두 입술이 가까워지고 있었다.

"고백할 게 있는데."

이다는 내심 위기감에 사로잡혀 다급하게 말했다. 찬재는 잠시 움직임을 멈췄다. 서로 숨이 느껴질 만큼 두 입술은 가까워져 있었다. 이다는 피할 생각 없단 듯이 애써 똑바로 찬재의 눈을 바라보며 말을 이었다.

"사실 내가 춤을 못 춰."

"뭐?"

뜬금없는 고백에 찬재는 눈을 찌푸렸다. 이다는 두 손으로 찬재의 얼굴을 감쌌다.

"내가 춤을 엄청나게 못 춰."

이다는 강조하듯 재차 말했다. 그리고 한 발을 앞으로 뻗었다.

"미리 주의 줬어야 하는데, 미안."

사과하는 동시에 찬재의 발등 위로 발을 꾹 얹었다. 미안하지만, 인정사정 봐줄 때가 아니었다.

찬재는 순간 발등을 내리꽂는 고통에 반사적으로 물러났다.

"야, 너⋯⋯!"

찬재가 일그러진 얼굴로 저도 모르게 큰 소리를 내자, 주위의 시선이 모여들었다. 이다는 눈을 동그랗게 뜨고 놀란 듯이 호들갑을 떨었다.

"어머, 여보! 미안! 많이 아프지? 잠깐 기다려, 내가 바에서 얼음 가져다줄게!"

대답할 틈도 없게 이다는 재빨리 출입문으로 향했다.

실내를 빠져나온 이다는 곧장 승강기로 걸음을 재촉했다.

둘만 있는 곳이라면 제대로 상대해 보겠는데.

사랑하는 부부 사이를 연기하며, 스킨십을 허용해야 하는 이런 장소는 곤란하다. 그냥 곤란한 게 아니라 아주 불리하다.

집 안까진 아니더라도, 하다못해 승강기 안까지는 가서 상대해야지. 이다는 전의를 다지면서 성큼성큼 수영장 옆을 가로질렀다.

"바는 그쪽 방향이 아닐 텐데?"

수영장을 반쯤 지났을 때, 등 뒤에서 찬재의 목소리가 들려왔다. 순간 이다는 더 빨리 속도를 내려 했다. 그러나 바로 다음 순간에 손이 잡히고 몸이 뒤로 돌려졌다.

언제부터 와 있었는지, 찬재는 바로 앞에 서 있었다.

통증을 그새 떨쳤는지, 그의 표정으로는 확인할 수 없었다.

그의 얼굴을 확인할 틈 자체가 없었으니까.

들이닥친 입술에 입술을 부딪치기 직전, 이다는 저도 모르게 눈을 감고 말았다.

그 바람에 확인할 수 있는 건, 마주 닿은 입술의 감촉뿐이었다. 뜨겁고 부드러운 입술이 입술을 눌렀다. 이어 젖은 솜처럼 축축하고 말캉한 무언가가 입술을 쓸었다.

머리끝이 쭈뼛 서는 자극에 이다는 눈을 번쩍 떴다. 경보음을 울리듯이 심장이 쾅쾅 뛰었다.

위험해.

이다는 얼른 이성을 다잡고서 찬재의 멱살을 잡았다. 동시에 냅다 하이힐로 다시 그의 발등을 찍으려 했다. 그때, 찬재가 발을 뒤로 물리면서 살짝 입을 뗐다.

"두 번은 안 당하지."

"아, 그래?"

여유로운 찬재의 미소 앞에서 이다는 화답하듯 피식 웃었다. 그러더니 기습적으로 찬재의 왼발을 내려다보며 오른발을 들려 했다. 그러자 찬재는 반사적으로 뒷걸음을 쳤다. 찬재가 한 발을 들어 중심이 흐트러진 찰나, 이다는 발을 드는 대신 손을 움직였다. 이다는 손에 쥔 찬재의 멱살을 옆쪽으로, 바로 수영장으로 힘껏 내던져 버렸다.

"어어!"

당황한 찬재의 목소리가 금세 풍덩, 요란한 물소리에 뒤덮였다.

"여보!"

이다는 놀란 척 눈을 휘둥그레 뜨고 찬재를 지켜봤다. 물속으로 사라졌던 찬재는 이내 수영장 바닥에 발을 딛고 수면 위로 몸을 일으켰다. 머리부터 발끝까지 홀딱 젖은 채, 두 손으로 얼굴을 훔쳤다.

"여보, 괜찮아? 이리 와, 내가 손잡아 줄게."

이다는 허리 숙여 찬재를 향해 손을 내밀었다. 찬재는 눈을 부릅뜨고 이다를 쏘아봤다.

"전에도 욕실에서 미끄러지더니. 여기서 또……. 여보 하체, 정말 괜찮아?"

이다는 걱정스러운 표정으로 질문했다.

"……뭐?"

찬재는 귀를 의심하며 인상을 찌푸렸다.

"여보 하체 말이야. 내가 전부터 걱정된다 했었잖아."

이다의 대답에 찬재는 정색하고 주위를 두리번거렸다. 사람들은 조금 멀리에서 놀란 눈으로 그들을 기웃거리고 있었다.

"밖에서 이상한 소리 하지 마. 사람들 오해하잖아."

찬재는 경고하듯 이다를 주시하며 뇌까렸다.

"밖에서 듣기 싫으면, 얌전히 따라와."

대꾸하며 이다는 찬재의 코앞까지 손을 들이밀었다. 찬재는 분한 눈빛으로 이를 꽉 물었다. 그러나 얼마 안 가 찬재의 손은 이다의 손을 잡았다.

"하여간 하체 부실 소린 되게 싫어한다니까."

그게 뭐 그렇게 중요한 거라고.

이다는 이해할 수 없어 혀를 쯧 차고서 찬재의 손을 물 밖으로 끌어당겼다.

* * *

건물을 빠져나와 찬재의 차 앞에 다다랐을 때, 이다는 찬재의 옆을 떠나 성큼성큼 운전석으로 걸어갔다.

"운전 내가 할게."

이다는 통보하는 동시에 운전석 문을 열었다.

"네가?"

젖은 몸으로 우뚝 선 채, 찬재는 못 미더운 표정을 지었다.

"당신 상태 지금 안 좋아. 그 상태로 차 모는 거 위험해."

위하는 투로 말하고서 이다는 곧장 운전석에 올라탔다. 말릴 새도 없었기에 찬재는 별수 없이 조수석으로 향했다.

"벨트 꼭 매."

이다는 찬재가 조수석에 앉자마자 냉담하게 명령했다.

"됐어, 귀찮아."

"살기 귀찮아?"

"뭐?"

어이없어 되묻는데, 이다의 팔이 불쑥 얼굴 앞을 지나쳤다. 그 바람에 찬재가 움찔하는 사이 이다는 안전벨트를 휙 잡아당겨 채웠다.

"빨리 가 보자고, 둘만 있기 제일 좋은 데로."

이다는 말 끝내기 무섭게 기어를 조작하고, 뒤를 돌아보며 엑셀을 밟았다. 그러자 차가 빠른 속도로 후진했다. 순간 찬재는 아찔해져 저도 모르게 안전벨트를 붙들었다.

"뭐, 뭐 이렇게 급해?"

충분히 후진했다 싶은 찰나 이다는 곧바로 기어를 바꾸고서 차를 전진시켰다. 이어 핸들을 꺾어 우회전하며 입을 움직였다.

"급한 불은 급하게 꺼야지. 초가삼간 다 태우기 전에."

급회전으로 몸이 기울어지자, 찬재는 아예 안전 손잡이를 잡았다. 잠깐 사이 차가 도로에 진입했다.

"집에 가야 꺼지는 불 같아? 전혀 아닐 텐데. 집이라고 달라질 거 없어."

이다는 더욱 엑셀을 밟았다.

"집에서도 내가, 야!"

확 빨라지는 속도에 찬재는 놀라 외쳤다. 이다는 담대하게 앞을 주시하며 말했다.

"물론 집에 가야 꺼지는 불 아니지. 어디서든 꺼지는 불이니까."

"어디서든 꺼진다?"

"내가 마음먹으면, 어디서든 끌 수 있어."

"그럼 어디서든 끄셔야지. 왜 집까지, 으앗!"

가는 팔로 선보이는 과감한 코너링에 찬재는 소스라쳤다.

"너 내가 사람들 보는 앞이라고, 아무 짓이나 다 봐줄 줄 착각하지 마."

지금껏 한적한 구간이었는데, 슬슬 차가 많아지고 있었다. 이다는 경고를 이으며 도로 옆 골목으로 차를 움직였다.

"남들 앞이라고 가만히만 있지 않아. 진짜 사랑해서 결혼한 부부도, 부부 싸움은 하는 법이니까."

"뭐야, 그 순진한 소리는? 재벌끼리 하는 결혼 어떤 건지 못 배웠어?"

이다는 속도를 조금 줄인 채 좁은 골목 사이사이를 매끄럽게 운전했다.

"진짜 싸워도 안 싸운 척, 사랑 안 해도 하는 척. 말도 안 되게 늘 아무 문제 없는 모습만 보이는 거, 왜인지 몰라? 심증은 확실한데 물증이 없는 게 재벌 부부 정략결혼이야."

"물증이 없다?"

"사랑해서 결혼한 부부 아니란 거. 솔직히 다들 알지. 근데 물증이 없으면 짐작에서 끝나. 그러니까 우린 그 물증을 제공하지 않으려고, 갖은 가식을 떠는 거고."

"그걸 그렇게 잘 아는 인간이, 왜 그렇게 위험한 짓을 해?"

"위험?"

"물증을 남기지 않으려면, 날 자극하지 말아야지."

이다의 눈은 앞을 보고 있었지만, 눈빛은 찬재를 보는 듯이 매서워졌다.

"남들 앞에서 사이좋은 부부 역할 충실히 이행 안 하면, 벌금은 우리 결혼할 때 양가에서 받은 지분 전체야."

"그거 믿고 막 나갔나 본데. 보험 들었다고 사고 안 나는 거 아니다."

이다는 확 핸들을 꺾었다. 그러자 정면으로 오르막길이 나타났다. 이다는 주저 없이 엑셀을 꽉 밟았다.

"으앗!"

가파른 경사를 마구 타고 오르는 속도에 찬재는 기겁했다.

"너 무슨 레이싱 하냐?!"

찬재는 안전 손잡이를 꽉 잡은 채 외쳤다.

"나도 그렇게까지는 하고 싶지 않지만, 하다 하다 못 봐주겠으면 사고 치는 수가 있어."

이다는 태연하게 운전에 집중하며 말했다.

"사, 사고?"

왜인지 심상찮게 들리는 표현에 찬재는 불길해졌다. 그사이 오르막길을 지난 차가 도로에 진입했다. 밤길 운전에 지름길 파악쯤은 이다에게 대리운전의 산물이라, 쉽사리 한적한 도로를 찾아낸 터였다. 이다는 다시 도로 위를 쌩쌩 달리도록 운전했다. 거칠면서도 능수능란한 운전에 찬재는 하얗게 질린 얼굴로 외쳤다.

"너, 너 혹시 내 이름으로 보험 들어 놨어?!"

이다가 태강 타워 주차장에 차를 세우자 찬재는 냅다 차 문을 열었다. 젖은 몸이 수영장의 물 때문인 건지, 식은땀 때문인 건지. 찬재는 손에 땀을 쥔 채 차 밖으로 튀어나와 젖은 옷에 손바닥을 쓱쓱 닦아 냈다. 이다는 운전석에서 유유히 빠져나와 문을 닫았다.

"너 진짜 내 이름으로 보험, 안 든 거 맞아?!"

찬재는 도저히 못 믿겠단 눈빛으로 이다를 쏘아봤다.

"여기 하늘나라 아니고, 주차장이야. 넌 털끝 하나 안 다치고 살아 도착했다고. 사고 없었으니까, 의심도 없어야겠지?"

이다는 무심하게 대꾸하고 성큼성큼 승강기로 향했다. 찬재는 젖은 넥타이를 풀어 헤치면서 이다를 따라갔다.

"심장 마비로 죽일 생각 아니었고?"

"죽는 게 겁은 나?"

이다는 승강기에 들어서며 예리하게 반문했다.

"그거 겁 안 나는 사람이 어디 있어?"

찬재의 반응에 이다는 즉각 손을 뻗어 Close 버튼을 눌렀다. 그 바람에 금세 문이 닫혔다.

"근데 그런 짓을 해?"

이다는 의미심장하게 찬재를 노려보며 질문을 던졌다.

"그런 짓?"

찬재는 보란 듯이 당당한 표정으로 이다와 마주 섰다. 그리고 젖은 소매의 단추를 풀며 말했다.

"내가 너 사랑하게 됐다는 게, 죽을 짓이냐?"

순간 철렁하는 기분에 이다는 인상을 찌푸리고 반박했다.

"뭘 갑자기 사랑이래? 말이 되는 소리를 해."

"말이 되면 사랑인가? 말도 안 되는 게 사랑이지."

찬재는 눈 하나 깜짝 않고 빤히 이다의 눈을 보며 말했다.

"너는 아주 확신에 찬 모양인데. 그래 그렇다고 쳐. 근데 네가 사랑하게 됐든 말든, 나한테 키스한 건 죽을 짓이야."

단호한 이다의 눈앞에서 찬재는 쓴 입맛을 다시며 소매를 걷어붙였다. 그리고 두 손으로 제 허리를 잡고 입을 열었다.

"부부 사이에 키스는 죽을 짓이 아니지. 그때 우린 부부로서 키스한 거야, 남들 앞에서."

"꼭 해야 하는 상황 아니었어."

"꼭 해야 하는 상황?"

찬재는 기가 막힌 듯이 헛웃음을 쳤다.

"부부 사이에 스킨십을 꼭 해야 하는 상황, 아닌 상황. 이거 애초에 왜 구별하는 건데?"

"계약서에 있으니까."

"애초에 그 계약서, 왜 만든 거냐고."

한층 낮아진 목소리에 이다는 미간을 좁혔다.

"뭐?"

찬재는 고개 숙여 이다의 코앞에서 의미심장하게 말했다.

"나 처음 만났을 때부터 쇼윈도 부부로만 살자고 한 거, 둘만 있을 시엔 신체 접촉 안 된다고 계약서 쓴 거. 전부 너잖아. 너 나한테 왜 그랬어?"

절대 사실대로 답을 줄 수 없는 질문이었다.

나는 최혜주가 아니니까, 너하고는 딱 1년만 보고 영영 안 볼 사이니까. 그래서 그랬다는 말은, 10억을 포기하겠다는 말과 같지 않은가?

이다는 주먹을 꼭 그러쥐며 찬재의 눈을 똑똑히 직시했다.

"이미 합의하고 끝낸 계약이야. 이유 안다고 달라질 거 없어."

그때, 승강기의 문이 열렸다. 고개를 돌리자 펜트하우스 층이 보였다. 이다는 빠르게 승강기 바깥으로 발을 움직였다. 금세 펜트하우스 출입문에 다다른 이다의 등 뒤에서 찬재는 불만스러운 목소리를 냈다.

"왜 도망쳐? 말 못 할 이유라도 되나?"

이다는 무시한 채 출입문을 벌컥 열었다. 그리고 뒤도 돌아보지 않고 안으로 무조건 전진했다.

찬재는 이다의 뒤를 따라 펜트하우스 안으로 들어섰다. 현관문이 닫히자마자 이다는 찬재를 향해 돌아섰다. 느닷없이 저돌적인 걸음으로 다가가자 찬재는 반사적으로 뒷걸음을 쳤다. 그 바람에 찬재의 등은 현관문에 부딪혔다. 이다는 그런 찬재의 어깨 위로, 두 손바닥을 현관문에 쾅, 소리 나게 붙였다.

"지난 일은 타임머신 타고 그때 거기로 가서 물어봐."

이다는 코앞에서 눈을 뚫어지게 주시하며 말했다.

"내가 그 계약서 내밀었을 때, 왜냐고 묻지도 않고 사인한 건 너야. 넌 그때 계약의 이유를 물을 수도 있었고, 문제로 삼을 수도 있었겠지. 근데 넌 그냥 사인했어. 우리가 계약하는 데, 이유는 아무 상관 없었던 거야. 이제 와서 이유 찾지 마. 그럴 기회 그때 끝났으니까."

차갑고 확고한 눈빛에 찬재는 잠시 할 말을 잃었다. 그사이에 이다는 대꾸할 틈을 주지 않겠다는 듯이 다시 입을 열었다.

"지금 일은 지금 얘기해야지? 나중 가서 타임머신 찾지 않게."

눈을 빤히 지켜보면서, 이다는 두 손을 내려 찬재의 멱살을 그러잡았다.

"뭐? 그때 우린 부부로서 키스한 거야, 남들 앞에서?"

이다는 승강기에서 찬재가 한 말을 그대로 찬재에게 들려줬다. 그런 다음 자신이 할 말을 꺼냈다.

"웃기지 마. 남들 앞이어도, 키스는 상호 합의하에 했어야 해."

"사람들은 우릴 부부로 알고 있는데. 사랑하는 부부끼리 스킨십 일일이 물어보고 하나?"

"물어. 부부 사이라고, 네 멋대로 할 권리는 없으니까."

"……."

"지금 네 감정이 뭐든, 나 상관 안 해. 이제 와서 네가 달라졌다
고, 내가 달라질 건 없어. 네 건 네가 혼자 알아서 해. 좋아해 달라,
책임져 달라, 날 바꿀 생각하지 말고."

"……."

"두 번 다시 그따위로, 네 멋대로 입술 갖다 붙이지 마."

또박또박 냉정하게 경고하고서, 이다는 찬재의 멱살을 놓았다.
그대로 몸을 돌려 거실로 향하는데, 찬재가 팔을 붙잡았다.

"잠깐, 너 대체……."

이다는 팔을 획 뿌리쳤다. 그리고 차가운 눈초리로 찬재를 쏘아
보며 말했다.

"둘만 있을 시엔 원치 않는 신체 접촉하지 않는다. 알지?"

심란한 표정을 한 채, 찬재는 항복한다는 듯 두 손을 올려 보였다.

"알아, 아는데. 할 말이 있어서 붙잡은."

"알면 됐어."

찬재의 말이 채 끝나기도 전에 이다는 딱 잘라 말했다. 그러고는
더 들을 말이 없다는 듯 곧장 몸을 돌려 바로 앞의 욕실로 들어가
버렸다.

* * *

본가로 돌아온 서한이 현관문을 열고 들어섰을 때, 최 회장은 거
실 소파에 앉아 있었다. 서한은 최 회장을 발견하고 잠시 멈칫했

다. 그러나 이내 아무렇지 않게 말을 건넸다.

"웬일이세요? 이 시간에 거실에 나와 계시고. 지금 뉴스 할 시간 아닌가요? 아버지 늘 보시는 거."

서한은 손목시계를 확인했다.

"맞는데……. 혹시 오늘 뉴스 결방인가요?"

의아하단 투로 묻자 최 회장은 언짢은 얼굴로 테이블 위 찻잔을 들어 보였다.

"골치 아픈 일이 있어, 답답해서 차나 한잔하고 있었다."

"골치 아픈 일이요? 왜요? 무슨 문제라도 있으십니까?"

"됐다, 넌 알 거 없다."

최 회장은 인상을 찌푸리며 차를 후룩 마셨다. 서한은 잠시 지켜보다 고개 숙여 인사를 전했다.

"그럼 전 올라가 보겠습니다."

"오늘 혜주 내외 만났다면서?"

서한은 발을 옮기려다 말고 멈춰 섰다.

"예. 매제가 연락이 와서요. 잠깐 저녁 식사했습니다."

"혜주는, 잘 지내는 것 같으냐?"

마치 지나가는 말인 것처럼 최 회장은 대수롭지 않게 물었다. 그러나 서한이 입을 열자 최 회장의 눈은 그의 표정을 예의 주시했다.

"남편하고 사이가 좋은 모양이더라고요. 잘 지내는 것 같아서, 마음이 놓였습니다."

"그래?"

최 회장은 시선을 거두며 찻잔을 내려놓았다.

그 아이가 혜주 역을 제대로 연기했나 보군.

조용히 안도의 숨을 내쉰 다음, 최 회장은 소파에서 몸을 일으켰다.

"잘 사는 거 확인했으니까. 혜주한테 더 이상 연락하지 마라."

최 회장의 목소리는 엄격했다.

"너하고 혜주, 호적에서나 가족이었지. 피 한 방울 안 섞인 남남이다. 괜한 오해 사서 두 집안에 먹칠하지 말고, 처신 똑바로 하란 말이다."

"압니다, 아버지가 뭘 걱정하시는지."

서한은 고개 숙여 침착하게 대답했다.

"저도 오늘이 마지막이라고 생각하고, 마지막으로 혜주 보러 나간 겁니다."

그 혜주가 가짜인 거 들통날까 단속하는 모양인데. 나야말로 두 번 다시 만나고 싶지 않은 얼굴이라고. 서한은 입을 꾹 다문 채 머릿속으로 대꾸했다.

"이제 두 번 다시, 절대 볼 일 없습니다."

생각과 일치하는 말을 끝으로 내뱉고서 서한은 발길을 돌렸다.

＊　＊　＊

이다는 욕실에서 긴 시간을 보냈다. 머리부터 발끝까지 온몸을 씻는 동안 움직임은 나무늘보만큼이나 느릿느릿했다.

마침내 욕실을 빠져나온 이다는 인상을 찌푸린 채 침실로 향했다. 침실 문 앞에서 잠시 한숨을 쉰 뒤, 문을 열었다. 잠들어 있으면 편하련만, 바람과 달리 찬재는 침대에 걸터앉아 있었다.

씻은 건지 옷만 갈아입은 건지. 찬재는 아까처럼 젖은 머리칼에 샤워 가운 차림이었다.

"미안해."

찬재는 이다와 눈을 마주치자마자 사과를 건넸다.

"내가 내 감정만 밀어붙였어. 사과할게. 잘못했어."

피하지 않고 진심을 내보이는 눈빛에 이다는 부러 냉랭하게 대꾸했다.

"다시 그러는 일 없도록 해."

이다는 평소처럼 태연한 얼굴로 성큼성큼 침대에 가 자기 자리에 몸을 내렸다. 이다가 옆자리에 앉자 찬재는 그녀를 향해 몸을 돌리고 입을 열었다.

"네가 원치 않으면, 네 몸에 손 안 댈게."

"그래."

무심하게 반응하며 몸을 눕히려는데, 찬재가 말을 덧붙였다.

"근데 두 번 다시 키스할 일이 없게 하진 마."

"뭐?"

이다는 어이없어 앉은 채로 눈살을 찌푸리고 찬재를 봤다.

"나는 네가 나를 사랑했으면 해."

"……."

"네가 원해서 하게 되는 날이 있었으면 해."

"꿈에서는 있겠지."

"너는 네가 변할 일이 없을 거라 장담하는데. 어차피 결혼까지 한 사이에, 왜 그렇게까지 날 가짜 남편으로만 두고 싶어 하는지 이해할 수 없어."

"내 입장은 달라질 거 없어. 그만해."

이다는 딱 잘라 말하고 누웠다. 푹신한 베개에 뒤통수를 푹 얹고서 눈을 감았다. 찬재는 그런 이다의 얼굴을 빤히 바라보며 말했다.

"우린 서로 사랑하게 되면, 이보다 더 좋을 게 없잖아?"

"그런 얘긴 계약 전에 했어야 한다니까? 자꾸 두 번 말하게 하지 마. 이미 떠난 버스 안에 네 계약서 있는 거야. 그거 못 잡아, 다시 안 돌아와."

이다는 눈을 감은 채로 대꾸했다.

"그게 그렇게까지 되돌릴 수 없는 계약인가? 대체 왜?"

찬재는 아무리 생각해도 이해가 안 돼 물었다. 그러나 이다는 아무런 대답도 주지 않았다. 그저 잠에 빠진 것처럼 고르게 숨을 쉴 뿐이었다.

"……설마 진짜 자냐?"

전적으로 미루어 보면 진짜일 확률도 높다만. 그래도 이 여자도 사람인데. 설마 이 상황에 잠이 그리 잘도 올까?

대답하기 싫으니까 자는 척하는 거겠지…….

정답은 알 수 없지만, 한 가지는 확실히 알겠다. 지금 이 여자한테서는 아무 답도 못 들을 거다.

결론을 내린 찬재는 한숨 쉬고 자리에서 일어났다. 그리고 하는 수 없단 마음으로 욕실로 향했다.

욕실 안에서 찬재가 문을 닫고 난 뒤, 잠시 후에 샤워 물줄기 소리가 욕실 문밖으로 새어 나왔다.

"여태 씻지도 않고 기다렸나?"

슬그머니 눈을 뜬 이다가 욕실을 쳐다보며 혼잣말했다. 그러다 사과하던 찬재의 눈빛이 떠올라 마음이 복잡해졌다.

나는 어쩔 수가 없는데. 그냥 차라리, 내가 미안하지도 않게 나쁜 인간이면 좋았을 텐데…….

절대 말할 수 없는 비밀을 생각하니 깊은 한숨이 밀려 나왔다.

'어차피 정략결혼이라, 집 안에서는 진짜 부부처럼 살지 않으셔도 됩니다. 다만 집 밖에서 남들 보기에만 부부처럼 보이도록 생활하시면……. 아, 쉽게 말하자면 하우스메이트가 하나 생기는 겁니다. 밖에서 마주칠 일 거의 없는 하우스메이트죠.'

윤 비서를 처음 만난 날, 윤 비서가 제시한 이 결혼의 정의는 분명 그것뿐이었는데……. 최혜주의 남편이 이런 변수로 작용할 줄은 정말 꿈에도 몰랐다.

"알았으면 시작도 안 했지."

이다는 한숨 같은 혼잣말을 흘렸다.

동이 트는 새벽에야 설핏 잠이 들었던 이다는 허기를 느끼면서 잠을 깼다. 눈을 떠 보니 환한 아침이었다.

"깨우려던 참인데, 마침 깼네."

찬재의 목소리에 고개를 돌리자 열린 문 앞에서 찬재가 간이 식탁을 들고 서 있었다. 찬재는 아무 일 없었던 양 미소를 띤 채 침대로 다가왔다.

"피곤해서 늦잠 자는 거 같은데. 당신 배에서 소리가 나더라고.

몸 생각하면, 뭐라도 먹이고 다시 재우는 게 낫다 싶어서."

둘만 있는 자리이거늘 찬재는 남들 앞일 때처럼 자상한 목소리를 냈다. 이다는 이상하단 눈초리로 쏘아보며 몸을 일으켜 앉았다. 찬재는 그녀의 곁에 간이 식탁을 내려놓았다.

"당신 드라마 보면서 밥 먹는 거 좋아하잖아. 여기서 편하게 먹어."

"왜 이래?"

이다는 간이 식탁 위의 잘 차려진 브런치를 훑어보며 경계심을 드러냈다.

"왜 이러긴. 당신한테 사랑 받으려고 이러지."

찬재는 싱긋 웃고서 이다에게 리모컨을 내밀었다.

"그러지 말지?"

불편한 마음으로 대꾸하는데, 배에서 꼬르륵 소리가 울려 퍼졌다.

"……."

아……. 배고파서 말도 안 나오네. 일단 먹고 보자.

이다는 리모컨 대신 간이 식탁 위의 포크를 집어 들었다. 그리고 접시에 담긴 에그 베네딕트를 한입 가득 넣었다.

"드라마는 내가 틀어 줄게."

찬재가 TV를 켜자, 바로 직전에 이다가 시청하던 드라마가 자동으로 재생되었다. 순간 찬재는 이 드라마를 함께 볼 때 나눈 대화를 떠올렸다.

'혈육인 줄 알았는데, 알고 보니 아니었다. 하긴 그러고 시작하는 사랑이면, 욕할 사람 아무도 없겠네. 친남매도 아닌데, 뭐 어때?'

'그러니까 근친 소재는, 무늬만 근친인 멜로가 대부분이지. 한집

에서 자랐지만 한쪽이 입양아라든가…….'

하필 근친 소재 드라마라니.

아무래도 그냥 두고 볼 수 없어 찬재는 눈살을 찌푸렸다.

"이건 보지 말고."

찬재는 다른 드라마를 선택하려 버튼을 꾹꾹 눌렀다.

* * *

사무실 책상에 앉은 찬재가 서류 결재를 마쳤을 때, 태건은 기다렸단 듯이 질문을 던졌다.

"어제 옷 입고 수영하셨다면서요?"

"수영한 건 난데, 어째 네가 시원한 표정이다?"

"간접 체험이죠. 듣기만 해도 시원하네요."

태건의 익살스러운 대답에 찬재는 피식 실소했다.

"누구한테 들었는지 안 궁금하십니까?"

"누군가가 말했겠지. 하필 같은 시공간에 있던, 남의 일에 관심 많고 말도 많은 누군가가."

"아니요. 틀렸습니다."

찬재는 뜻밖이란 눈빛으로 태건을 봤다.

"남의 일에 관심 없고 말도 없는 누군가가 거기 있었거든요."

"스무고개 하지 말고 한 방에 알아듣게 얘길 해."

"결혼사진 따로 찍어 합성해 준 포토그래퍼요. 어제 거기 있었답니다."

"아, 둘이 사촌이랬지?"

태건은 고개를 끄덕이고 입을 열었다.

"결혼 전에 결혼사진 찍을 시간도 없다더니. 부부끼리 그런 데도 오고, 아주 잘 어울려서 보기 좋았다던데요."

"모르는 사람 눈엔 그랬겠지."

"모르는 사람 눈엔 이사님이 수영장에 미끄러진 거로 보였다는데. 아는 제 눈에는 어째 다른 장면이 아른거리더라고요. 이사님, 혹시 미끄러진 거 아니라 사모님한테 떠밀린 거 아닙니까?"

"아니. 내던져졌어."

무슨 차이야…….

태건은 떨떠름한 표정으로 혀를 찼다. 한편 찬재는 불현듯 떠오르는 생각에 심각해져 미간을 좁혔다.

"혹시 그래서인가?"

"뭐가요?"

"그때 내가……. 결혼 전에 너무했나?"

그래서 마음을 완전히 닫은 건가……? 그런 계약서를 만들 정도로……?

찬재의 혼잣말에 태건은 고개를 갸웃거렸다.

"결혼 전에 누구, 저한테요?"

"아니. 나하고 결혼한 여자한테."

찬재는 태건에게 눈총을 쏘며 대답했다.

"에이, 그건 그 여자, 아니, 사모님한테 물어봐야죠."

"물어도 답을 안 주니까 문제지."

"예?"

찬재는 속이 답답해 크게 한숨을 내쉬었다.

"왜 이렇게 가짜 부부로만 살겠다고 하는 건지, 아무리 물어봐도 답을 안 준다고."

이어지는 심란한 고백에 태건은 뭔가 심상치 않아 눈을 깜빡였다.

"가짜 부부로만 살겠다. 사모님이 그런 말을 하셨어요?"

"말만 한 게 아니야. 계약서까지 쓰게 했지."

"계약서? 진짜요?"

태건은 눈이 휘둥그레졌다.

"아니, 무슨, 어떤 계약서요?"

찬재는 눈을 감고 괴로운 얼굴로 또다시 한숨을 내쉬었다.

"진짜 몰랐어요?"

이다는 무표정하게 윤 비서의 눈을 보며 질문했다. 윤 비서는 운전석에서 뒷좌석의 이다를 경악한 얼굴로 돌아보고 있었다.

"모, 몰랐습니다……. 최서한 씨가 혜주 씨를 좋아하고 있었다니……. 정말 몰랐습니다. 아, 알았으면 서이다 씨에게 미리 얘길 했을 겁니다."

윤 비서의 해명에 이다는 알았다는 투로 고개를 살짝 끄덕였다.

"어제 그런 고백을 한 걸로 봐선 여태 최혜주에게 말한 적이 없는 모양이에요. 아마 다른 사람들에게도 비밀이었던 것 같고."

"당연히 비밀이었겠지요. 회장님 귀에 들어가면 아주 난리가 났을……."

불쑥 떠오르는 회장님의 얼굴에 윤 비서는 멈칫 굳었다. 그러더니 잠시 만에 괴로워진 표정으로 한탄했다.

"아……. 내가 이걸 회장님께 보고해야 하다니……. 무슨 이런 난처한 경우가……."

"윤 비서님 곤란하시면, 굳이 보고 안 하셔도 될 것 같은데요."

"예?"

"어차피 최서한은 최혜주하고 뭘 시작해 보자고 고백한 게 아니잖아요? 끝내려고 고백한 거지. 내가 이런 이유로 두 번 다신 널 만나지 않겠다. 너도 날 찾지 말고 피해 달라. 그게 요점이었는데. 최혜주조차 몰랐던 최서한의 감정을, 굳이 최 회장이 알 필요 있을까요? 어떤 이유에서건, 내가 최서한하고 두 번 다시 안 만나면 그뿐이잖아요."

윤 비서는 심각한 얼굴로 생각에 잠겼다. 그런 채로 한참이나 시간을 흘려보냈다.

"뭐, 그냥 얘기하셔도 상관없고요."

이다는 기다리다 못해 무덤덤하게 정적을 깼다.

"전 어느 쪽도 상관없어요. 어차피 내가 해야 할 일은 최혜주인 척 1년만 결혼 생활 유지하는 거고. 윤 비서님이 그 보고를 하든 말든, 내 역할은 달라지지 않으니까."

당신이 최 회장을 상대로 비밀을 만들거나 말거나, 어떤 선택이든 당신 자유다. 이다는 그런 눈빛으로 윤 비서를 바라보며 가볍게 어깨를 으쓱해 보였다. 그리고 차 문을 열며 덧붙였다.

"결정 끝나면 올라와요. 나 먼저 가 있을 테니까."

이다는 태강 타워 주차장의 바닥으로 훌쩍 두 발을 딛고 섰다.

곧장 문을 닫고 승강기로 향하는 발걸음은 평상시와 다를 바가 없었다.

마치 강찬재와 자신 사이에는 별다른 일이 없는 것처럼.

태건은 찬재의 사무실 소파에 앉아 찬재가 건넨 서류를 확인했다. 각서라고 쓰여 있지만, 사실상 계약서나 다름없는 서류였다.

"첫째, 나 강찬재는 최혜주와 둘만 있을 시 최혜주가 원치 않는 신체 접촉을 절대 하지 않는다. 나 최혜주는 강찬재와 둘만 있을 시 강찬재가 원치 않는 신체 접촉을 절대 하지 않는다. 둘째, 강찬재와 최혜주는 쇼윈도 부부로서, 남들 앞에서는 사이좋은 부부 역할을 충실히 이행한다. 셋째, 상대의 사생활에 관여하지 말 것."

계약서의 조항들을 조용히 소리 내어 읽고 난 뒤, 태건은 기가 막혀 맞은편의 찬재를 쳐다봤다.

"대체 이런 계약서에 사인을 왜 해요, 왜?"

"그땐 그 여자랑 쇼윈도 부부, 못 할 거 없다 싶었어. 그 여자가, 날 너무 화나게 만들어 대니까."

"아니, 다른 계약서 쓸 땐 인공 지능인 양 계산적인 양반이, 이 계약서 쓸 땐 왜 갑자기 감성 충만하신 건데요? 새벽 두 시였어요?"

"새벽 두 시는 아니었지만, 그때 유별나게 감정적이기는 했어. 뉴욕에서 인천 왔다 갔다 하는 내내, 그 여자한테 이 가느라 분 터져서 잠을 잘 수 없었거든."

지금 생각해도 그때 일은 열이 오르는지, 찬재는 넥타이를 잡아당겨 느슨하게 풀었다.

"그렇지만 계산이 전혀 없었던 건 아니야. 그렇게 적어 놔도, 내가 손해 볼 건 전혀 없다고 판단했으니까 사인했던 거라고. 어차피 이 결혼 비즈니스였고, 남 보기에 문제없는 부부로만 살면 실보다 득이 훨씬 많으니까."

"이 계약서대로면요, 남 보기에 문제 있는 부부거든요?"

"계약서만 안 보이면 문제없지. 계약서대로 남 앞에선 사이좋은 부부 역할 확실히 할 테니까."

"그런 문제 말고, 2세 문제 말입니다요."

태건은 답답하다는 듯 탁자에 계약서를 내려놓고, 손끝으로 첫 번째 조항 부분을 툭툭 두드렸다.

"둘만 있을 시 원치 않는 신체 접촉 절대 하지 않는다. 이거 지키면서 어떻게 2세를 보시냐고요. 사모님이 성모 마리아세요? 이 계약서대로면요, 임신에 문제 있는 부부 되는 거예요. 육체적으로든 정신적으로든, 임신할 수 없는 문제가 있는 부부!"

"원치 않는 신체 접촉이 절대 금지지, 원하는 신체 접촉은 금지 아니잖아?"

"예?"

"원하는 신체 접촉은 얼마든지 할 수 있으니까. 서로 합의하면 임신은 가능한 조항이야. 나도 그 정도는 다 생각했었다고."

찬재는 가슴 앞에 팔짱을 끼우며 호기로운 목소리로 말했다.

"그런가?"

태건은 고개를 갸웃거리며 계약서를 또다시 훑어봤다.

"뭐, 그럼……. 그럼 문제없긴 하네요. 두 분 다 쇼윈도 부부로만 사실 생각이고, 합의까지 하셨다면야. 이 계약서 때문에 발생할 문제는 없죠."

"그게 그런데 문제가 생겼어."

찬재는 의미심장하게 말했다. 그리고 계약서를 노려보며 덧붙였다.

"내 생각이 바뀌었거든."

태건은 놀라운 듯 눈을 동그랗게 뜨고 찬재를 봤다.

"이사님, 벌써 깨달은 겁니까?"

"뭘?"

"이사님이 사모님 좋아하는 거요."

"……뭐?"

"쇼윈도 부부로만 살 생각이 바뀌었다. 사모님이 좋아졌다. 지금 그 말 하려는 거 아닙니까?"

"너 알고 있었어?"

찬재는 황당해져 미간을 찌푸렸다.

"저야 알고 있었죠. 물론 저만 알고 있었습니다. 소문 안 내고."

"뭐야? 왜 너만 알고 있어? 나도 알게 했어야지."

"은근슬쩍 신호를 드렸는데, 영 감을 못 잡으셔서요. 더 말해 봐야 헛소리 취급만 당할 것 같으니까, 그냥 알아서 아시라고 내버려 뒀죠."

"……대체 언제 알아차린 거야?"

"누구한테도 안 그러던 사람이, 누구한테만 열 올리고 이상해지는 걸 지켜본 지……. 한 일주일쯤 됐을 때요."

태건은 기억을 되짚어 보며 대답했다. 그 모습에 찬재는 어이없어 헛웃음이 났다.

"나 참, 내 맘인데 왜 네가 먼저 알아? 기가 막히는군. 네 눈치가 빠른 건지, 내 눈치가 느린 건지."

"이만하면 이사님 눈치도 느리지는 않죠. 저는 이사님이 알아차리려면 한참 걸릴 줄 알았는데. 대체 어떻게 알아차린 겁니까?"

태건의 질문에 찬재는 헛웃음조차 싹 가셨다. 어제, 문밖에서 최서한의 고백을 듣는 순간, 피가 끓어오르던 그 기분이 순식간에 되살아난 탓이다.

나도 실은 같은 마음이라고, 그 여자의 고백까지 들려올까 불안해졌었다. 그 여자가 그런 말을 하지 않을 거라고, 확신할 수 없다는 게 눈이 뒤집힐 만큼 화가 났다.

그 여자 마음에는 내가 있다고, 너무나도 믿고 싶었다.

그렇지만 착각해 볼 여지가 전혀 없었다. 그 여자에게 자신은 남자도, 뭣도 아닌 게 분명했다. 지금껏 그녀를 그냥 그렇게 내버려뒀던 자신이 미치도록 한심했다.

"그때 알았지."

찬재는 회상에 잠긴 채로 허심탄회하게 고백했다.

"그 여자가 날 사랑하지 않는다는 게, 날 얼마나 환장하게 만드는지. 그걸 깨달았을 때."

* * *

점심 식사가 차려진 식탁에 이다가 앉았을 때, 복도에서 가사 도우미의 목소리가 들려왔다.

"어머, 이사님이 웬일이세요? 이 시간에?"

"밥 먹으러 왔습니다. 남는 밥 있죠?"

이어지는 찬재의 목소리에 이다는 눈을 깜빡거렸다. 뜻밖이라 생각하는 찰나 찬재가 성큼 주방으로 들어섰다.

"때맞춰 잘 왔네."

이다를 본 찬재는 기분 좋게 웃어 보이면서 이다의 맞은편에 앉았다.

"당신하고 밥 먹으러 왔어."

당당한 선언에 이다는 내심 당혹스러웠다. 그러나 가사 도우미의 인기척에 그저 찬재를 향해 미소만 지어 보였다.

"전에 당신이 그랬었잖아. 내가 집에 있는 시간, 24시간 아니라고. 내가 집에 있는 시간, 1초도 아까운데. 나하고 둘만 있을 시간 양보해 줄 만큼 친한 사람 없다고."

찬재는 같은 자리에서 바로 며칠 전에 그녀가 한 말을 이다에게 상기시켰다. 물론 그건 가사 도우미들 앞이기에 썼던 가식적인 표현이지만, 지금도 그렇기는 마찬가지기에 이다는 부정하지 않고 고개를 끄덕였다.

"그랬지."

그 발언의 속뜻은 최서한을 초대하지 말란 얘기였을 뿐이라고. 이다는 찬재의 눈을 보며 눈으로 말했다. 그러나 찬재는 표정과 다른 차가운 눈빛에도 아랑곳하지 않고 싱글싱글 웃는 얼굴을 유지했다.

"앞으로 내가 집에 있는 시간, 최대한 늘릴게."

"뭐?"

"일 때문에 약속 있을 때만 빼고, 매일 당신하고 점심 먹으러 집에 올게."

찬재가 내세운 뜻밖의 공약에 이다는 잠시 침묵했다.

저녁부터 아침까지 함께 있는 걸로 모자라서, 점심마저 같이하자고?

설마 계속해 보려는 건가? 내가 어제 그렇게까지 말했는데?

받아 줄 수 없는 감정이라고, 분명히 알아듣게 말했을 텐데?

이다는 지금 찬재의 행동이 그저 남들 앞에서의 연기일 뿐이기를, 진심은 아니기를 속으로 바라면서 입을 열었다.

"그럴 필요까진 없어."

그때 다가온 가사 도우미가 찬재의 앞으로 밥그릇을 내려놓았다. 그녀의 시선을 의식해서 이다는 식탁에 팔꿈치를 대고, 턱을 괴며 그윽한 시선으로 찬재를 바라봤다. 그리고 그린 듯이 예쁜 미소로 말했다.

"일할 땐 일에 집중해야지. 일 잘하는 남자가 얼마나 매력적인데. 내가 당신 그래서 사랑하는 거잖아."

"……."

"당신이 집에 있는 시간, 1초도 아깝다는 말은, 일할 시간 줄여 가며 집에 있는 시간 늘려 달란 뜻이 아니야. 일하러 나가서는 일만 생각하고, 집에 와선 나만 생각하란 뜻이지."

이다가 조곤조곤 설득하듯 설명하는 동안 찬재는 멍해진 얼굴로 그녀를 지켜보기만 했다. 그러다가 이다가 말을 마쳤을 때, 찬재는 진지하게 질문했다.

"나 지금 키스해도 돼?"

순간 철렁했지만, 이다는 애써 정신을 다잡았다. 옆에서 가사 도우미가 툭 떨어뜨린 빈 쟁반의 요란한 소리가 도움이 되었다. 이다는 이내 입을 열었다.

"아, 어, 지금?"

"지금 너무 하고 싶은데. 물어보고 당신이 허락하면 하려고."

이다는 주위를 슥 둘러보고 곤란한 표정을 지었다.

"안 돼, 지금은. 사람들 있잖아."

"없을 때 할까?"

그건 되냐는 듯 동의를 구하는 눈빛이었다. 답을 기다리는 열띤 시선에 이다는 내심 당혹스러웠다.

허락할 리 없잖아! 몰라서 물어?

"그건 그때 대답할게, 여보."

이다는 일단 답을 보류하는 척했다. 그때가 언제이건, 어차피 답은 이미 정해져 있지만.

"그래, 그럼. 근데 여보, 당신은 내가 일 잘하는 게 그렇게 좋아?"

찬재가 질문하는 사이, 가사 도우미가 이다의 앞에 국그릇을 내려놓았다. 이다는 선뜻 고개를 끄덕이고 숟갈로 국을 떠 마셨다.

"그럼 내가 점심시간에 여기 올 게 아니라, 당신이 근무 시간 내내 사무실에 와 있을래? 내 옆이나 앞에 당신 자리 하나 만들지, 뭐."

이다는 순간 사레가 들어 콜록콜록 기침을 터뜨렸다.

강찬재의 행동이 아무리 진심같이 느껴져도, 그냥 연기라고 생각하자.

저녁 식사를 앞둔 이다는 그렇게 미리 각오를 다지며 식탁으로 향했다. 점심때와 같은 상황이 반복된다 해도, 아무렇지 않게 대응할 수 있도록.

그런데 식탁에는 아무것도 차려져 있지 않았다.

분명 여섯 시인데?

이다는 시계를 확인하고 주위를 둘러봤다. 그때 가사 도우미가 다가왔다.

"사모님, 뭐 필요한 거 있으세요?"

"식사 때가 다 됐는데, 식탁이 비어 있어서요."

"아아, 못 들으셨어요?"

"뭘요?"

"이사님이 사모님 좋아하시는 거 사 오신다고, 저녁 차리지 말라 하셨어요."

내가 좋아하는 거?

순간 자동으로 스테이크가 떠올랐지만, 얼른 떨쳐 냈다.

지금 그런 거에 반응할 때가 아니잖아?

스스로 질책하는데, 찬재의 목소리가 들려왔다.

"여보, 잘 있었어?"

꼭 오랜만에 보는 사람처럼 반갑게 인사하며, 찬재는 돌아보는 이다의 앞에 다가섰다.

집이 워낙 넓으니까, 주방까지는 현관문 소리가 안 들리는 건가.

벌써 코앞까지 와 있는 찬재의 모습에 이다는 흠칫 한 발 물러났다. 그러자 찬재는 마치 탱고를 출 때처럼 꼭 한 발을 다가와서는 자연스레 손목을 그러잡았다.

"뭐 사 온다고 했다면서?"

"사 오려고 했는데, 포장하면 맛이 좀 떨어진다네? 그래서 당신

데리고 가려고. 저녁은 나가서 먹자."

"번거롭게 나갈 필요 없잖아. 그냥 집에서 먹어."

어제처럼 또 이상한 데 데려가서 수작 부릴라.

경계하며 뱉은 말에 등 뒤에서 가사 도우미가 반응했다.

"저, 집에 지금 쌀 한 톨도 없어요, 사모님."

"예?"

이 넓고 호화로운 집에 쌀이 한 톨도 없다니.

이다는 못 믿겠단 눈빛으로 가사 도우미를 돌아봤다. 그러자 그쪽을 볼 게 아니라는 듯 찬재가 말했다.

"맞아, 낮에 보니까 쌀이 똑 떨어졌더라고."

다시 돌아오는 이다의 시선에 찬재는 여유롭게 자신만만한 미소를 지었다. 살림에는 일절 신경도 안 쓰는 인간이 갑자기 쌀 떨어진 건 어찌 봤단 건지. 정황은 몹시 수상했지만 물증은 없는 상황이었다.

"그러니까 저녁은 나가서 먹자. 나간 김에 영화도 보고, 드라이브도 하고."

찬재는 미리 모든 계획을 짜 놓은 듯이 앞뒤가 딱딱 맞는 제안을 건넸다. 사이좋은 신혼부부 사이에서라면, 흔쾌히 받아들일 데이트 신청이기도 했다.

그렇기에 이다는 적당히 미소를 띤 채 말했다.

"그럼 하나 약속해. 내가 안 먹겠다는 건 억지로 먹으라고 하지 마. 어제처럼 디저트 강요하는 일, 없게 해 줘."

어제의 키스를 떠올리게 하는 주의 사항이었다.

"당신이 안 먹겠다는 건 억지로 먹으라고 안 해. 내가 혼자 다 먹을 테니까."

찬재는 묘한 표현을 쓰며 고개를 끄덕여 보였다.

펜트하우스를 빠져나온 찬재와 이다는 빈 승강기에 올라탔다. 이
윽고 문이 닫히자마자 찬재는 입을 열었다.

"사랑해."

앞뒤 없이 불쑥 튀어나온 고백에 이다는 순간 움찔했다.

"뭐 하자는 거야?"

이다는 이내 일부러 인상을 쓰며 불쾌한 척 따져 물었다. 찬재는
이다에게 눈길을 주지 않고 앞만 보며 대답했다.

"너한테 사랑해 달라는 거 아니야. 그냥 내가 사랑해. 그게 다야."

"……."

"안 먹겠다는 거 억지로 안 먹여. 나 혼자 먹어. 넌 신경 쓰지 마."

찬재는 시원스레 말하고는 승강기 버튼을 눌렀다. 그리고 문득
떠오른 생각을 덧붙였다.

"그냥 먹방처럼 즐기든가."

"먹방?"

"남 먹는 거 보면서 즐기는 방송 있잖아. 그걸 먹방이라던데."

"나 그런 거 안 즐겨."

"누가 나를 특별하게 생각한다는 건, 듣기 좋은 말이라면서?"

"뜬금없이 뭔 소리야?"

"기억 안 나? 전에 레스토랑에서 네가 내 말 잘못 알아듣고 착각
했었는데. 그때 네가 그랬었잖아. 그걸 말하는 상대가 누구든. 누
가 나를 특별하게 생각한다는 건, 듣기 좋은 말이라고. 잘못 알아

듣고 기분 좋아지게 해 줘서 고맙다고."

이다는 찬재가 말하는 당시 상황을 기억해 냈다. 그때 자신이 한 말도 함께 떠올랐다.

'난 그런 말 좋아해. 그걸 말하는 상대가 누구든. 누가 나를 특별하게 생각한다는 건, 듣기 좋은 말이지. 그게 상대의 진담이건 농담이건, 뭐든 상관 안 해. 듣는 내 기분이 좋아지면 그걸로 됐어. 고맙다, 잘못 알아듣고 기분 좋아지게 해 줘서.'

"그래, 내가 그런 말을 했었지."

이다는 잠자코 생각에 잠긴 얼굴로 고개를 끄덕였다.

"그러니까 즐겨. 내가 너 특별하게 사랑한다는 거."

찬재는 주저 없이 당당하게 이다를 바라보며 또 한 번 고백했다.

누가 나를 특별하게 사랑한다······.

그래, 사실 그건 듣기 좋은 말이다.

하지만 그런 말을 들었다고, 이렇게 가슴이 뛰어 본 적은 없었다. 이 녀석을 상대로는, 아무래도 피해야 할 말 같다.

이다는 설렘과 불안감이 뒤섞인 두근거림에 인상을 썼다. 그때, 승강기가 멈추고 문이 열렸다.

* * *

예약해 둔 레스토랑이 있다더니. 하필 최혜주의 단골 식당이네.

이다는 찬재와 함께 레스토랑으로 들어서며 생각했다. 우연인가 하는데, 찬재의 목소리가 들려왔다.

"당신 어릴 때부터 여기 단골이라며. 돌아가신 어머님하고 생일마다 여기 꼭 왔었다던데."

우연이 아니라는 얘기군.

이다는 의아해진 눈빛으로 질문했다.

"어떻게 알았어? 우린 그런 얘기 나눈 적 없을 텐데?"

"당신 뭐 좋아하는지, 조사 좀 했어."

찬재가 대답하는 사이, 그들 곁으로 다가온 레스토랑 지배인이 인사를 건넸다.

"아! 오랜만이에요, 최혜주 씨. 거의 2년 만에 뵙는 건데. 그동안 잘 지내셨어요?"

"아……. 네."

이다는 최혜주처럼 희미하게 미소를 지어 보였다. 아무리 10년 넘는 단골 가게여도, 돈을 주고 서비스를 받는 관계에서 최혜주는 사적인 대화를 거의 하지 않는 성격이었다. 그러니 이 이상 긴말은 필요 없을 듯했다.

"자리 안내해 드릴게요. 이쪽으로 오세요."

예상대로 지배인은 더 나올 말을 기대하지 않고 곧장 자리를 안내했다.

여긴 또 무슨 생각으로 데려온 건지.

이다는 썩 내키지 않았지만 일단 사이좋은 부부처럼 찬재와 나란히 걸어갔다.

자리에 마주 앉은 다음, 찬재는 메뉴판을 펼치며 운을 뗐다.

"어머님 돌아가시고 나선 여기 온 적 없던데."

"그랬지."

최혜주가.

이다는 입을 다문 채 속으로만 덧붙였다. 그리고 앞에 놓인 메뉴를 훑어봤다.

"당신 생일 때마다 꼭 찾던 메뉴, 나 뭔지 아는데. 그걸로 주문할까?"

최혜주가 생일 때마다 꼭 찾던 메뉴, 그거 스테이크 아니던데…….

이다는 아주 잠시 고민하다 메뉴판을 덮었다.

"그래 주면 나야 편하지."

그냥 그러는 편이 편하겠다 싶어 내린 결정이었다. 찬재는 이다의 결정에 곧바로 직원을 불러 식사를 주문했다.

"영화는 당신이 골라. 당신 마음에 드는 걸로. 뭐 볼래?"

주문을 마친 찬재가 이다에게 말했다.

"아까 차 안에서 얘기했었잖아? 나 오늘 영화 안 본다고, 밥만 먹고 들어갈 거라고. 설마 그새 잊은 거야?"

이다는 의아한 눈으로 대꾸했다. 그러자 찬재는 씩 웃으며 반문했다.

"그새 생각 안 바뀐 거야?"

"뭐가?"

"그새 영화가 보고 싶어졌을 수도 있잖아. 그래서 묻는 거야."

"안 바뀌었어."

이다는 찬재의 눈을 보고 딱 잘라 말했다.

"그래? 지금은 안 보고 싶다, 그렇게 알아 둘게."

"이러고 좀 있다가 또 물어보려고?"

"그래야지. 그땐 생각 바뀌었을지도 모르니까."

"또 물을 거 없어. 절대 안 바뀔 거야."

이다는 부드럽지만 확고한 어조로 강조했다. 찬재는 더욱 부드러운 목소리로 대응했다.

"여보, 사람 마음은 변할 수도 있는 거야."

"나는 안 변해."

직원이 다가와 유리잔에 물을 따랐다.

"특히 당신에 대한 마음은, 절대 안 변해."

이다는 마치 사랑을 얘기하는 것처럼 다정하게 덧붙였다. 그러자 물을 따르던 직원이 부러운 눈초리로 흘끔 찬재를 확인했다.

"변해 봐."

찬재는 자신 있단 눈빛으로 말했다.

"당신은 변한 모습도 매력적일 거야. 어쩌면 그래서 당신은 더 행복해질 수도 있어. 당신 달라져서 새로워진 매력까지 보면, 내가 얼마나 더 잘하게 될지 생각해 봐."

남자 쪽도 만만치가 않네.

직원은 속으로 혀를 내두르며 슬그머니 테이블을 떠났다. 그와의 간격이 제법 멀어졌을 때, 이다는 찬재를 주시하며 입을 열었다.

"나 바꾸려고 들지 마. 이미 경고했었어."

"바꾸라고 강요한 적 없어. 그냥 최고의 선택을 위한 조언이지. 당신이 변화를 선택하면, 그 결과가 얼마나 좋을까를 알려 주는."

"당신한테 조언 구한 적 없어."

나지막하게 대구하는 사이에 다시 직원이 테이블로 다가왔다.

"전채 요리인 세비체, 준비되었습니다."

직원이 간단한 설명과 함께 세비체가 담긴 그릇을 두 사람 앞에 각각 내려놓았다. 세비체는 붉은 양념이 된 생선회 한 주먹쯤을 종이처럼 얇게 저민 무로 감싸 놓은 모양이었다.

뭐 이렇게 생긴 음식이 있지…….

이다는 생전 처음 보는 세비체의 독특한 모양새가 신기했지만, 내색하지 않고 차분한 표정으로 익숙한 척 대했다. 포크와 나이프를 들고 세비체의 귀퉁이를 슬슬 자르는데, 찬재의 목소리가 들렸다.

"당신 그렇게 나한테 바늘 들어갈 틈도 안 주는 거 말이야. 혹시 결혼 전 내 행동 때문이야?"

무슨 말인가 싶어 이다는 흘끗 찬재를 봤다.

"따로 시간 내기 바쁘니까, 결혼 준비 각자 알아서 하자. 내가 그렇게 비서한테 통보했던 거. 그래서 우리 결혼식 때까지 얼굴 한 번 본 적 없었던 거. 그때 내 태도가 당신 이렇게 만든 걸까?"

찬재의 표정은 진지했다. 이다는 그런 찬재의 질문에 내심 난감해졌다. 그런 행동을 겪은 쪽은 최혜주지, 서이다가 아니니까.

"그때 일은 나하고 상관없어. 난 신경 안 쓰거든."

이다는 차분하게 대답하고 세비체를 한 조각 입에 넣었다.

순간 혀를 자극하는 신선한 맛에 눈이 반짝 뜨였다.

뭐야? 세상에 이런 맛도 있어?

산뜻하게 새콤달콤한 양념에 부드럽고 쫀득한 생선회, 아삭거리는 채소. 그 모든 게 한데 어우러지자 상상도 못 한 맛이 느껴졌다.

그러나 이다는 커다랗게 떴던 눈을 금세 가늘게 내리떴다. 그리고 마치 이미 아는 맛인 척, 별 감흥 없는 얼굴로 세비체를 꼭꼭 씹었다. 생선회조차 처음 먹어 보는 자신과 최혜주의 격차를 똑똑히 상기하면서, 이다는 생일 때마다 늘 먹어 온 음식인 양 계속 연기를 했다.

찬재는 그런 이다를 빤히 지켜보고 있었다. 이다는 입에 든 걸 삼킨 뒤 찬재에게 입을 열었다.

"왜 안 먹어?"

"당신 말이 사실인지, 눈으로 분석 좀 하느라고."

"그 말은, 내 말이 안 믿어진단 뜻인가?"

"오늘 당신 생각 많이 했어."

생뚱맞은 대답이 기습적인 고백 같아 이다는 멈칫했다. 불쑥불쑥 이럴 때마다 뭔가에 부딪힌 듯 가슴속이 흔들거렸다.

"실은 결혼식 이후부터 쭉 그랬지. 당신하고 직접 부딪친 날부터 계속 당신 생각이 나."

"이것도 나 즐기라는 고백인가?"

이다는 승강기에서 찬재가 건넨 조언을 떠올리며, 애써 시큰둥한 얼굴로 반응했다. 그리고 무관심한 척 세비체로 시선을 내렸다.

"근데 오늘은 당신 생각, 새롭게 했어."

"새롭게?"

"당신 어머니 돌아가시고부터 지금까지, 여기 한 번도 안 왔다면서?"

"그야 그랬지."

뜬금없는 질문에 이다는 살짝 미간을 찡그린 채 대답했다.

"근데 그 얘기가 지금 왜 나와?"

"어머니 돌아가시고부터 당신이 어떤 시간을 보냈는지, 그 생각을 오늘 처음 해 봤거든."

"……."

"그래서 나는 조금 전에 당신이 한 말, 못 믿겠어. 결혼 전의 내 태도, 당신은 신경 안 쓴다는 말."

"……."

"어머니 돌아가시고부터 당신, 집 밖에서 밥 한 끼 함께 나눌 사람도 없이 지냈다는데. 집에서도 가족이라 할 만한 사람은 딱 한 사람뿐이었다는데. 결혼 준비하는 내내, 남편 될 사람까지 당신 무시하고 방치한 거잖아. 그 상황에서 정말 그걸 신경 안 썼다고?"

이건 내가 아니라 최혜주에게 물어야 할 말 같은데…….

이다는 가슴속이 불편해져 괜히 물 잔을 입에 가져다 댔다. 찬재는 계속해서 진지하게 이다를 바라보며 말했다.

"좋아, 신경 안 썼다고 쳐. 그런데 나는 신경 쓰여. 그래서 내가 왜 그렇게 행동했는지, 오해 없게 설명을 해야겠어."

"……."

"나는 당신이 누구든 상관없고, 관심 없었어. 어차피 결혼해서 살다 보면 저절로 알게 될 여자니까. 당신이 최혜주라서가 아니라, 그냥 누구였어도 난 그따위로 행동했을 거야. 당신이라 무시하고, 당신 처지 우습게 안 거, 절대 아니야."

"……."

"내가 그따위라 당신 오해하게 했었다면, 미안해."

순간 이다는 가슴이 먹먹했다. 왜인지 눈시울은 뜨거워졌다.

왜 이러지? 나는 최혜주가 아닌데…….

이상하게 눈이 자꾸 뜨거워져 이다는 눈에 손을 가져다 댔다. 눈은 화끈거리면서 가렵기까지 했다. 못 참겠어서 눈을 감고 비비자,

찬재의 목소리가 들려왔다.

"설마, 우는 거야?"

그럴 리가. 울긴 누가 운다고.

이다는 반박하려 인상을 찌푸리며 눈을 떴다. 그런데 정말 이상했다. 눈이 반밖에 떠지지 않는 느낌이다. 좁아진 시야로 찬재의 놀란 표정이 들어왔다.

"다, 당신 눈이 왜 그래?!"

"왜 그러냐니?"

"눈이, 눈이 왕창 붓고 있잖아!"

이다의 눈은 정말이지 꼭 벌에 쏘이기라도 한 것처럼 순식간에 퉁퉁 부어올라 있었다.

찬재는 벌떡 일어나 이다에게 다가섰다. 허리 숙여 코앞에서 눈을 살펴보는 찬재의 시선에 걱정이 한가득 담겨 있었다. 이다는 비정상적인 눈의 열기가 뺨으로까지 번지는 듯했다.

"이거 아무래도 이상한데. 병원에 가야겠어."

찬재가 황급히 이다의 팔을 잡아 일으키려 들었다. 이다는 이제 반도 떠지지 않는 눈을 느끼고서 순순히 부축을 받고 일어났다. 실눈을 뜬 것처럼 시야가 많이 좁아져 있었다.

이다가 완전히 일어서자마자 찬재는 그녀를 부축한 채 발걸음을 재촉했다.

"잠깐, 나 앞이 잘 안 보여. 넘어질 것 같으니까, 천천히 가."

이다의 당부에 찬재는 멈칫 몸을 세웠다.

"안 넘어지게 빨리 가면 되잖아."

찬재는 말을 채 끝내기도 전에 다급하게 다시 몸을 움직였다. 어깨를 감싸고 무릎 뒤를 감싸는 두 팔의 움직임에 이다는 그가 무얼 하려는지 금세 알아차렸다. 잠시 만에 이다는 찬재의 두 팔에 들어 올려졌다. 상황이 상황이니만큼 거부하지 않고 찬재의 목에 팔을 둘렀다. 안정적으로 안긴 이다를 느끼고서 찬재는 곧장 두 다리를 재촉했다.

＊　＊　＊

의사는 응급실 침대에 누운 이다의 눈을 살펴보다 진단을 내렸다.

"급성 알레르기 증세네요."

의사의 옆에 있던 찬재가 당혹스러운 듯 눈을 깜빡거렸다. 침대에서 이다 역시 마찬가지로 눈을 깜빡였다.

"급성 알레르기?"

"주사 놔 드릴 테니까, 곧 가라앉을 겁니다. 너무 걱정 마세요."

"아니, 급성이면……. 바로 직전에 먹은 음식이 문제라는 건데."

찬재는 심각해진 얼굴로 이다에게 시선을 옮겼다.

"오늘 그거, 당신이 즐겨 먹던 메뉴였잖아?"

찬재의 질문에 이다는 난감해졌다. 최혜주가 즐겨 먹던 메뉴란 건 알았지만, 자신이 그 메뉴에 알레르기를 일으킬 줄은 꿈에도 몰랐다. 처음 먹어 보는 음식에 알레르기가 있는지 없는지, 미리 알 수는 없었으니까.

"그러게, 갑자기 왜 이러는지 이상하네. 전엔 아무 문제 없었는데."

이다는 부은 눈을 가늘게 내리뜬 채 태연하게 대처했다. 그러면서 속으로는 스스로 진단을 내렸다.

생선회가 처음이었으니까, 아마 그게 원인이겠지.

"음, 같은 음식이라도 몸 상태에 따라 반응이 다를 수 있습니다."

둘의 대화를 듣던 의사가 설명을 시작했다.

"평소엔 알레르기가 있더라도 증세가 미미해서 잘 모르다가, 어느 날 갑자기 증세가 심하게 드러나서 알게 되는 경우가 있거든요. 아마 지금 환자분 몸 상태가 평소보다 많이 약한 상태인 게 아닐까 싶네요."

"맞아요. 요즘 유난히 몸이 안 좋기는 해요."

이다는 재빨리 의사의 추측에 힘을 실어 주었다. 그러나 찬재는 왜인지 더욱더 심각해져 인상을 구겼다.

"몸이 아무리 안 좋다고, 고작 한두 조각 먹은 음식에 이렇게까지 탈이 나? 이건 간극이 너무 심하잖아."

찬재는 도저히 말이 안 된다는 듯이 지적했다. 그러자 옆에 있던 의사가 고개를 갸웃거리더니, 새로운 질문을 던졌다.

"혹시 임신하신 거 아닐까요?"

"……."

"임신 때 호르몬 변화 때문에 체질이 바뀌는 경우가 있거든요."

"아……. 예……."

찬재는 유감스러운 눈초리로 이다를 응시하며 입을 움직였다.

"그런 거면 좋겠네요. 그렇지, 여보?"

그런 가능성일랑 일말도 없다는 걸 잘 알면서, 찬재는 마치 그럴 수도 있다는 양 질문을 건넸다. 그런데 이다는 왜인지 선뜻 반응하지 않고 생각에 잠겼다.

"왜 그래?"

그냥 적당히 맞장구를 칠 줄 알았는데 생각지 못한 침묵에 찬재는 의아해져 물었다. 이다는 그제야 입을 열었다.

"혹시 임신이면, 지금 주사 맞아도 되는 건가요?"

정말 걱정된다는 듯, 이다는 진지하게 의사를 향해 질문했다. 그 모습이 너무나도 진심 같아서, 찬재는 심장이 뚝 떨어지는 듯했다.

"아, 그건 좀 위험할 수 있습니다. 임신 중엔 되도록 독한 약은 안 쓰는 게 좋거든요."

"그래요?"

의사의 답변에 이다는 묘한 표정으로 고개를 끄덕거렸다.

"그냥 궁금해서 여쭤봤어요. 전 임신 아니니까, 주사 놔 주세요."

순간 찬재의 입에서 안도의 한숨이 터져 나왔다. 떨어졌던 심장을 다시 얻은 것처럼 천만다행이었다.

한편 이다는 생각했다. 이 몸 상태에 주사를 포기할 순 없으니까, 당장 임신인 척하는 방법은 포기하자고. 그렇게까지 하지 않아도, 강찬재의 마음을 돌아서게 할 수 있을 거라고.

찬재는 운전석에 올라타자마자 조수석의 이다에게 말을 걸었다.

"어디 봐 봐."

찬재는 이다의 눈 가까이로 눈을 들이대고 상태를 살펴봤다.

"좀 가라앉은 건가?"

집요하게 관심을 쏟는 눈빛에 이다는 가슴속이 묘하게 울렁거렸다.

"주사 맞은 지 몇 분이나 됐다고, 벌써 가라앉아."

이다는 부러 무심하게 대구하며 찬재의 반대편으로 고개를 돌렸다. 찬재는 이다의 뒤통수를 바라보며 답답한 듯 한숨을 내뱉었다.

"전에 없던 알레르기가 하필 그때 새롭게 생기냐. 중요한 얘기 중에."

혼잣말처럼 말하고서 찬재는 차에 시동을 걸었다.

"배고프지? 아까 그 레스토랑 다시 갈까?"

"됐어. 눈도 이 모양인데, 가긴 어딜 가. 그냥 집으로 가."

"그럼 저녁은?"

"집에서 먹어."

이다는 차창에 이마를 기댄 채 심드렁하게 대답했다.

"집에 먹을 거 없을 텐데."

"사서 들어가."

일부러 쌀을 빼돌려 가며 밖으로 데려 나왔더니. 결국 밥 먹을 곳은 집이라니. 찬재는 착잡해서 입맛을 다셨다. 그러나 이내 괜찮아진 얼굴로 입을 열었다.

"난 꼭 그 레스토랑에서 하고 싶은 얘기가 있었는데. 어쩔 수 없지, 그럼."

찬재는 블루투스로 전화를 걸며 운전을 시작했다. 신호음이 몇 번 울리자 전화가 연결되었다.

[예, 이사님.]

태건의 목소리였다.

"너 아직 퇴근 전이지?"

[아니요, 퇴근 중이죠.]

"어디야?"

[이제 막 1층 내려왔는데요. 왜요?]

"야근 수당 줄 테니까, 일 하나만 부탁하자."

[예? 무슨 일이요?]

"스테이크 두 개 포장해서 펜트하우스에 배달해 줘."

이다는 흘끗 찬재를 건너다봤다. 때마침 고개 돌린 찬재가 이다와 눈을 마주한 채 씩 웃으며 덧붙였다.

"너 늘 사 왔던 가게 있잖아. 내가 사랑하는 여자가 몇 번이나 다시 찾았던 거기."

나는 지금 스테이크에 반응하는 거다. 스테이크에 가슴 뛰는 거야.

이다는 그렇게 스스로를 세뇌하며 도로 고개를 휙 돌려 버렸다.

주사가 독하긴 독했는지, 펜트하우스에 도착한 이다의 눈은 많이 가라앉아 있었다. 그렇기에 이다는 찬재의 부축을 마다하고 식탁까지 성큼성큼 가 앉았다.

식탁에는 태건이 배달해 놓은 스테이크 두 접시가 놓여 있었다. 찬재는 이다의 맞은편에 앉으면서 운을 뗐다.

"아무튼 미안했어, 결혼 전에 내가 보인 태도."

"됐어. 나 그때 일, 정말 신경 안 써."

이다는 스테이크에만 시선을 둔 채 애써 무덤덤하게 말했다.

난 최혜주가 아니니까. 최혜주에게 한 일, 나한테 사과하지 말라고.

내뱉을 수 없는 말이 목까지 올라와서 이다는 속이 갑갑했다. 반면 찬재는 아까 하려던 말을 속 시원히 끄집어냈다.

"그럼 과거 얘긴 이쯤하고, 미래 얘길 해야겠네. 앞으로 네 생일 파티, 거기서 나하고 해. 이젠 내가 네 가족이니까."

내가 네 가족이니까.

힘주어 강조하는 목소리에 이다는 멍해진 기분으로 찬재의 눈을 마주 봤다.

"아까 거기서 이 말 하고 싶었어. 생일 파티 맛보기로 열어 주면서."

"……."

"사랑해."

찬재는 또 한 번 진지하게 고백했다.

갈수록 큰일이네…….

달라진 것 없이 똑같은 세 글자인데. 처음 들을 때보다 몇 배는 더 커진 듯한 자신의 심박 소리에 이다는 마른침을 삼켰다.

더 가면 정말 큰일이겠어.

이다는 위기감에 휩싸인 채 찬재의 시선을 외면했다. 그리고 아무렇지 않은 얼굴로 스테이크를 잘랐다. 배고픔조차 잊을 만큼 가슴속은 바삐 뛰고 있었지만, 배가 고픈 사람처럼 식사에 열중했다. 입안에 든 스테이크가 무슨 맛인지도 못 느끼면서.

바깥 욕실에서 샤워를 마친 이다는 습관대로 벽에 걸린 샤워 가운에 손을 뻗었다. 그러나 아차 하고 손을 거두었다. 이다는 수건으로 몸의 물기를 닦아 낸 뒤, 미리 가져다 둔 잠옷을 걸쳐 입었다.

예전처럼 아무 생각 없이 샤워 가운만 입고 강찬재를 대할 수는 없는 노릇이니까.

이다는 잠옷 단추를 모두 채우고서 욕실을 빠져나왔다. 그리고 마음의 단추도 단단히 채워 가며 침실로 향했다.

침실에 들어서자 찬재는 의외로 일찍부터 침대에 누워 있었다. 벌써 자는 건지, 잠옷 차림으로 얌전히 눈을 감고 있었다.

정말 자는 건가?

이다는 긴가민가한 눈빛으로 찬재를 주시하며 그의 옆자리로 걸어갔다. 이어 침대 위로 슬그머니 몸을 앉히는데, 찬재의 목소리가 났다.

"오늘 몸도 안 좋은데, TV 보지 말고 일찍 자."

"뭐야, 안 자?"

"지금부터 셋 세고 잘 거야."

찬재는 눈을 감은 채로 대답했다.

"너 왔으니까, 이제 마음 놓고 잔다."

"……."

"너도 빨리 자. 빨리 나아야지."

"……."

"내일 눈뜨면, 병원 갈 생각부터 하고."

"……."

"잘 자."

셋을 세는 건지, 삼십을 세는 건지.

긴 인사가 느긋하게 이어지는 동안, 이다는 말없이 찬재를 지켜보기만 했다. 잘 자라는 말을 들었는데, 왜인지 잠이 오지 않을 것만 같아졌다.

＊　＊　＊

잠에서 깬 이다가 침실을 빠져나왔을 때, 찬재는 헬스 공간에서 침실을 등진 채로 러닝머신 위를 달리고 있었다. 넓은 등이 땀에 흠뻑 젖어 있었다.

"사모님, 일어나셨어요?"

복도에서 가사 도우미가 이다를 발견하고 인사를 건넸다. 그러더니 곧장 찬재를 향해 외쳤다.

"이사님, 사모님 나오셨어요!"

순간 찬재가 러닝머신을 바로 멈추고 뒤를 돌아봤다.

"이사님이 사모님 나오시면 바로 알려 달라고 하셨거든요."

가사 도우미는 왜인지 흐뭇한 미소를 띤 채 이다에게 말했다. 그 사이 찬재는 수건으로 땀을 닦아 내며 성큼성큼 다가왔다.

"어디 보자. 눈 괜찮은지."

발 앞에 선 찬재가 고개 숙여 눈을 보려 들었다. 손 안 대고 눈만 들이대는데, 이다는 꼭 손이 잡힌 것처럼 움찔해서 뒷걸음이 쳐졌다.

"왜 그래?"

찬재는 한 발 멀어지는 이다를 이상한 듯 봤다.

"땀, 너무 흘렸다."

이다는 괜한 핑계를 대며 그럴싸해 보이도록 눈을 살짝 찡그렸다. 그러자 찬재는 땀에 젖은 가슴을 확인하곤 멋쩍게 웃어 보였다.

"씻고 올 테니까, 당신도 준비하고 있어. 아침 먹고, 같이 병원 가게."

찬재는 가볍게 당부하고서 훌쩍 이다를 지나쳐 침실로 들어갔다.

침실의 욕실에서 찬재가 샤워를 하는 동안, 이다는 침대에 앉아
있었다. 심각한 표정으로 생각에 잠겨 있던 이다는 문이 열리는 소
리에 시선을 옮겼다. 그러자 샤워 가운 차림으로 문을 빠져나오는
찬재가 보였다.

"왜 그러고 있어? 나 기다리는 거야?"

찬재는 의아한 듯 이다에게 다가가며 물었다. 이다는 냉정해진
얼굴로 입을 열었다.

"병원 안 가도 돼. 나 눈 괜찮아."

"없던 알레르기 생긴 거, 몸 상태 안 좋아서라며? 그럼 눈 말고
다른 데도 진찰 받아야지. 몸 상태 좋아지게."

"나한테 잘하지 마."

이다는 단호하게 몸을 일으켜 찬재와 마주 섰다. 그리고 무심한
눈빛으로 찬재의 눈을 보며 선언했다.

"나 남자 있어."

"뭐?"

"사랑하는 사람, 따로 있다고."

순간 찬재는 귀를 의심했다.

"뭐가 있어?"

"결혼 전에 사귀던 남자, 아직 만나고 있어. 앞으로도 만날 거야.
그러니까 나한테 잘하지 마."

이다는 더 할 말이 없다는 듯 찬재를 지나쳤다. 그러나 찬재는 이다를 잡지 않았다. 잡을 수가 없었다.

벼락 맞은 사람처럼 머릿속이 새하얘져서, 우두커니 서 있기만 했다.

이다는 그런 찬재를 돌아보지 않고 단숨에 방을 빠져나갔다. 그리고 찬재가 정신을 차리기 전에, 최대한 멀어지려 성큼성큼 두 다리를 바삐 움직였다.

잠시 후, 정신을 차린 찬재가 뒤쫓아 나왔을 때, 이다는 펜트하우스 어디에도 없었다. 찬재는 다급히 현관으로 달려갔지만, 그가 현관문을 열자마자 현관 밖의 승강기 문은 닫히고 말았다. 한발 늦게 다다른 찬재의 발 앞에서 승강기는 아래로 순식간에 내려갔다.

펜트하우스를 빠져나온 이다는 곧장 택시에 올라탔다. 그리고 목적지를 묻는 택시 기사에게 자신이 살던 옥탑방 주소를 불렀다. 손 안에서 휴대 전화가 울려 댔지만, 발신자가 강찬재이기에 수신을 거부했다. 그런 다음 이다는 세시에게 전화를 걸었다.

세시는 한참 만에 전화를 받았다.

[어우, 야…… . 뭐야…… .]

수화기 너머에서 세시가 비몽사몽인 듯 웅얼거렸다.

"너 지금 집이지?"

[어…… . 이 꼭두새벽에 그럼 집이지…… . 어디겠냐…… .]

아침 여덟 시가 꼭두새벽이라니. 참으로 김세시다운 시간 개념이었다.

"나 지금 그리 간다."

[뭐? 지금?]

갑자기 정신이 번쩍 든 듯 세시의 목소리가 또렷해졌다.

[야, 너 무슨 일 있어? 뭐, 거기, 거기서 쫓겨났어? 들켰어?]

"아니. 이따 만나서 얘기해. 혹시 집에 너 말고 누구 있어? 있으면 곤란한데."

[아니, 나 혼자.]

"그래, 알았다. 그럼 집에서 봐."

이다는 전화를 끊었다. 그리고 아예 휴대 전화의 전원을 꺼 버렸다.

옥탑방에 들어선 이다는 주방 겸 거실에 세시와 마주 앉았다. 워낙 좁은 공간이라, 둘의 무릎은 고작 한 뼘 간격이었다.

"야, 대체 뭔 일인데?"

자다 일어난 세시의 머리칼은 엉망으로 흐트러져 있었지만, 정신은 말똥하게 깨어 있었다.

"너한테 부탁할 일이 생겼어."

"부탁? 뭐?"

"너 아직 사모님들 만나?"

"아, 당연하지. 메뚜기만 한철이냐? 제비도 한철이야. 젊을 때 바짝 벌어야 돼. 쉴 틈이 없어."

"당분간 그 사모님들 정리하고, 나하고만 만나."

"뭐?"

"내가 네 유일한 사모님인 것처럼, 나랑 연애하는 척 좀 해 달라고."

이다는 더없이 진지한 눈빛으로 말했다.

"아니, 무슨 그런 부탁을 해? 대체 왜?"

세시는 영문을 모르겠단 표정으로 눈을 깜빡깜빡했다.

"최혜주 남편한테 나 남자 있다고 했어. 결혼 전부터 만났고, 앞으로도 만날 남자."

"설마 그게 나야?"

세시의 검지가 자신을 가리키자, 이다는 고개를 끄덕였다. 그러자 세시는 어허, 하며 무릎 위로 팔꿈치를 얹고 손에 턱을 괴었다.

"애초에 그런 말은 왜 한 건데?"

"그건……."

이다는 선뜻 말이 나가질 않았다.

강찬재가 나를 좋아한다.

그 한마디가 가시처럼 목에 걸려 삼켜지지도, 뱉어지지도 않는 기분이었다.

"아하, 그 남편이 너한테 반하셨구만."

보나 마나 뻔하다는 듯이, 세시는 능글능글 눈웃음을 치며 말했다. 이다는 뜨끔해서 굳은 얼굴로 물었다.

"어떻게 알았어?"

"인마, 제비는 아무나 하는 줄 아냐? 유별난 남녀의 무분별한 뒤섞임, 그게 우리 제비 종족 특기인데. 남녀상열지사, 딱 보면 척이지. 너 그 남편이 너 좋다고 달려드니까, 철벽으로 나 세워 두는 거지? 너 좋아하지 말라고."

"……."

이다는 반박할 수 없어 침묵으로 인정했다. 그러자 세시는 뭔가 수상하다는 투로 고개를 갸웃거렸다.

"근데 나같이 연약한 제비보단 네 철벽이 훨씬 강철일 텐데. 왜 날 데려다 철벽으로 써?"

혼잣말하듯 말하고서 세시는 고갯짓을 멈췄다. 그리고 빤히 이다를 바라보며 짓궂게 질문을 던졌다.

"혹시 네 철벽, 녹고 있어?"

"아니."

이다는 단호하게 부정했다.

"아니라고?"

뜻밖의 대답에 세시는 의아해졌다.

"근데 왜 내가 필요해? 네 철벽 녹은 것도 아니면, 너 혼자서 충분히 막아 낼 수 있잖아."

"녹지는 않았는데. 무너지기 일보 직전이야."

이다는 당혹스러울 만큼 솔직한 눈빛으로 세시를 보며 답했다. 그 바람에 세시는 장난기가 싹 사라진 얼굴로 이다를 보게 됐다.

"그러니까 네가 도와줘. 최선을 다해서."

이어지는 당부에 세시는 골똘히 생각에 잠겨 턱을 매만졌다.

"이거 어쩐다……."

"뭘 고민해? 당연히 도와야지."

"돕긴 도와야지. 근데 뭘 어떻게 도울지를 모르겠다, 이거야."

"네가 뭘 어떻게 도울지는 내가 알려 줄게. 내가 시키는 대로만 해."

이다는 단단히 준비한 듯 똑 부러지는 목소리로 말했다.

"흠……. 그럴까?"

세시는 여전히 잘 모르겠단 표정이었지만, 그럼에도 잠시 후에 고개를 끄덕였다.

"오케이. 뭐가 됐든 난 오케이야. 내가 너 잘되라고 뭔들 못 해 주겠냐? 아주 힘껏 도와주마."

세시는 아주 엄지까지 척 들어 보이며 믿음직하게 선언했다.

* * *

오전 일정을 마친 후, 사무실로 돌아오자마자 찬재는 휴대 전화를 꺼냈다. 틈만 나면 그랬듯이 또 최혜주에게 전화를 걸었다. 하지만 이번에도 전화는 연결되지 않았다.

'결혼 전에 사귀던 남자, 아직 만나고 있어. 앞으로도 만날 거야. 그러니까 나한테 잘하지 마.'

상대에게서 듣고 싶은 새로운 말 대신, 듣기 싫은 과거의 말만이 찬재의 귓가를 맴돌았다.

"대체 어느 놈이냐고, 그게!"

수화기를 귀에 댄 채 찬재는 듣지도 못할 상대에게 소리쳤다. 쩌렁쩌렁 울분이 느껴지는 고함에 태건이 벌컥 문을 열고 들어왔다.

대체 무슨 일인지, 놀란 태건은 눈으로 찬재에게 물었다. 그를 본 찬재는 귓가에서 전화기를 내렸다.

"너, 나한테 숨긴 거 있어?"

"예?"

"집사람에 대해 조사한 거. 어제 나한테 보고할 때, 숨긴 거 있느냐고."

"아니, 없는데요?"

태건은 어리둥절한 표정으로 대답했다. 찬재는 애써 화를 억누르며 침착하게 의혹을 제기했다.

"그럼 이게 말이 돼?"

"왜요? 뭐, 이상한 거라도 있습니까?"

"최혜주는 혼자였다면서. 양어머니 집착 비정상적이라서, 살아계실 때도 최혜주 주위에 정상적인 친구 하나도 없었다면서?"

"예, 제가 조사한 바론⋯⋯."

"그 어머니 돌아가신 후론 최혜주가 사람들 멀리했다며? 혼자 돈 쓰는 일로만 사람 대했다며?"

"예. 그건 지금도 그러고 계시잖아요? 딱히 만나는 친구분도 없으시고."

순간 찬재는 버럭 다시 언성을 높였다.

"그럼 그 여자는 대체 언제 남자를 만났다는 거야?!"

호텔 체크인을 마치고서 이다는 세시와 함께 빈 승강기에 올라탔다.

"2년 전, 양어머니 돌아가신 직후에 만난 거야."

이다의 말에 세시는 고개를 끄덕이며 따라 외웠다.

"2년 전, 양어머니 돌아가신 직후."

"처음 만난 장소는 최혜주가 즐겨 가는 명품관."

"거기서 우연히 마주치고, 내가 한눈에 반했다고 껄떡거렸겠네?"

"그래. 그랬다고 치자."

"오케이. 원래 내 작업 패턴이 딱 그거거든."

3층. 승강기가 멈추고 문이 열렸다. 이다는 승강기를 빠져나갔다. 뒤따라가며 세시가 질문을 던졌다.

"야, 근데 나 이 호텔에서 언제까지 있어야 해?"

"이번 일 끝날 때까지."

이다는 306호 앞에 서서 카드 키를 꽂았다.

"이번 일 끝난다는 게 정확히 무슨 의민데? 강찬재가 너한테 오만 정 다 떨어지고, 딱 쇼윈도 부부로만 지내게 될 때까지?"

문을 열다 말고 이다는 고개 돌려 세시를 흘겨봤다.

"안에 들어가서 말해."

"아차, 실수."

세시는 머쓱한 얼굴로 어깨를 으쓱해 보였다. 이다는 곧 완전히 문을 열고 방 안으로 들어갔다. 따라 들어온 세시가 문을 닫은 뒤, 마음 놓고 입을 열었다.

"강찬재가 너 그냥 쇼윈도 부부로만 대하게 되면, 내 일 끝난다는 거지?"

"그래. 그때까진 불편하더라도 여기서 지내. 돈은 내가 낼 테니까."

"뭐, 나야 옥탑방보단 호텔이 백번 좋지."

"그렇다고 일부러 일 질질 끌지 마라. 최대한 빨리 끝내. 빨리 끝낼수록 보너스 더 줄 테니까."

이다는 당부하며 침대에 걸터앉았다.

"호텔 장기 투숙비보다 보너스가 더 많으려나?"

세시는 능글거리면서 이다의 옆에 앉았다.

"그때 가서 확인해 봐. 빨리 끝냈더니, 얼마나 더 많이 주는지."

"뭘 또 그렇게 상상력을 자극하냐? 진짜 얼마 주나 궁금해서 꼭 해내고 싶어지네."

"진짜 꼭 해내야 돼."

이다는 세시의 눈을 직시하며 강조했다.

* * *

퇴근 후 펜트하우스로 돌아온 찬재는 아무 일이 없는 듯이 행동했다. 평소처럼 가사 도우미들에게 인사를 건넨 뒤, 외출복을 실내복으로 갈아입고 저녁 식사가 차려진 식탁에 앉았다.

"오늘 사모님이 늦으시네요."

조심스러운 가사 도우미의 목소리에 찬재는 흘끗 맞은편을 건너다봤다.

이 여자가 대체 뭘 어쩌자는 건지.

빈자리에 울화가 차올랐지만, 억지로 태연한 체 웃는 얼굴로 말했다.

"좀 전에 방에서 통화했는데. 집사람은 저녁 먹고 들어온답니다."

그런데 그때 복도에서 뜻밖의 소리가 들려왔다.

"오셨어요, 사모님?"

또 다른 가사 도우미의 목소리에 찬재는 흠칫 몸을 일으켰다. 얼른 복도로 나서자 현관에서부터 걸어오는 이다가 보였다. 이다는 찬재를 발견하고 부러 미소를 지었다.

"여보, 좀 전에 통화할 땐 늦는다고 했었잖아? 저녁 먹고 들어온다고."

찬재는 조금 전 가사 도우미에게 한 거짓말을 이다에게 알려 주었다. 그의 신호를 알아듣고, 이다는 금세 태연하게 순발력을 발휘했다.

"당신 놀라게 해 주려고 그랬지. 안 온다고 했다가 나타나면 더 반갑잖아?"

이다는 장난스레 눈웃음을 그린 얼굴로 능숙하게 거짓말을 했다. 정말 사랑하는 사람인 것처럼.

"확실히 그러네."

찬재는 헛웃음이 나려는 걸 참고, 대신 부드러운 미소로 화답했다. 그리고 바로 앞까지 다가온 이다의 어깨를 스르르 끌어안았다. 자연스러운 인사 같은 동작이라 이다는 잠자코 받아들였다. 찬재는 남들에게도 들릴 만한 목소리로 말했다.

"사실 당신 안 온다고 했을 때, 나 당신 있는 데로 당장 쫓아가고 싶었거든. 당신 너무 보고 싶어서. 근데 이렇게 나타나니까 정말 반갑고, 아주 고마워."

거기까지 말하고서 찬재는 이다의 귓가에 입술을 가까이 댔다. 이어지는 덧붙임은 한 사람만 들을 수 있는 낮은 목소리였다.

"나 미치기 전에 와 줘서 말이야."

식탁에 앉자마자 찬재는 최소 몇 끼는 굶은 사람처럼 식사에 전념했다. 큼지막한 밥 한술을 입에 넣고 금세 씹어 삼키고. 그러기를 몇 번 반복하자 밥 한 공기가 깨끗하게 바닥을 드러냈다. 그렇게 식사를 마치고서 찬재는 맞은편의 이다를 확인했다.

"여보, 뭐 해? 어서 먹지 않고."

찬재는 아직 반도 비워지지 않은 이다의 밥그릇을 보며 재촉했다.

빨리 식사 끝내야지. 그래야 저 사람들 내보내고, 둘이서 얘길 하지.

찬재가 눈빛으로 전한 말에 이다는 수저를 내려놓았다.

"입맛이 없어. 그만 먹을래."

피할 일이 아니니까. 어차피 해야 할 거 빨리 시작하지, 뭐.

이다는 굳게 마음을 다지면서 자리에서 일어났다. 기다렸단 듯이 찬재 역시 따라 일어났다. 그리고 눈 깜짝할 새에 이다의 옆에 서서 손목을 붙잡았다.

"치우고 퇴근들 하세요."

찬재는 가사 도우미들에게 간단히 인사하고 주방을 나섰다. 행여 다른 데로 샐까 봐서, 이다의 손목을 꽉 그러쥔 채로.

침실까지는 금방이었다. 문을 닫고 침대까지 가는 동안, 찬재는 터져 나가려는 말을 꾹꾹 참았다. 침대 곁에 도착하자 이다는 찬재와 마주 서서 먼저 입을 열었다.

"이제 보는 눈 없으니까, 손 놓고 말해."

"보는 눈이 없으면, 손도 못 잡는다?"

"원치 않는 스킨십 굳이 할 이유가 없잖아? 보는 눈도 없는데."

"이 정도도 못 할 남자하고, 결혼 왜 했어?"

찬재는 손을 놓지 않고 눈을 노려보며 되물었다. 소리치진 않았다. 최대한 화를 억누르고 언성을 낮추었다.

"어차피 정략결혼이었잖아."

이다는 태연한 얼굴로 찬재를 마주 보며 운을 뗐다.

"그래서 했어. 진짜 부부처럼 살 필요 없으니까."

"누가!"

욱해서 큰소리를 터뜨렸다가, 찬재는 다시 애써 흥분을 가라앉혔다. 거칠게 숨을 몰아쉬는 어깨가 들썩거렸다. 찬재는 얼마 안 가 낮은 목소리로 이어 말했다.

"누가 그럴 필요 없다고 했어?"

최 회장의 뜻을 전달하는 윤 비서가 그렇게 설명했었다고, 이다는 혼자 생각하며 부러 뻔뻔한 얼굴로 찬재를 바라봤다. 그리고 기막혀하는 찬재에게 더욱 기막힐 소리를 내뱉었다.

"그럴 필요 있다고는 했었어?"

"뭐?"

"결혼해서 진짜 부부처럼 살자. 그럴 필요 있다. 그런 얘기 네가 했었냐고, 결혼 전에."

"딴 놈 만나라는 말은 했냐, 내가?!"

찬재는 또다시 버럭 큰소리를 터뜨리고 말았다. 그러나 이다는 눈 하나 깜짝하지 않았다.

"만나지 말라고도 안 했어."

"결혼하면 딴 놈 안 만나는 게 상식이잖아! 그걸 말로 해야 알아?"

"미안."

이다는 최대한 감정을 배제한 담담한 목소리로 사과했다.

"그 사람 안 만나는 게 상식이면, 나 그냥 상식 없는 인간 할게. 내가 이따위라 미안해."

"뭐……?"

"그냥 너도 다른 여자 만나. 나 신경 쓰지 말고."

"너, 너 미쳤어?"

"서로 남들 앞에서만 잘 지내면 되잖아."

이다는 태연한 척 찬재의 눈을 똑바로 보며 대꾸했다. 뭐가 문제인지 하나도 모르는 사람처럼.

"헛소리하지 말고, 그놈 정리해."

찬재는 험악하게 인상을 쓴 채 경고했다.

"못 해. 나 그 남자 없으면 못 살아."

"정리 안 해 봐. 그 남자가 너 때문에 못 살게 될 테니까."

찬재는 이를 갈며 으름장을 놓았다.

"부탁인데. 그 사람은 건드리지 마."

더럭 겁이 나는 듯이, 이다는 흔들리는 눈빛으로 부탁했다. 정말 소중한 걸 잃어버릴까 봐, 더럭 겁이 나는 듯이.

이 여자한테 이런 표정도 있었나…….

찬재는 순간 눈을 의심했다. 그러나 눈을 깜빡여도 눈앞의 광경은 달라지지 않았다.

"그 사람 없으면 나 진짜 못 살아."

쐐기를 박는 말에 찬재는 눈을 감았다.

꼴도 보기 싫어져서, 불에 타는 듯이 괴로워져서, 차라리 안 보는 게 낫겠다 싶어졌다.

이내 찬재는 고개 돌려 눈을 떴다. 이다가 아닌 문이 보이는 방향으로, 시선을 고정한 채 몸을 돌려 성큼성큼 발을 움직였다. 이 다는 그런 찬재의 뒷모습을 가만히 지켜보기만 했다. 혹시 뒤를 볼 지 몰라 얼굴에는 계속 가면을 쓰고 있었다. 그러나 찬재는 잠시도 돌아보지 않고 방을 빠져나가 버렸다.

* * *

찬재가 있는 VIP 클럽의 건물 앞에서 태건은 문지기에게 찬재의 이름을 댔다. VIP인 찬재의 초대가 확인되자 문지기는 태건을 안 으로 들였다.

태건은 승강기를 타고 옥상에 도착했다. 눈앞에 펼쳐지는 널따란 수영장을 외면하고, 수영장 옆 야외 Bar로 향했다. Bar에는 강찬 재 단 한 사람이 앉아 있었다.

"앉아."

태건이 다가가자 인기척을 느낀 찬재가 태건을 향해 말했다. 태 건은 찬재의 옆에 나란히 앉았다.

"아무래도 제 선에서 알아낼 수 있는 건 이 이상 없지 싶은데요."

조심스러운 태건의 목소리에 찬재는 인상을 구겼다.

"사모님 대인 관계가 워낙 협소해서요. 사모님에 대해 깊이 알 만한 사람이 없어도 너무 없단 말이죠. 정말 사모님이 남몰래 남자 를 만나고 계셨다면, 그걸 알 만한 사람은 기껏해야 둘 정도 아닐 까요? 집 안에서는 최서한 씨, 집 밖에서는 윤 비서님."

최서한.

찬재는 꺼림칙한 그 이름을 곱씹으며 술을 삼켰다.

"차라리 윤 비서님을 공략해 보시죠? 사모님 남자 문제, 윤 비서님이라면 알 법도 한데. 윤 비서님을 이사님 편으로 만들면, 답을 알려 주지 않을까요?"

"윤 비서……. 그 사람, 일한 지 얼마나 됐지?"

"사모님 일이라면, 거의 2년이죠. 사모님 어머니 돌아가신 이후부터 사모님 관리 전담했으니까요."

"윤 비서라……."

중얼거리면서 찬재는 빈 술잔에 보드카를 따랐다.

"최서한보다야 윤 비서한테 묻는 편이 낫겠지. 최소한 꺼림칙하진 않으니까."

"최서한 씨는, 꺼림칙하단 얘깁니까?"

태건은 의아한 눈으로 물었다.

"당연히 꺼림칙해."

"왜요?"

찬재는 꽉 채운 술잔을 노려봤다. 그 안에 최서한의 얼굴이 보이기라도 하는 듯이. 그러나 곧 태건의 시선을 의식해 눈을 감고 술을 들이마셨다. 최서한이 최혜주에게 고백했던 사실은, 태건에게 조차 말하기 싫은 일이니까. 찬재는 최서한에 대한 분노를 숨기려고 의연하게 다시 눈을 떴다.

"이런 얘기 나누기에 유쾌한 상대는 아니잖아? 집사람 형제인데."

"아, 그런 뜻이었어요? 난 또, 사람이 꺼림칙하단 줄 알았네요. 뭐 이런 얘기 나눌 상대로는 당연히 꺼림칙하죠."

태건은 수긍한단 표정으로 고개를 끄덕였다.

"역시 물을 만한 사람은 윤 비서밖에 없네요. 그 사람이 제대로 답을 줄진 모르지만."

"남의 가족 내 편 만드는 것보다야, 남의 가신 내 편 만드는 게 쉽겠지."

"하긴 그렇죠. 그리고 사모님 남자관계라면, 어쩌면 최서한 씨보다 윤 비서가 더 잘 알 수도 있어요. 가족이라 심적으로 더 가깝기는 해도, 밖에서 더 자주 붙어 다닌 쪽은 윤 비서니까요."

자주……? 붙어……?

찬재는 불현듯 이상한 기분에 휩싸였다.

"잠깐……. 윤 비서, 집사람하고 가까이 지낸 지가……. 2년이라고?"

"그렇죠. 사모님 어머니 돌아가신 직후부터니까."

"그럼 윤 비서……."

찬재는 심각해진 얼굴로 생각에 빠져들었다.

최혜주가 가장 힘들어하던 시기를, 윤 비서가 보필하고 있었다…….

이상한 기분이 더욱 강렬해졌다.

이다는 지하 주차장에 세워진 윤 비서의 차 조수석에 올라탔다.

역시나 윤 비서는 벌써 눈에 땀이 맺혀 있었다.

"서이다 씨, 대체 무슨 생각으로 세시 씨를 끌어들이는 겁니까?"

윤 비서는 원망하듯 질문을 던졌다.

"그럴 만한 일이 있어요. 제가 알아서 할 테니까, 걱정 말고 윤 비서님은 계속 모르쇠로 일관하세요. 실제로도 모르는 일이니까, 그냥 계속 모른다고 하면 돼요. 강찬재가 뭐라고 하든."

"대체 어쩔 작정이신데요?"

"어차피 이 결혼, 부부끼리 아무리 사이 나빠도 이혼은 불가능하다면서요? 뒤에서 다른 살림을 차리든, 남모르게 별거를 하든. 뭘 하든 이혼만은 안 된다는 게, 양쪽 집안 입장이라면서요."

"예. 그건 그렇습니다만……."

"1년 뒤 남모르게 별거. 그 계약 조건 지킬게요."

이다는 단호한 눈빛으로 윤 비서의 눈을 보며 약속했다. 윤 비서는 어리둥절한 얼굴로 눈을 깜빡였다.

"예, 그야 당연히 그러셔야죠……."

"근데 그러려면, 지금 다른 살림이 필요해요."

"예?"

"그래서 다른 남자 끌어들인 거예요. 1년 뒤 원활한 별거를 위한 기름칠이랄까."

"대체 무슨 소린지……."

"설명은 이 정도로만 하죠."

이다는 아예 운전석을 향해 몸을 돌려 앉고는 윤 비서의 어깨를 잡았다. 그리고 윤 비서와 얼굴을 똑똑히 마주한 채 확고한 목소리로 말했다.

"지금 윤 비서님은 제가 10억짜리 계약, 끝까지 완주할 생각이라는 거. 그것만 아시면 돼요."

"서이다 씨……."

"나 믿고, 마음 편하게 먹어요. 땀 좀 그만 흘리고요."

이다는 울먹이는 윤 비서를 딱한 듯이 바라보며 어깨를 다독였다. 그때, 어디선가 노크 소리가 들려왔다.

"뭐지?"

윤 비서와 이다는 동시에 소리를 향해 시선을 옮겼다. 이다는 등 뒤로 고개를 돌렸고, 윤 비서는 이다의 어깨 너머로 시선을 뻗었다.

거기, 강찬재가 있었다.

조수석의 창문 너머에서, 불이 활활 붙은 눈빛으로 두 사람을 노려보면서.

"타이밍 참 뭣 같네."

이다는 낭패감에 조용히 혼잣말했다. 하필 오해하기 딱 좋은 장면을 봐 버렸으니. 들끓는 찬재의 눈빛이 뭘 말하는지 뻔한 일이었다. 이러다 윤 비서에게 불똥이 튈 것 같아 이다는 빨리 문을 열었다.

"오해하지 마."

이다는 문밖으로 나서면서 곧장 해명했다.

"윤 비서 아니야."

이다가 마주 서자 찬재는 부릅뜬 두 눈으로 노려보며 뇌까렸다.

"왜 이래? 꼭 윤 비서 없으면 못 사는 사람처럼. 내가 윤 비서 건드릴까, 겁나서 이래?"

"윤 비서 건드릴까 걱정인 건 사실인데. 윤 비서 없이 못 살진 않아."

이다는 침착하게 대꾸했다. 그때, 윤 비서가 운전석 문을 열고 나왔다.

"가, 강 이사님, 뭔가 오해가 있으신가 본데……."

이다는 윤 비서에게로 시선을 옮겼다. 그리고 떳떳하게 그를 보며 말했다.

"윤 비서는 그 사람 아니야. 그냥 네가 오해해서 건드릴까 걱정인 거야."

윤 비서는 운전석 옆에 선 채 안절부절 어쩔 줄을 몰라 했다. 그런 윤 비서에게 눈빛으로 괜찮다는 신호를 보내려는데, 찬재의 손이 뺨에 닿았다. 금세 두 뺨을 감싼 찬재의 손이 이다의 고개를 돌려놓았다. 마주 보게 된 찬재의 눈엔 불신이 가득했다.

"그 사람도 아닌데, 윤 비서 왜 울어?"

"……"

"남편 몰래 밀폐된 공간에서, 윤 비서 울고, 너 달래고. 이게 무슨 엿 같은 상황이야?"

조금 전 차 안에서의 광경을 떠올리며, 찬재는 오만상을 찌푸렸다. 그러자 윤 비서가 다급히 외쳤다.

"따, 땀입니다!"

순간 찬재와 이다의 고개가 윤 비서를 향해 돌아갔다. 윤 비서는 용기 내서 재차 외쳤다.

"눈에 따, 땀이 차서! 땀 흘린 겁니다! 눈물 아닙니다!"

"……"

윤 비서를 지켜보는 둘 사이에 정적이 흘렀다.

"그, 저, 저는……. 저, 정말 아닙니다! 오, 오해하지 마십시오!"

윤 비서는 필사적으로 결백을 호소했다. 눈으로 땀을 뻘뻘 흘리면서…….

"윤 비서는 빠져요."

보다 못한 이다가 딱 잘라 말했다. 그리고 찬재를 향해 고개 돌렸다. 볼을 감싼 찬재의 손을 그러잡고, 눈을 쏘아보며 말했다.

"윤 비서는 나 말리고 있었어. 그 사람하고 헤어지라고, 회장님 알면 큰일 난다고. 근데 내가 못 헤어진다고 했어. 그 사람하고 헤어지느니, 너하고 헤어지겠다고."

"뭐?"

일그러지는 찬재의 얼굴을 아무렇지 않은 척 바라보며, 이다는 찬재의 손목을 아프도록 꽉 쥐었다.

더 아프기 전에 알아서 떨어지길 바라면서.

"그 사람 못 만나게 하면, 나 너하고 별거할 생각이야."

"별거?"

찬재는 손을 떼지 않고 집요하게 눈을 노려봤다. 그리고 버럭 언성을 높여 외쳤다.

"너 지금 별거라고 했어?!"

그때, 옆에서 쿵 소리가 들려왔다.

순간 반사적으로 두 사람의 고개가 돌아갔다.

그러자 자동차 보닛 위로 쓰러진 윤 비서의 상체가 둘의 눈에 들어왔다.

"윤 비서?"

당황한 이다의 목소리에 윤 비서는 반응하지 않았다. 다만 주르르, 널브러진 몸이 보닛에서 미끄러져 내려올 뿐이었다.

* * *

기절했던 윤 비서가 차 뒷좌석에서 정신을 차렸을 때, 이다는 운전석에서 차를 운전하고 있었다. 윤 비서는 누워 있는 몸을 슬그머니 일으키려 했다. 그런데 찬재의 목소리가 들려왔다.

"이러고도 윤 비서가 아니야?"

조수석에서 안전 손잡이를 꽉 붙든 채, 찬재는 이다를 향해 따졌다.

"대체 아니라고 몇 번을 말해야 돼?"

"말과 행동이 다르잖아! 윤 비서 쓰러질 때 너, 아주 몸이 먼저 나가던데!"

"그냥 두면 바닥에 머리 부딪치잖아."

"그렇다고 받아 안냐?!"

보닛에서 미끄러지던 윤 비서와 그를 받아 안던 이다. 꼭 드라마의 한 장면 같던 모습에 찬재는 분통을 터뜨렸다. 대부분의 드라마에서라면 남녀의 역할이 바뀌었을 거란 점은 전혀 중요치 않았다.

"난 너 미끄러졌을 때도 똑같이 받아 줬어."

이다는 운전에 집중하며 건성으로 대꾸했다.

"너 욕실에서 미끄러졌을 때, 내가 너 받아 준 거 기억해 봐. 나한텐 너나 윤 비서나, 그냥 똑같아. 둘 다 남자 아니라고, 그냥 사람이지."

아무렇지 않게 찬재의 자존심을 걷어차는 발언에 윤 비서는 눈을 질끈 감았다.

아아……. 그냥 다시 기절하자…….

윤 비서가 굳게 다짐하고 실천에 옮기려는데, 왜인지 차가 멈춰섰다. 슬쩍 실눈을 떠 차창 너머를 보자, 병원 입구가 보였다.

이런 씨…….

눈에 땀이 맺히는 걸 느끼면서, 윤 비서는 욕을 삼켰다. 한편 이다는 안전벨트를 풀며 찬재에게 말했다.

"내리든지 말든지. 넌 알아서 해. 난 윤 비서 옮겨 주고 올 테니까."

조금 전 발언에 말문이 막혀 있던 찬재는 새 발언에 기까지 막혀 말문을 터뜨렸다.

"옮겨? 네가?"

"기절한 사람더러 걸으랄 순 없잖아. 내가 옮겨야지."

"지금 네가 안아서 옮기겠단 거냐?"

"왜? 내가 못 할 것 같아?"

"집어치워! 내가 옮길 테니까."

찬재는 거칠게 안전벨트를 풀었다. 그러자 뒷좌석에서 윤 비서가 벌떡 일어났다.

"아닙니다! 저, 저 괜찮습니다!"

느닷없는 외침에 찬재와 이다는 윤 비서를 돌아봤다.

"저 깨, 깼습니다! 괜찮습니다! 내일 뵙겠습니다!"

윤 비서는 황급히 인사를 내뱉는 동시에 후다닥 문을 열고 뛰쳐 나갔다. 그리고 붙잡을 새도 없이 멀리멀리 달아났다.

"확실히……. 괜찮아 보이기는 하네."

이다는 힘차게 뛰어가는 윤 비서의 뒷모습을 지켜보며 짐작했다.

"자기 차 버리고 도망가는 게, 너한테는 괜찮은 모습이냐?"

찬재는 어처구니없단 표정으로 비꼬았다. 덕분에 이다는 깨달았다. 부랴부랴 윤 비서를 옮기느라 곧장 올라탔던 이 차가, 바로 윤 비서의 차란 사실을.

"윤 비서도 참……. 대체 이게 웬 고생인지."

이다는 착잡해진 얼굴로 고개를 절레절레 내저었다. 그리고 이내 찬재에게 시선을 돌렸다.

"애먼 사람 자꾸 고생시키지 마. 윤 비서 아니니까."

"윤 비서가 아니라는 증거 있어?"

도저히 못 믿겠단 듯이, 찬재는 날카로운 눈빛으로 쏘아보며 물었다.

"두고 봐."

이다는 안전벨트를 채우며 대답했다. 이어 핸들을 잡고, 차를 출발시키면서 덧붙였다.

"너나 윤 비서나 나한테 남자 아니라는 거. 둘 다 똑같다는 거 알게 해 줄 테니까."

"운전 중이잖아. 조용히 좀 가자, 사고 안 나게."

이다는 운전 내내 따져 대는 찬재에게 그 말만을 반복하며 운전에만 집중했다. 그러다가 마침내 태강 타워 지하 주차장에 차를 세웠을 때, 찬재는 아주 단단히 벼르는 얼굴로 곧장 문을 열었다.

"이제 운전 끝났으니까, 조용하란 말 안 통한다."

두고 보잔 투로 차를 빠져나간 찬재는 문을 쾅 닫았다. 그런데 문이 닫히자마자, 왜인지 문이 잠기는 소리가 났다.

"뭐야?"

순간 뭔가 이상해서 운전석을 보는데, 차 안에서 이다가 조수석의 차창을 반쯤 내렸다.

"집에 가서 먼저 자고 있어."

"뭐?"

"도우미들 출근 전엔 돌아올게."

말을 채 끝내기도 전에 이다는 차를 휙 출발시켰다.

"뭐, 뭐야! 야! 너!"

찬재는 차를 잡아 보려 손을 뻗었지만, 한발 늦고 말았다. 순식간에 찬재를 앞선 차는 속도를 높여 빠르게 멀어졌다.

태강 타워 주차장을 막 빠져나왔을 때, 휴대 전화가 울렸다. 보지 않아도 누구인지는 뻔한 일이었다. 이다는 목을 가다듬고 침착하게 블루투스로 전화를 받았다.

[너 이게 무슨 짓이야?!]

역시나 강찬재의 목소리가 귀에 따갑도록 울려 퍼졌다.

"나 오늘 그 사람하고 같이 있을 거야."

[뭐?]

"넌 윤 비서 불러. 내가 그 사람하고 있는 동안, 넌 윤 비서하고 있어. 그럼 윤 비서가 그 사람이 아니라는 거, 확인할 수 있잖아?"

[그걸 지금 말이라고 하는 거야?!]

"그래도 윤 비서가 아니란 거 못 믿겠으면, 오늘 그 사람하고 있었다는 증거도 따로 준비해 둘게. 잘 자고, 내일 봐."

이다는 곧바로 전화를 끊어 버렸다. 그리고 아예 휴대 전화의 전원을 꺼 버렸다. 혹시라도 찬재가 뒤쫓아 올까 봐서 백미러를 확인했지만, 쫓아오는 차는 보이지 않았다. 그러나 이다는 바짝 쫓기는 듯 불안하게 심장이 뛰어 댔다. 그래서 더욱 속력을 높였다. 강찬재와 최대한 빨리 멀어지려고.

* * *

　세시가 머물고 있는 호텔 객실의 침대에 앉은 채, 이다는 호텔 전화기로 전화를 걸었다. 그리고 전화를 받은 윤 비서에게 자초지종을 설명했다.

　"계속 오해하게 두는 것보단 한 번에 오해 풀고 끝내는 게 윤 비서님한테 좋을 것 같아서요. 혹시 정말로 전화 오면, 집에 가족들하고 같이 있다는 것만 증명하세요. 굳이 펜트하우스로 찾아갈 거 없이. 그렇게만 해도 알아차릴 거예요. 저하고 윤 비서님, 같이 안 있는 거."

　[예……. 그렇게라도 오늘 끝이면 좋겠네요…….]

　윤 비서는 다 죽어 가는 목소리로 소원을 말했다.

　"무슨 문제 생기면, 세시 번호로 연락 줘요. 그럼 이만 끊을게요."

　이다는 간단하게 인사를 마치고서 전화를 끊었다. 그러자 곁에 누워 있던 세시가 입을 열었다.

　"복잡도 하다. 무슨 비서까지 챙겨 가며 판을 벌여?"

　"그러게. 거기 그런 식으로 불똥이 튈 줄 몰랐는데. 뭐 이렇게 변수가 많은 건지."

　이다는 허심탄회하게 한숨을 내쉬었다.

　"야, 나 복잡한 거 질색인데. 그냥 우리 심플하게 가면 안 되나?"

　세시가 몸을 일으키며 골치 아픈 얼굴로 질문을 던졌다.

　"무슨 뜻이야?"

"최혜주 남편이 너 좋다는데. 너도 그 남편 좋잖아. 그럼 심플하게 둘이 좋아 지내면서 평생 살란 말이야."

이다는 눈살을 찌푸렸다.

"너 내 계약 내용 까먹었어?"

"까먹지는 않았지만, 까먹어도 될 것 같은데? 10억 까짓것, 최혜주 남편이랑 평생 살면, 그거 돈도 아니야. 그깟 10억 쿨하게 포기하고, 최혜주 남편 잡아. 이 얼마나 심플한 계획이냐?"

살살 꼬드기는 세시의 목소리에 이다는 가만히 눈을 내리뜨고 생각에 잠겼다. 하지만 침묵은 오래가지 않았다.

"최혜주 남편이 좋아하는 건 내가 아니라 최혜주야. 자기하고 정략결혼 할 만큼, 조건 맞는 최혜주. 입양아긴 해도, 엄연히 최 회장 호적에 올라 있는 최혜주."

"아, 물론 너를 최혜주로 알고 있긴 하지."

세시는 다 이해한다는 듯 고개를 끄덕이며 말을 이었다.

"사실 네가 서이다인 거 알고 만났으면, 네 조건은 서류 심사에서 이미 탈락이었지."

우뚝 고개를 멈추고서 세시는 이다에게 오른팔로 어깨동무를 했다.

"그러니까 면접까지 프리 패스한 최혜주로 살아. 앞으로도 쭉."

"앞으로 쭉?"

"그래, 쭉!"

세시는 바로 그거라는 듯이 왼팔로 무릎을 탁 쳤다. 그러자 이다는 무릎 대신 세시의 이마를 철썩 때렸다.

"쭉 같은 소리 한다, 이 쭉정이 같은 놈아."

순간 어깨동무를 푼 세시는 이마를 문지르며 항의했다.

"아! 아, 왜! 왜 때려? 맞는 말 하는구먼!"

"맞을 말이거든?"

"뭐, 내가 틀린 말 했냐?"

"틀린 말은 아니야. 나쁜 말이지."

이다는 착잡하게 대답하고 몸을 일으켰다.

"최혜주로 계속 사는 게, 더 큰돈, 더 쉽게 만지면서 사는 심플한 계획인 건 맞아."

"맞는데, 왜 때려?"

"근데 그렇게 간단하게 버리라고 할 만큼, 내 이름 가볍게 생각하지 마. 그거 무례하고 나쁜 태도야."

"……."

"나 그렇게 가치 없지 않아."

서이다로 사는 시간 버려 가며, 1년 이상을 최혜주로 살 생각은 추호도 없다.

이다는 스스로 단호하게 생각을 곱씹으며 욕실로 몸을 움직였다.

* * *

새벽 다섯 시. 태강 타워의 승강기에 올라탄 이다는 펜트하우스 층 버튼을 눌렀다. 이어 승강기가 움직이는 사이, 손을 들어 손목에 코를 묻고 냄새를 맡았다. 은근하게 느껴지는 남자 향수 냄새에 이다는 못 미더운 표정을 지었다.

'이왕 할 거 제대로 해. 이거 뿌리고 가.'

호텔에서 출발 직전, 세시는 자신의 향수를 뿌려 주며 한 수 가르치듯 말했다.

'제대로 하라면서 뭘 이렇게 약하게 뿌려? 제대로 안 뿌리고.'
'이런 건 은근해야 제대로 리얼한 거야.'
'제대로 은근하기만 한데?'

그때나 지금이나 향에 대한 이다의 감상은 다르지 않았다.
"대체 이걸 누가 맡을 수나 있겠냐고."
이다는 별 기대 없는 얼굴로 혼잣말했다. 이윽고 승강기의 문이 열렸다.
공항에서 마약 찾는 탐지견이나 맡을 수 있겠지.
생각하며 이다는 승강기를 빠져나왔다. 뚜벅뚜벅 펜트하우스의 현관문에 다다라 비밀번호를 누르려는데, 느닷없이 안에서 문이 열렸다. 이다는 갑작스레 움직이는 문을 피해 반사적으로 뒷걸음을 쳤다. 문을 열어젖힌 찬재가 그녀 앞에 마주 섰다.
"너 제정신이야?!"
찬재는 참아 온 걸 터뜨리듯 크게 소리쳤다. 그러나 이다는 눈 하나 깜짝 않고 되물었다.
"아직 안 잤어?"
이다는 찬재가 뭐라 반응할 새도 없이 곧장 그를 지나쳐 안으로 들어갔다. 찬재의 옷차림은 몇 시간 전 그대로였다.

옷도 안 갈아입고 이 시간까지 왜 깨어 있는 건지.

신경 쓰이는 불편한 마음에 이다는 신발을 벗으며 저도 모르게 미간을 찌푸렸다.

신경 쓰지 말자. 신경 쓰지 마.

다짐하는 이다의 등 뒤에서 문이 닫혔다. 곧이어서 찬재의 손이 이다의 팔을 붙들었다.

"그러는 넌!"

찬재는 이다를 휙 돌려세웠다. 순간 흩날린 머리칼에서 거슬리는 향기가 났다.

"넌 대체 이 시간까지……!"

마주한 채 말을 하다 말고, 찬재는 멈칫 굳었다.

"뭐야, 이거……?"

찬재는 잔뜩 인상을 구기고서 불쑥 이다를 끌어당겼다. 동시에 바짝 다가서며 이다의 목에 얼굴을 내렸다. 거침없는 몸짓으로 하얀 목에 코를 박고, 살결에 묻어 있는 이질적인 향취를 깊이 들이마셨다.

순간 이다는 흠칫했다.

설마 맡았나?

의심하는 찰나 목 위에서 찬재의 입술이 움직였다.

"이게 네가 고른 남자 취향이냐?"

넌 마약 탐지견이냐…….

이다는 속으로 혀를 내둘렀다.

대체 이 희미한 남자 향수 냄새를 어찌 알아챈 건지. 내심 놀라워하는 이다에게 찬재는 고개 들어 코앞에서 뇌까렸다.

"이딴 싸구려 향수 쓰는 놈이 네 취향이냐, 이 말이야."

물론 아니지만, 이다는 눈살을 찌푸리며 대꾸했다.

"맞아, 이게 내 취향이야. 이 향수, 네 취향은 아닌가 본데. 그렇다고 싸구려 취급은 하지 말았으면 해. 너한테나 저렴하지 나한테는 귀한 거니까. 서로 취향 존중하자고."

"너도 내 취향 존중 안 하잖아?"

찬재는 두 손으로 이다의 어깨를 그러쥐었다.

"내 취향은 넌데. 네가 존중 안 하잖아."

"……."

순간 말문이 막힌 이다는 눈을 깜빡였다.

"내 취향 무시하면서, 네 취향은 존중 받길 바라냐?"

이어지는 낮은 뇌까림에 이다는 한숨을 내쉬었다. 찬재는 그 한숨을 무시하듯 행동했다. 별안간 이다의 뒷머리를 감싸고 이다의 목 위로 얼굴을 내렸다. 다시금 냄새를 맡는 숨결에 이다는 머리끝이 쭈뼛했다.

"윤 비서가 아니란 건 잘 알겠어."

목 위에서 찬재의 입술이 움직였다. 움찔, 목에 닿은 자극에서 벗어나려 이다는 찬재의 가슴을 밀어냈다.

"윤 비서가 아니란 것만 알지 말고, 네가 아니란 것도 잘 좀 알고 행동해."

이다는 물러서는 찬재의 눈을 보며 지적했다.

"원치 않는 신체 접촉, 자꾸 하지 말란 얘기야."

"나 지금 내가 아니란 거, 너무 잘 알아서 환장하겠거든?!"

찬재는 매섭게 쏘아보며 언성을 높였다.

"나 더 눈 돌아가기 전에, 너 당장 씻어."

"뭐?"

"딴 놈 냄새 다 씻고 나오라고!"

소리치며 팔을 잡은 찬재가 곧장 이다를 바로 곁의 욕실로 이끌었다. 얼결에 따라가다 말고, 이다는 욕실 문 앞에서 힘껏 팔을 뿌리쳤다.

"나 이미 씻고 왔어. 다시 씻을 필요…….."

"씻었는데 왜 냄새가 나! 그놈 향수로 샤워했냐?!"

찬재는 더 들을 것도 없단 듯이 다시 팔을 잡아 이다를 욕실 안으로 밀어 넣었다. 그러고는 문 앞에 떡 버티고 서서 으름장을 놓았다.

"너 그 냄새 다 빼기 전까지, 욕실에서 한 발짝도 못 나올 줄 알아!"

말을 끝내기 무섭게 찬재는 욕실 문을 쿵 닫아 버렸다.

전혀 다른 향이 나는 샤워 젤과 샴푸로 온몸을 씻어 낸 뒤, 이다는 샤워 가운을 입었다. 잠옷을 못 들고 온 탓에 하는 수 없는 선택이었다.

이만하면 세시의 향수 냄새는 지워졌겠지.

이다는 혹시 몰라 손등을 코에 대고 냄새를 맡았다.

일단 내 코에는 안 나는데……. 혹시 마약 탐지견은 맡을 수 있으려나…….

긴가민가하며 이다는 젖은 머리 위에 수건을 덮었다. 더 자극하지 않고, 더 힘들게 하지 않고. 그저 이 선에서 끝낼 수 있길 바라는 마음으로 이다는 욕실 문을 열었다.

찬재는 문 앞에 없었다. 복도를 가로질러 불 켜진 거실에 다다랐을 때, 찬재는 소파에 앉아 있었다.

"앉아. 얘기 좀 해."

찬재는 제법 차분해진 태도로 이다를 향해 말했다. 소파를 지나치던 이다는 우뚝 멈춰 서서 무심하게 대꾸했다.

"그 사람하고 헤어지란 얘기면, 그냥 하지 마."

"그 얘기 아니니까 앉아."

기다리는 내내 다짐하고 연습한 대로, 찬재는 화를 참아 내며 침착하게 말했다.

"그놈 만나면서 나하고는 어떻게 살지, 합의점을 찾잔 얘기야."

이성적인 목소리에 이다는 고개를 끄덕였다.

"듣던 중 반가운 소리네."

이다는 부러 뻔뻔하게 반응하고 찬재의 옆자리로 향했다. 앞을 지나치는 이다의 모습에 찬재의 시선이 자석처럼 따라붙었다. 샤워 가운 아래로 미끈하게 긴 다리가 사뿐사뿐 우아하게 움직였다.

저 다리로 그 새끼한테 가 버렸는데. 저딴 다리 뭐 좋다고 눈을 떼지 못하는 건지.

찬재는 저 자신이 기가 막혔다. 그러면서도 눈을 떼지 못한 채, 옆에 앉는 이다의 모습을 지켜봤다. 가슴께에 팔짱을 끼는 팔이, 손가락까지 온통 희고 예뻤다.

대체 이런 여자 뭐 예쁘다고……. 왜 다 예뻐 보이는 거야?

이성으로 제어할 수 없는 끌림에 찬재는 정말 환장할 노릇이었다. 반면 이다는 무표정한 얼굴로 입을 열었다.

"시작해."

"뭐?"

"얘기하자며."

이다의 사무적인 목소리에 찬재는 퍼뜩 정신을 차렸다.

"그래, 얘기. 시작해야지."

찬재는 이성을 다잡으며 운을 뗐다.

"그놈이랑 헤어지느니 나랑 별거하겠다고 했지?"

"그래. 우리 피차 이혼은 못 할 사이니까. 어디 유학 갔단 핑계 대고, 별거할 생각이야. 그 사람 못 만나게 하면."

"그럼 만나, 그놈."

찬재는 거리낄 것 없다는 듯 당당하게 이다의 눈을 보며 선언했다.

마음 접고, 쇼윈도 부부로만 살겠다. 이거지?

이다는 그렇게 판단하며 안도했다. 이제 더 상처 주고 밀어낼 필요 없겠거니 싶어서.

그런데 찬재의 말은 거기서 끝이 아니었다.

"그놈 만나고, 나도 만나."

생각지도 못한 말에 이다는 귀를 의심했다.

"뭐?"

"둘 다 만나라고."

찬재는 눈 하나 깜짝 않고 자신만만하게 말했다.

"그놈하고 연애하는 거, 내버려 둘게. 대신 나하고도 연애해 봐."

"무슨…… 설마 지금, 나더러 양다리 걸치라는 얘기야?"

"그래, 양다리."

찬재는 흘끗 이다의 두 다리를 내려다보며 덧붙였다.

"다리 둘 다 멀쩡한데, 못 할 거 없잖아."

"아니, 결론이 왜 그렇게 나?"

이다는 어처구니없어 눈을 커다랗게 뜨고 물었다.

"네가 날 모르니까."

"뭐?"

"모르니까 실수하는 거야, 너."

찬재는 이다의 눈을 똑똑히 바라보며 주장했다.

"나랑 연애하면 알게 될 거야. 내가 얼마나 놓치기 아까운 남잔지."

"……."

"이러다가 나 놓치면, 네가 땅을 치고 후회하게 될 텐데. 그런 일은 없게 해야지."

널 위해서라는 듯이, 찬재는 자신만만하게 장담하고 몸을 일으켰다. 그리고 이다가 무어라고 반응할 새도 없이 이어 말했다.

"나 피곤해. 밤새 너 기다리느라 잠을 못 잤거든. 출근 전에 잠깐 눈 좀 붙일게."

찬재는 불쑥 허리 숙여 이다의 이마 위로 입을 맞추었다. 아주 잠깐 만이었다. 이다가 고작 눈을 한 번 깜빡하는 사이, 찬재는 입맞춤을 끝내고서 휙 돌아섰다.

"너, 대체 무슨……."

황당해하는 이다의 목소리를 뒤로한 채, 찬재는 성큼성큼 침실로 향했다. 이어지는 이다의 목소리가 무슨 말을 하고 있든, 뒤돌아보지 않고 오직 앞만 보고 움직였다.

4장

4장

침실 침대에 누운 찬재는 정말 눈을 감고 잠에 빠져들었다. 그대로 아침 해가 뜰 때까지 몸 한 번 뒤척이지 않았다. 말을 걸어 봐도 답이 없었다.

어떻게 이럴 수가 있는 건지.

이다는 기가 막혀 혀를 내두르며 방을 빠져나왔다.

"일어나셨어요, 사모님?"

때마침 거실을 청소하던 가사 도우미가 이다를 발견하고 인사를 건넸다.

"아, 네."

가볍게 고개 숙여 인사를 전하는데, 뒤에서 문이 열렸다.

"좋은 아침이죠?"

그새 깨어났다기엔 아주 또랑또랑한 목소리였다. 이다는 고개 돌려 등 뒤의 찬재를 흘겨봤다.

"자고 있었던 거, 연기였어?"

이다는 찬재에게만 들리도록 소리 낮춰 질문했다. 찬재는 씩 웃으며 이다의 허리를 끌어안고 눈을 들여다봤다.

"난 당신이 옆에 없으면 잠을 못 자나 봐."

찬재는 누가 듣든 상관없이 당당한 목소리로 말했다.

"당신 나가는 소리에 잠이 확 깼어."

"……."

전혀 믿기지 않는 말이었다. 그런데도 왜 가슴은 믿는 듯이 반응하는 건지.

이다는 두근거리는 가슴에 미간을 찌푸렸다. 그러자 찬재가 고개를 내려 이다의 미간에 짧은 입맞춤을 전했다.

"여보, 좋은 아침이야."

말로 인사하는 동시에 찬재는 이다의 어깨를 감싸 안았다.

뭐가 좋냐, 대체…….

몸을 꽉 조여 오는 힘을 느끼면서 이다는 소리 없는 한숨을 내쉬었다.

침실 침대에 앉은 이다는 휴대 전화를 귀에 댄 채 질문을 터뜨렸다.

"대체 어떤 정신이면, 그런 양다리 제안을 해?"

[어떤 정신이긴, 네가 빼놓은 정신이지.]

수화기 너머에서 세시의 답변이 돌아왔다.

[네가 정신 빠지게 만들었잖아.]

"아니, 내가 딴 남자 있다는데. 정이 떨어지고 정신이 빠져야지. 왜 정은 그대로고 정신만 빠져?"

[글쎄, 나는 그 정도로 누굴 사랑해 본 적이 없으니까. 그놈한테 물어봐야겠지? 대체 얼마나 사랑하면 그런 제안이 가능한지.]

"이게 사랑이냐? 미친 거지."

[넌 사랑을 나만큼도 몰라.]

"근데 너 왜 그놈이라고 해? 하지 마, 욕하는 거 같잖아."

이다의 지적에 세시는 혀를 찼다.

[야, 진짜 네 남편도 아닌데. 까짓 욕 좀 하면 어때? 얘도 살살 정신이 빠져 가고 있네.]

"안 빠지게 생겼어?"

이다는 정색하고 대꾸했다. 그리고 꾹 닫힌 문을 향해 시선을 옮겼다. 언제라도 열릴 것 같은 문을 예의 주시하며, 의미심장하게 다짐을 내뱉었다.

"더 빠지기 전에, 빨리 끝을 봐야겠어."

"별거? 별 거지 같은 소릴 다 듣네. 내가 그걸 왜 해? 잠깐 떨어져 있기도 싫은 여자랑."

뒷좌석에 앉은 찬재의 혼잣말에 태건은 당황해 핸들을 놓칠 뻔했다. 그 바람에 잠시 차가 좌우로 흔들렸다.

"왜 이래?"

"웬 차가, 깜빡이도 안 켜고 훅 밀고 들어와서요."

태건은 백미러로 찬재를 찌릿 쳐다보며 대답했다.

"그거 내 얘기지?"

"뭐가요? 깜빡이 안 켜고 훅 들어온 거요?"

"그래, 그거."

"알긴 아시네요."

태건은 못 말린다는 투로 고개를 절레절레 저었다.

"아니라고 부정할 때가 엊그젠데, 무슨 동전 뒤집듯이 태도가 이렇게나 돌변합니까? 아니, 혹시 영혼이 바뀌셨어요? 누구 딴사람 빙의 됐나?"

"벼락 맞고 정신 나간 수준이지. 나도 알아."

찬재는 선뜻 고개를 끄덕였다.

"벼락 같은 여자라고 그렇게 이를 가시더니. 거참, 전기 충격이 무섭긴 무섭네요. 저렇게 계속 벼락 맞다 눈 맞겠다, 예상하긴 했지만요. 이렇게 아예 사람이 바뀔 줄은 정말 몰랐습니다. 이사님, 전에 연애할 땐 이런 적 없잖아요?"

"몰라. 기억 안 나."

찬재는 무신경하게 대답하며 창밖으로 고개를 돌렸다.

"내 머리는 지금, 과거 기억하고 있을 여유 없어. 그 여자하고 지금, 어떻게 연애해야 할지. 뇌 주름에 땀나도록 그 생각만 하고, 또 하고 있다고."

말처럼 집요하게 한 가지만 생각하느라고, 찬재는 아예 눈을 감아 버렸다.

　　　　　　　　　　　＊　＊　＊

　펜트하우스를 빠져나온 이다는 윤 비서와 함께 승강기에 올라탔
다. 둘뿐인 승강기의 문이 닫히자, 이다의 입이 열렸다.

　"최혜주, 찾고 있긴 해요?"

　"예?"

　"진짜 최혜주, 1년 안에 데려다 놓을 생각, 있긴 하냐고요."

　"갑자기 그게 무슨……."

　"언제든 최혜주가 돌아와서 자기 자리 되찾으면, 난 서이다로 돌
아가서 내 인생 살 수 있는 거잖아요. 당장 내일이라도, 최혜주가
돌아오면 내 역할은 끝나는 거 아닌가요?"

　"그건……."

　윤 비서는 곤란한 표정으로 눈을 내리뜨고 눈동자를 굴렸다. 그
리고 잠시 자신이 알고 있는 정보를 되새겨 본 뒤, 조심스레 입을
열었다.

　"그건 아닙니다. 최혜주 씨가 돌아오든 안 돌아오든, 서이다 씨
가 최혜주 씨로 살아야 할 기간은 1년입니다."

　예상과 다른 대답에 이다는 미간을 좁혔다.

　"왜죠?"

　"혜주 씨는 이 결혼, 못 한다고 떠난 사람입니다. 다시 돌아온다
해도, 결혼 생활은 거부할 가능성이 높습니다. 설령 혜주 씨가 결
혼 생활을 받아들인다고 해도, 최 회장님이 거부할 겁니다. 이건

위험 부담이 너무 크거든요."

"위험 부담?"

"진짜 최혜주 씨로 바꿔치기할 경우, 강찬재 씨가 알아차릴 확률 말입니다. 그게 위험 부담이죠."

이다는 잠시 생각에 잠겼다가 입을 열었다.

"그럼 굳이 1년인 이유는 뭐죠?"

"예?"

"내가 최혜주로 살아야 하는 시간, 1년이 아니라 2년, 3년쯤이어도 상관없잖아요. 들키지만 않으면. 사실 내가 최 회장이라면, 나한테 평생 최혜주 역할 해 주기를 바랄 것 같거든요. 물론 그걸 내가 받아들이지는 않겠지만. 어쨌든 최 회장 입장에선 이 결혼, 이왕이면 평생 유지되는 게 이득일 텐데. 왜 처음부터 저한테 1년만 요구했던 거죠?"

"그야⋯⋯."

그때, 승강기의 문이 열렸다. 이어 승강기로 사람들이 들어오는 바람에 윤 비서는 입을 다물었다.

지하 주차장에 도착할 때까지 윤 비서의 침묵은 계속되었다.

이다가 윤 비서의 차 뒷좌석에 올라탔을 때, 윤 비서는 마침내 입을 열었다.

"최 회장님은 언제 들킬지 모르는 불안 요소를 평생 안고 사는 거, 애초에 싫다고 하셨습니다. 다만 이 결혼으로 얻을 수 있는 회사의 이익이, 지금으로서는 절대 포기할 수 없는 이익이라, 가짜 최혜주라는 불안 요소를 감수하신 겁니다. 적어도 1년은, 그 이익에 매달려야 하는 상황이니까요."

"그 1년만 끝나면, 불안 요소를 감수할 필요가 없어진다. 그 얘기죠?"

"예."

"계산기를 참 깔끔하게 두드리셨네요, 그 회장님. 군더더기 없이, 딱 자기가 원하는 걸 안전하게 얻을 만큼만."

이다는 가볍게 고개를 끄덕거리면서 말했다.

그래. 너무 많은 걸 원하다간 탈이 날 수 있지.

최 회장이 현명한 거라 판단하며, 이다는 자기 자신에게 강조했다.

너도 너무 많은 걸 원할 생각, 절대 하지 말라고.

윤 비서와 최혜주의 단골 에스테틱에 도착한 이다는 혼자 관리실로 들어섰다. 관리실의 가운을 입고 마사지 침대에 누운 이다는 눈을 감았다. 이대로 남의 손에 얼굴을 맡긴 채로 잠이 드는 일은, 최혜주로서 해야 하는 일 중 가장 쉬운 일이었다. 바로 며칠 전까지만 해도 전혀 어려울 게 없었다. 하지만 오늘은 관리를 받는 내내 통 잠을 이룰 수가 없었다. 머릿속에서 강찬재가 떠나지 않고 난동을 부려 대는 탓이었다.

마침내 관리를 마치고서 옷을 갈아입은 다음, 이다는 가방을 꺼내 휴대 전화를 확인했다. 관리 전 보내 놓은 메시지에 대한 세시의 답장이 와 있었다.

[1년 만기 적금이네. 최혜주가 돌아오든 말든, 1년 채워야만 10억 탈 수 있는 적금.]

적금이라…….

이다는 씁쓸해지는 입맛을 느꼈다. 강찬재의 마음을 받아들일 수도 없으면서, 함께 1년을 꼬박 채워 살아야 한다니.

무거운 마음에 인상을 쓴 채 윤 비서에게 전화를 걸었다.

"관리 지금 끝났어요."

[주차장에서 대기 중입니다.]

"그래요? 알았어요. 바로 내려갈게요."

이다는 가방에 휴대 전화를 집어넣고 관리실을 빠져나갔다. 조용한 복도를 지나 로비에 도착하자, 데스크에서 그녀를 본 직원이 몸을 일으켰다.

"저기 테이블에 차 준비돼 있어요. 최혜주 님."

"차요?"

이다는 뜬금없이 무슨 소리인가 싶어 직원을 쳐다봤다. 직원은 방긋 웃는 얼굴로 대답했다.

"저희가 준비한 건 아니고요."

"내가 준비했어."

등 뒤에서 들려오는 목소리에 이다는 뒤를 돌아봤다. 그러자 로비의 소파에 앉아 있는 찬재가 보였다. 양손에 하나씩 쥔 테이크아웃 컵을 눈높이로 들어 보이며, 자신만만한 눈빛으로 씩 웃는 찬재가.

이 시간에, 이 장소에, 이 사람이 왜 있는 거지?

이다는 당혹감을 애써 떨치면서 찬재에게 미소를 지었다.

"여보, 이 시간에 웬일이야?"

이다의 질문에 찬재는 몸을 일으키며 입을 열었다.

"오늘 외부에서 미팅이 있었는데. 장소가 여기서 멀길래, 근처로 바꿨어. 일 끝나고 당신 만나 차 한잔하려고."

"장소가 여기서 가깝길래 잠깐 들른 거 아니고? 보통 그렇잖아."

이다는 웃는 얼굴로 뼈 있는 농담을 던졌다.

보통 그렇잖아, 보통……. 이 보통이 아닌 인간아.

속으로 덧붙이는 사이, 찬재가 이다의 앞에 다다랐다.

"보통이야 그렇지. 근데 우리 사이가 어디 보통 사이인가?"

찬재는 이다에게 차 한 잔을 건넸다.

"여보, 우린 부부 사이잖아."

강조하듯 말을 마친 찬재의 입술이 여유로운 미소를 그렸다.

"그렇지, 참."

이다는 차를 받아 쥐며 다정한 목소리를 냈다. 등 뒤의 직원뿐 아니라 복도에도 직원이 나타났기 때문에.

"잠깐 앉아서 차 한 잔만 해."

찬재는 넌지시 이다의 팔을 그러잡고 소파로 이끌었다. 그러나 이다는 곤란한 표정으로 버티고 섰다.

"어쩌지? 밑에 윤 비서 대기하고 했는데. 차는 여기서 말고, 내려가서 마시는 게 좋겠어."

"아, 그래? 그럼 잠시만."

찬재는 알았다는 듯이 이다에게서 손을 놓았다. 그러더니 휴대 전화를 꺼내 전화를 걸었다. 상대가 전화를 받자마자 찬재는 입을 열었다.

"내가 지금 내 아내하고 같이 있어. 거기서 한 10분만 더 기다려, 윤 비서."

용건을 마친 찬재는 전화를 끊었다. 그리고 이다에게로 말을 건넸다.

"여보, 윤 비서는 기다릴 거야. 그동안 난 여기서 당신하고 차를 마실 거고."

자연스러운 정리에 이다는 어이가 없었지만, 구태여 부자연스러운 반발을 하지 않았다.

까짓 10분, 차 한 잔. 못 할 거야 없지. 겨우 차 한 잔 마시는 동안, 뭐 대단한 일을 벌일 수나 있겠어?

괜한 긴장을 하지 않으려고 이다는 가볍게 여기면서 고개를 끄덕였다.

"그래, 그럼."

이다의 대답에 찬재는 다시 이다의 팔을 그러잡고 소파로 향했다. 두 사람이 소파에 나란히 앉자, 지켜보고 있던 데스크의 직원도 훈훈한 미소를 띤 채 자리에 앉았다. 찬재는 이다를 향해 몸을 돌려 앉고 얼굴을 바라봤다.

"안색이 훨씬 좋아졌네. 아침에 볼 때보다."

이다는 흘끗 벽시계를 확인했다. 지금부터 10분. 그렇게 생각하며 이다는 찬재와 눈을 마주쳤다.

"밤에 잠 못 자고 무리를 했었는데. 여기 와서 한잠 잤더니 그런가 봐."

네 옆에 없던 밤사이에 잠 못 자고 무리를 했다고. 이다는 일부러 오해할 말을 던졌다. 그러자 찬재는 크게 실망하는 표정을 지었다.

"사랑 받고 사는 사람은 얼굴에서 티가 난다는데. 당신 밤에 무리만 느끼고, 사랑은 못 느꼈나?"

딴 놈 옆에 있는 동안 말이지.

그렇게 말하는 듯한 눈빛에 이다는 잠시 말문이 막혔다. 하지만 이내 억지로 입을 열었다.

"그럴 리가."

"아니긴. 앞으로는 내가 제대로 할게. 무리하는 기분보다 사랑이 더 크게 느껴져야지."

찬재는 장담하고서 이다의 눈 밑에 손을 가져다 댔다.

"여기 눈썹 떨어졌다."

눈 밑을 빤히 보며 손끝으로 살짝 건드렸다. 살짝 스치는 손길이 왜 자극처럼 느껴지는지. 별것 아닌 행동에 이다는 이상하게 낯이 간지러웠다.

"여보, 오늘 수업은 어땠어?"

"수업?"

"매일 오전엔 격투기 수업 있잖아. 오늘도 잘 받았어?"

"아, 그거. 당연히 잘 받았지."

"어때? 스트레스 많이 풀려?"

사소한 구석까지 온 관심을 기울이듯이, 찬재는 열렬한 눈빛으로 물었다.

"응."

이다는 시선을 피하면서 차를 홀짝였다. 별것 아닌 질문인데, 곤란한 기분이 들었다.

"시간 되면 나도 같이 받아 볼까?"

"당신하곤 시간 안 맞아. 지금 트레이너는 오전밖에 시간 안 되는데, 당신은 저녁이나 돼야 시간 나잖아."

"다른 트레이너로 바꾸면 되지. 저녁에 시간 되는 트레이너로."

"난 지금 트레이너가 좋아. 바꿀 생각 없어."

이다는 부러 묘한 뉘앙스로 말했다. 그리고 찬재의 눈을 보며 단호하게 덧붙였다.

"다른 트레이너 필요 없어. 낮에 시간 되는 남자, 그게 매력이거든. 난 지금 트레이너만 있으면 돼."

단순히 트레이너 얘기가 아니었다. 남자로서 네가 필요 없단 얘기를 암시하는 터였다. 그러나 찬재는 마치 못 알아들은 듯이 활짝 웃었다.

"그럼 트레이너 안 바꾸고, 내 매력을 추가해야겠네. 낮에 시간 되는 남자, 되도록 노력해 볼게."

"아니, 당신한테까지 그걸 원하는 건 아니야. 당신은 낮에 할 일 많잖아. 괜히 나 때문에 무리하지 마."

"매일은 무리겠지만, 가끔은 무리 아니야. 그러니까 시간 낼 수 있을 때마다 당신 보러 갈게. 당신 어디 있든, 지금처럼."

"그러지 말라니까?"

이다는 어째 궁지에 몰린 듯한 기분이 들어 미간을 찡그리며 반발했다. 그런데 찬재는 아무렇지 않게 손목시계를 확인했다.

"이런, 10분 다 됐네."

찬재는 아쉬운 표정으로 몸을 일으켰다.

"그만 들어가 봐야 해. 당신도 가야지?"

찬재는 이다에게로 손을 내밀었다.

"윤 비서 있는 데까지 바래다줄게. 그래야 조금이라도 늦게 헤어질 수 있으니까."

찬재가 어서 잡으라는 듯 손을 흔들었다. 보는 눈도 있고 해서,

이다는 일단 자연스레 찬재의 손을 잡고 일어섰다.

승강기의 문이 닫히자 이다는 차가워진 눈빛으로 찬재를 쏘아봤다.

"난 너한테 양다리 걸칠 생각, 전혀 없다고 했을 텐데?"

"내일 시간 어때?"

찬재는 태연하게 이다의 눈을 보며 되물었다.

"지금 내 말 무시하는 거야?"

"내가 내일 낮에 시간 낼게. 약속 잡아 봐."

"내일 낮에 그 사람 만날 거야."

"그래, 그러자는 얘기야."

"뭐?"

"셋이 만나. 내일 낮에."

이다는 순간 머릿속이 얼얼해졌다. 찬재는 자신하는 얼굴로 다시 입술을 움직였다.

"그 남자랑 나, 네 앞에 나란히 놓고 비교해 봐."

아니, 물론 만나게 할 생각이었다. 우연인 척 마주치는 방식으로, 오늘 세시를 만나 구체적인 계획을 짤 예정이었다.

그런데 이런 식으로, 강찬재가 만남을 주도하다니.

이다는 기가 막혀 절레절레 고개를 내저었다.

"너 지금 제정신 아니야."

이다가 내린 진단에 찬재는 흡족한 듯 미소를 지었다.

"너 공평한 거 좋아하잖아. 상상 초월, 상식 파괴. 혼자 하게 안 두려고."

찬재의 말이 끝나는 찰나, 승강기의 문이 열렸다. 찬재는 곧장 이다를 이끌고 승강기를 빠져나갔다.

* * *

호텔 객실 침대에 누운 채로 이다의 얘기를 듣고 있던 세시는 감탄을 터뜨렸다.

"뭐냐, 둘이? 겁나 잘 어울리네."

이다는 침대 곁의 의자에서 인상을 찌푸렸다.

"지금 그런 말이 나올 때냐?"

"여름 대낮은 덥단 말 나올 때고, 겨울 깊은 밤은 춥단 말 나올 때고, 서이다 인생에 천생연분 나타나면 그런 말이 나올 때지."

"뭐가 천생연분이야?"

"네 철벽에 지지 않고 망치질하는 남자. 그게 천생연분이라오. 너 하는 짓 감당 안 될 짓인데. 그 남자는 그걸 다 감당하고 있잖아? 야, 그런 남자가 세상에 또 어디 있을 것 같냐?"

"그건 더 살아 봐야 알 일이고."

이다는 딱 잘라 대꾸하고 본론으로 돌아갔다.

"지금은 내일 어쩔 건지. 그걸 알아야 할 때거든?"

"내일? 아! 강찬재 만났을 때?"

"그래. 그때 어떤 식으로 연기할지. 컨셉 제대로 잡아. 실패할 일 없게."

"강찬재 망치질 끝나게 할 컨셉이라⋯⋯."

세시는 천장을 응시하며 곰곰 생각에 빠져들었다. 그러다 얼마 안 가 뭔가 떠오른 듯 두 손가락을 튕겼다.

"그렇게 자신감 쩌는 남자가 나가떨어지게 하는 컨셉이 있지."

의자에서 이다는 허리 숙여 두 팔을 무릎에 포개어 얹었다. 그리고 귀를 기울이며 세시의 다음 말을 기다렸다. 세시는 몸을 일으켜 앉고 헛기침을 했다. 이어서 뻐기는 듯한 목소리가 흘러나왔다.

"너는 그냥 지금 컨셉 유지만 해. 내가 좋아 죽겠어서 남편이고 나발이고 눈에 보이는 거 없는 컨셉."

"그럼 너는?"

"나는 강찬재 자신감을 자괴감으로 바꿀 컨셉이지."

세시는 이미 다 이룬 거나 다름없다는 양 우쭐한 표정이었다.

"자괴감에 빠진 강찬재가 저절로, 스스로 널 포기하게 해 준다, 내가."

세시의 자신감에 이다는 어째 불안해진 눈빛으로 입을 열었다.

"너 설마……. 내 매력 앞에 강찬재를 무릎 꿇게 해 주겠어……. 나한테 질 거 뻔해지면, 스스로 물러나겠지. 대충 그런 생각이면, 미리 말해. 내가 말려야 돼."

"왜 말려?"

"직접 보면 알게 될걸."

이다가 착잡한 듯 대답하자 세시는 고개를 갸웃거렸다.

"보면 알게 될 테니까, 설명은 생략하자. 어쨌든 그런 생각이면 생각 바꿔. 실패 확률 100%야."

"야, 아니거든? 어차피 그럴 생각 아니었거든?"

"그럼 어쩔 생각이었는데?"

"그런 생각의 정반대인 생각."

세시는 검지를 세워 보이면서 의미심장하게 대답했다.

* * *

펜트하우스에서의 저녁 식사는 평상시와 다를 것이 없었다. 최소한 가사 도우미들의 눈에는 그러했다. 마주 앉은 부부는 서로에게 다정했고, 대화는 화기애애했다. 둘 중 한 사람의 행동만은 진심이란 큰 변화를, 가사 도우미들은 알아챌 수 없었다.

"아까 낮에 헤어지고 나서부터 계속 바빴어. 당신한테 전화 한 번 못 해 보고 일만 했지 뭐야."

찬재는 애석하단 투로 고개를 절레절레 젓고 말을 이었다.

"당신은 오늘 어땠어?"

"나야 늘 똑같지."

"똑같을 수 없을 텐데? 당신 매일 같은 시간에, 같은 메뉴 먹는 거 아니잖아."

"뭐, 그런 사소한 거야 다르겠지만."

"나는 그런 사소한 것까지 다 알고 싶은 거야."

무슨 숨겨 놓은 보물의 위치라도 묻는 것처럼 찬재는 눈을 반짝였다.

"비밀 없는 여자는 매력 없어."

이다는 살짝 웃는 얼굴로 농담하듯 말했다.

"너무 다 알려고 들지 마. 그러다 금방 질려."

덧붙이자 찬재는 재미있단 눈빛으로 픽 웃었다.

이 여자 이렇게 받아치는 거, 전엔 못 이겨서 안달이었는데. 이젠 못 들을까 안달이니, 원.

제 마음이 우습고도 신기했다.

"여보, 부부 사이에선 그런 걱정 안 해도 돼. 나 당신 남편이잖아. 남편은 다른 남자들하고 달라."

마음 편히 가지라는 듯이, 찬재는 부드럽게 안심시키려는 목소리로 말했다.

"남들한텐 보여 줄 수 없던 거, 다 보이면서 살아. 당신 어떻게 변해도, 내가 당신 편인 건 안 변할 테니까."

변하는 데도 정도가 있지.

최혜주가 서이다로, 아예 정체가 변하는 건 상상도 못 하잖아, 너.

이다는 목에 얹힌 가시 같은 비밀에 속이 불편해졌다.

"그래도 난 비밀 있는 여자로 남고 싶어. 다 보여 주고, 더 이상 알고 싶은 게 없는 여잔 되고 싶지 않아."

이 비밀을 털어놓을 생각 전혀 없으니까.

이다는 진심을 담아 찬재의 눈을 보며 분명하게 말했다.

"당신이 그러고 싶으면, 그렇게 해."

찬재는 아무렇지 않은 얼굴로 미소를 지어 보였다.

"그게 가장 당신다운 선택이라면, 내가 존중할게. 이제 당신 옆에 늘 내가 있을 텐데. 당신답지 않게 살아 달라 강요하고 싶지 않아. 나는 당신 그냥 그대로 받아들일게. 당신은 당신 좋을 대로 살아."

못 해 줄 게 없단 듯이 흔쾌한 태도였다. 이다는 더없이 무거워지는 마음에 눈을 내리떴다. 일부러 밥 한술을 입에 밀어 넣고, 천천히 씹으면서 침묵했다.

　식사 후 가사 도우미들이 뒷정리를 하는 동안, 이다는 바깥 욕실에서 샤워를 했다. 샤워를 마친 뒤엔 미리 준비해 온 잠옷을 입었다. 그런 다음 이다는 욕실을 나서지 않고 잠자코 양변기에 앉아 바깥 소리에 귀를 기울였다.

　얼마 후, 가사 도우미들이 퇴근하는 문소리가 들려왔다. 이다는 그제야 마음 편히 몸을 일으키고 욕실을 빠져나갔다.

　샤워 후엔 샤워 가운 한 장 걸치는 게 최고로 편한 차림인데. 강찬재만 집에 없으면, 딱 샤워 가운만 걸칠 텐데.

　어쩌다 강찬재를 이렇게 의식하게 됐는지.

　이다는 꼭꼭 잠가 놓은 잠옷 단추들을 착잡하게 확인하며 침실로 걸어갔다. 복도를 가로질러 주방을 지나치는데, 주방에서 인기척이 났다.

　"여보, 맥주하고 커피 중에 뭐가 좋아?"

　멈칫 서서 고개를 돌리자 찬재가 보였다. 찬재는 냉장고 앞에 선 채 이다를 향해 다시 말을 걸었다.

　"맥주면 안주 준비하고, 커피면 디저트 준비하고. 뭐가 좋아?"

　"아무것도 필요 없어."

　이다는 무뚝뚝하게 대꾸하고 침실로 발걸음을 재촉했다. 그리고 침실에 도착하자마자 침대에 앉아 TV를 틀었다.

　강찬재에 신경 쓰지 말아야지.

　작정하며 이다는 드라마에 온 신경을 집중했다.

잠시 후, 찬재가 문을 열고 침대로 다가왔다.

"이건 필요할 거야, 여보."

찬재는 이다의 옆에 앉으며 물컵을 내밀었다.

"물 없이는 못 살잖아, 어떤 사람이든."

넉살 좋게 이유를 갖다 붙이고서 찬재는 이다의 손에 컵이 닿게 했다.

"나 지금 당장 물 없다고 안 죽어. 필요 없으니까 너나 마셔."

이다는 찬재를 쳐다도 보지 않고 차갑게 말했다.

[당신, 그러고도 사람이야?!]

순간 난데없는 비난이 들려왔다. 이다는 반사적으로 소리가 난 쪽을 향해 시선을 옮겼다. 시선이 닿은 곳은 TV였다. TV에서 드라마의 여자 주인공이 누군가를 쏘아붙이고 있었다.

[사람의 탈을 쓰고, 어떻게 그런 짓을 할 수 있어?!]

여자는 악에 받쳐 소리쳤다. 오뉴월에 서리를 내릴 것만 같은 무시무시한 얼굴로.

"뭐야? 뭔데 저래?"

대체 뭔 일인데 저러는지.

이다는 궁금증에 무심코 혼잣말을 내뱉었다. 그러자 찬재는 대수롭지 않은 투로 대답했다.

"바람피운 거지, 뭐."

"바람?"

이다는 뜻밖이란 눈빛으로 찬재를 봤다. 그때 TV에서 여자의 목소리가 났다.

[다른 사람도 아니고, 어떻게, 어떻게 내 친구하고 바람이 나?!]

"거봐. 바람이라니까."

찬재는 의기양양해진 눈빛으로 피식 웃었다. TV 속의 여자가 자기 앞에 놓여 있던 물컵을 쥐고 남자의 얼굴에 물을 끼얹었다. 촤악, 퍼부어지는 물세례에 이다는 흠칫했다. 남자는 홀딱 젖어 일그러진 얼굴을 손으로 닦아 냈다. 그 모습에 이다는 찬재가 들고 있는 물컵으로 시선을 옮겼다. 찬물이 가득 담긴 물컵이 아직 이다의 손 앞에 내밀어져 있었다. 이다는 슬쩍 찬재의 손에서 물컵을 받아 쥐었다. 그리고 벌컥벌컥 물을 마셔 컵을 비웠다.

"그나마 다행이네. 넌 내 친구하고 바람난 건 아니라서."

찬재는 해탈한 듯 다 내려놓은 마음으로 평가했다.

신경 쓰지 말자. 신경 쓰지 마라.

정신을 다잡으며 이다는 머리 위에 컵을 뒤집어 들고 탁탁 털었다. 싹 비운 컵에서 떨어지는 물방울은 거의 없었다. 덕분에 안심하고 손을 내리는데, 찬재의 손이 자연스레 컵을 가져갔다. 빈 컵은 침대 옆 탁자 위로 옮겨졌다.

"근데 저 여자는 물만 끼얹고 끝낼 건가? 보통 안 그러는데."

찬재는 그럴 리가 없지 하는 눈빛으로 TV를 바라봤다. 그러자 마치 그 말을 들은 듯이, 여자의 손이 남자의 뺨을 후려쳤다.

"그렇지. 저게 기본이지."

당연하단 투로 찬재는 고개를 끄덕끄덕했다.

"요즘이 어떤 세상인데. 저 정도도 안 해 주면 시청률 암전이지."

이다는 어째 얼얼하게 느껴지는 뺨을 만져 보며 슬그머니 질문을 흘렸다.

"요즘이 어떤 세상인데⋯⋯?"

"요즘 세상? 사실 저거 가지고도 안 될 세상이지."

찬재는 가슴께에 팔짱을 끼고 설명을 이었다.

"뺨 치는 데 손만 써 가지곤 이제 시청자 관심 못 끌어. 김치나 파스타쯤은 써 줘야지."

"뭐……?"

이다는 귀를 의심하고 찬재에게 빤히 시선을 집중했다.

"김치 싸대기, 파스타 싸대기. 둘 다 장안의 화제였잖아."

"진짜 그런 장면이 있었다는 얘기야?"

"당연히 있었지. 넌 전혀 몰랐던 모양이네."

"아니, 대체 김치나 파스타로 뺨을 어떻게 쳐?"

도무지 상상이 가지 않아 이다는 눈을 동그랗게 뜨고 찬재의 대답만 기다렸다.

"그건…….."

반짝이는 눈동자를 마주하자 찬재는 쿵쿵 심장 박동이 빨라졌다.

무관심하게 밀어낼 때조차 예쁜 얼굴이, 지금은 정말 말도 안 되게 더, 더 예뻐 보였다.

"그건 눈으로 직접 봐야 이해하기 쉬워."

찬재는 더 가까이에 다가갈 작정으로 휴대 전화를 꺼내 들었다. 그리고 휴대 전화 앱을 실행시켜 원하는 드라마의 동영상을 검색했다. 잠시 만에 찬재는 이다의 앞에 휴대 전화를 들이밀었다.

"자, 이걸로 봐."

찾아낸 동영상을 재생하고서 찬재는 자연스레 이다의 옆으로 한 뺨쯤 가까이 몸을 움직여 앉았다.

"이게 사람들이 김치 싸대기라고 부르는 장면이야."

찬재의 설명에 이다는 휴대 전화 액정 화면을 주시했다. 그러자 동영상 속 여자가 김치 한 포기를 손에 쥐어 들었다.

[넌 사람도 아니야! 이 나쁜 자식아!]

여자는 마주 선 남자에게 고래고래 소리쳤다. 곧이어 여자는 남자의 뺨을 향해 김치를 휘둘렀다.

철썩!

김치가 남자의 뺨에 부딪히고 붉은 김치 국물이 사방으로 튀었다.

"뭐, 뭐야, 왜 이래?"

이다는 당황해 눈을 깜빡이다 찬재를 봤다.

"이 여자 왜 이러는 건데?"

"저 남자가 남편인데, 바람피웠어."

"그렇다고 김치로 쳐? 차라리 주먹으로 치지, 저게 뭐야? 으…….."

이다는 김치 국물로 범벅이 된 남자의 얼굴을 바라보며 고개를 절레절레 저었다.

"이렇게 기상천외하니까, 사람들 입에 오르내리고 유명해졌지."

찬재는 슬쩍 이다와의 간격을 좁혀 앉으면서 설명했다.

"설마 파스타도 저렇게 손에 쥐고 후려치는 거야?"

"보면 알아. 내가 틀어 줄게."

찬재는 금세 휴대 전화로 새로운 동영상을 재생했다. 이다는 또 무슨 해괴한 상황이 벌어질지, 궁금하고 기대되는 마음으로 화면을 주시했다. 찬재가 얼마나 가까이에 와 있는지는 눈치채지 못한 채로.

동영상 속에서는 모락모락 김이 나는 파스타가 먹음직하게 그릇에 담겨 있었다. 이다는 맛있겠단 생각에 입맛을 다셨다. 그런데 동영상 속 여자가 파스타를 그릇째 들어 올렸다.

[당신, 부숴 버릴 거야.]

이를 갈며 표독스럽게 선언한 뒤, 여자는 남자의 옆얼굴에 힘껏 파스타를 끼얹었다.

순간 이다는 헉하고 숨을 들이마셨다.

"이, 이건 너무 심한데?"

이다는 정말 충격 받은 눈으로 찬재를 봤다. 어느 틈에 또 움직였던 건지, 찬재는 어깨가 닿을 만큼 가까이 밀착해 있었다. 그러나 이다는 알아차릴 경황이 없었다.

"저렇게 뜨거운 걸 얼굴에 막 뿌리면 어떡해? 위험하잖아?"

"저게 뭐가 위험해? 그냥 촬영이잖아. 실제 상황도 아닌데, 뭘."

"아니, 진짜로 얼굴에 맞았잖아!"

"다른 드라마에서 칼 찔리고, 총 맞는 거 볼 땐 아무렇지 않더니. 왜 이렇게 놀라?"

"칼 찔리고 총 맞는 건 화면에 제대로 나온 적 없어! 대충 시늉만 하지. 근데 방금 그건, 진짜 제대로 얼굴에 끼얹는 거, 다 보였어! 너도 봤잖아. 저 뜨거운 걸, 진짜로 끼얹는 게 다 보였잖아?"

이다는 어떻게 그럴 수가 있냐는 듯 심각하게 정색을 했다.

넌 어떻게 귀엽기까지 할 수가 있냐…….

묻고 싶은 마음이 굴뚝이었지만, 찬재는 참고 헛기침을 했다. 그리고 이다를 안심시킬 만한 설명을 시작했다.

"보통 저런 경우에는 진짜로 뜨거운 파스타를 촬영한 다음, 일단 촬영 끊어. 그리고 따로 준비해 둔 식은 파스타를 들고 다시 촬영하지. 던지기 전 파스타는 뜨거운 거, 던질 때 파스타는 다 식은 거. 그렇게 따로따로 촬영해도, 연결해서 편집하면 감쪽같거든."

진지하게 설명을 듣던 이다는 반색하며 한결 편안해진 목소리를 냈다.

"아, 그래도 되는 건가?"

"너 말이야. 소싯적에 프랑스 시집 읽느라고 드라마 한참 등한시 했던 모양인데."

찬재는 더 심오한 설명을 늘어놓을 듯이 목소리를 깔았다. 그리고 자연스레 이다의 어깨에 팔을 올리고서 서로 얼굴이 가까워지게 했다.

"드라마는 보이는 모습만 갖고 판단하면 안 돼. 보기에는 단순한 장면 같아도, 촬영에는 복잡한 과정이 들어가거든."

"알아. 촬영할 때, 보는 것보다 시간 많이 들어가는 거."

"이건 모를걸?"

찬재는 휴대 전화를 쥔 손의 엄지를 움직였다. 엄지가 휴대 전화의 액정 화면 위를 툭툭 능숙하게 건드리고 나자, 동영상이 재생되었다.

조금 전 파스타를 내던졌던 여자 주인공이 다시 등장했지만, 이번에는 침착하게 카페에 앉아 있는 모습이었다. 그렇게 같은 드라마의 다른 장면을 틀어 놓은 채, 찬재는 다시 입을 열었다.

"이건 아주 일상적인 장면이야. 아무 사건도 벌어지지 않고, 그냥 차 마시면서 얘기하는 장면이라, 촬영하기 가장 단순하지."

"그러네. 별거 없네."

이다는 시큰둥해진 눈빛으로 반응했다.

"그래도 한국말은 끝까지 들어 봐야지?"

잘 들어 보라는 투로 찬재는 지그시 어깨 끝을 그러쥐었다.

"저 별거 없는 장면 하나 만드는 데, 배우는 같은 연기를 최소 네 번 반복해야 해. NG 없이 간다 해도, 최소 네 번이라고."

"네 번?"

"잘 봐 봐."

찬재는 턱짓으로 액정 화면을 가리켰다. 동시에 손가락으로 같은 장면을 다시 틀었다. 그를 따라 이다는 동영상을 빤히 지켜봤다.

"이 여자는 그냥 앉아서 말만 하고 있는데, 카메라 각도는 네 번 바뀌지. 여자 정면 가까이서 한 번, 멀리서도 한 번, 거기다 옆모습에 뒷모습까지. 이거 다 따로따로 찍어서 한 장면으로 섞어 편집하는 거야. 그러니까 한 장면 연출하는 데, 카메라는 네 번이나 자리 바꿔 가며 촬영하는 거야. 배우는 같은 연기 네 번 반복하고."

"되게 번거롭네. 그냥 한 번 연기할 때, 네 군데에 카메라 놓고 촬영하면 되지 않아?"

"그건 안 되지. 여기저기 다 카메라 두면, 이 카메라에 저 카메라 찍히고, 저 카메라에 딴 카메라 찍히고. 그거 피해 가며 찍다 보면 동선 복잡해져."

"아…… . 이제 알겠어."

깨달음을 얻은 눈빛으로 이다는 고개를 끄덕끄덕했다.

"그렇게 여러 각도에서 촬영하는 거였구나."

이어지는 혼잣말에 찬재는 이때다 싶어 끼어들었다.

"촬영하는 거, 직접 보러 갈래?"

의아해진 이다는 휴대 전화에서 시선을 떼고 찬재와 눈을 마주쳤다. 또 금세 시선이 떠나갈까 봐서, 찬재는 얼른 시선을 잡아 두려 덧붙였다.

"나 드라마 관계자들 많이 아니까. 너 좋아하는 드라마, 어떻게 촬영하고 있나 보러 갈 수 있어."

이다는 잠시 솔깃했지만, 아닌 척 흥미 없는 표정을 지었다.

"내가 좋아하는 건 결과물이지 과정이 아니야."

"가서 보면 과정도 좋아질걸?"

찬재는 자신하며 시원스레 미소를 보였다.

"혼자 생각만 하는 거랑 직접 해 보는 건 달라. 나 그냥 보기만 할 때보다 사귈 때가 훨씬 좋은 것처럼."

이다는 순간 말문이 막힐 뻔하다 금세 반발할 말을 떠올렸다.

"난 지금도 좋아하는 게 많아. 더 늘릴 생각 없어. 물론 남자도 마찬가지야."

어느 틈에 여기까지 와 있던 건지. 이다는 바로 옆에 닿아 있는 찬재의 몸을 의식하고 그의 반대편으로 몸을 움직였다. 어깨 위의 팔은 손으로 밀어냈다.

"나는 네가 좋아하는 남자, 몇 명으로 늘리든 상관 안 해."

찬재는 멀어진 만큼 다가앉으면서 편안한 목소리로 말했다.

"마지막에 남는 건 나 하나뿐이니까."

좋아하는 남자가 될 건 물론이고, 나아가 유일한 남자가 될 것까지 확신하는 한마디였다.

그건 안 될 말이지.

긴장으로 팽팽해진 가슴속을 느끼면서 이다는 눈살을 찌푸렸다.

"내가 좋아하는 남자, 늘어날 일도 없고 바뀔 일도 없어."

이다는 더 이상 물러나지 않고 꼿꼿하게 앉은 채로 말했다. 찬재의 눈을 보는 눈빛은 단호했다.

"내가 좋아하는 남잔 그 사람 하나뿐이야."

찬재는 가슴께에 팔짱을 끼고 여유롭게 대꾸했다.

"그야 직접 네 앞에 나란히 놓고 비교를 못 해 봤으니까 하는 말이지."

"그래? 그럼 두고 봐. 그 사람하고 너, 내 앞에 나란히 놓고 비교해 줄 테니까."

이다는 지지 않을 자신이 있는 것처럼 장담했다. 그리고 세시와의 작전을 되새기며, 내일 아침 하려 했던 말을 지금 내뱉었다.

"내일 낮에 셋이 만나자고 했었지? 좋아, 언제 볼까?"

갑작스레 도전하듯 던진 질문이건만, 찬재는 조금도 당황하는 기색이 없었다. 도리어 오래 기다렸던 답을 드디어 들은 듯이, 반가운 표정이기까지 했다.

* * *

세 사람이 만날 시간과 장소는 모두 찬재의 결정대로 정해졌다. 그러나 이다는 그가 정한 시간에 조금 앞서 약속 장소인 일식당에 도착했다.

직원의 안내를 받아 예약된 밀실로 들어섰을 때, 세시는 그녀보다 먼저 도착해 자리에 앉아 있었다.

"어이, 왔어?"

인사하는 세시의 모습에 이다는 멈칫 서서 안도했다. 여기가 밀실이라 얼마나 다행인지……. 이다는 고개 돌려 등 뒤를 봤다. 문은 닫혔으므로 지금 세시를 볼 수 있는 건 자신뿐이었다.

"오느라 고생했다."

이다는 다시 세시에게 고개 돌리면서 미안한 표정을 지었다.

"인마, 고생은 무슨? 호텔서 여기까지 멀지도 않고만."

"그런 꼴로 다니는 거, 네 성격에 쉬운 일 아니잖아."

"뭐, 평소 내 패션 철학과는 너무 다른 패션이긴 하지."

세시는 보란 듯이 가슴을 쫙 펴고 두 팔을 벌렸다. 얼룩덜룩 화려한 패턴이 들어간 셔츠 앞섶에 포인트를 준 듯 선글라스가 꽂혀 있었다. 거기다 머리 위에도 선글라스가 하나 걸쳐져 있었다.

"잘 봐 둬라, 이 친구야. 이런 걸 살신성인이라 하는 거란다."

세시는 어깨춤을 춰 보이며 우쭐한 표정으로 생색을 냈다. 춤사위를 따라 짤랑짤랑 소리 내는 금목걸이와 팔찌가 요란하게 조명 빛을 반사했다. 빛을 반사하는 건 장신구만이 아니었다. 뭘 어찌나 바른 건지. 이마가 훤히 드러나도록 밀어 넘긴 머리칼이 번지르르 광택을 내고 있었다.

"과유불급 아니고?"

이다는 세시의 옆자리에 다가가며 대꾸했다.

"아니지, 이 정도는 과유불급 절대 아니지."

세시는 팔을 내리고 코앞에 검지만을 들어 까딱까딱해 보였다. 다섯 손가락 가득 끼워진 반지가 형형색색 저마다 다른 색을 냈다. 그 모습에 이다는 영 내키지 않는 얼굴로 마지못해 세시의 옆에 앉았다.

"이건 TPO에 딱 맞춘, 안성맞춤 패션이거든?"

자부하며 세시는 엄지와 검지로 브이 자를 만들어 턱 아래에 갖다 붙였다.

"하긴 네 작전에 맞추자면, 이 정도는 해야 하겠지."

이다는 체념한 투로 고개를 끄덕였다.

"당연하지. 나 좋다고 매달리는 네가 한심하고 수준 떨어지게 보이려면, 내가 이 정도는 해야지."

세시의 주장에 이다는 한숨을 푹 쉬었다.

"벌써 창피하다. 이런 너 좋다고 연기하기가."

그냥 보는 것만으로도 창피한데. 사랑한다, 매달리기까지 해야한다니.

잘해 낼 수 있을지 걱정이 밀려들었다.

"야, 너 마음 단단히 먹어. 흔들리지 마."

세시는 이다의 표정을 읽고 신신당부했다.

"남자 수준 바닥 치고 뒹구는데, 누가 봐도 쓰레긴데. 그거 끌어안고 사랑입네 같이 뒹구는 여자, 남들 눈엔 똑같이 쓰레기로 전락하는 거야. 쓰레기가 쓰레기 알아보고 쓰레기통에 살림 차린 거지. 최혜주 남편 눈에 너, 딱 그 꼴로 보여야 돼. 알지?"

"알아."

"내가 저딴 여잘 좋아했다니! 아주 더럽게 자괴감이 들 정도로 연기 잘해야 돼. 최혜주 남편, 그 잘난 자존심이면 그거 못 견뎌. 너한테 칠색 팔색 하고 떨어져 나가지."

"안다고. 다 전에 얘기했던 거잖아."

"돌다리 두드려 보는 거야, 건너기 전에."

그때, 누군가가 밀실 바깥에서 문을 두드렸다. 순간 두 사람은 동시에 시계를 확인했다. 강찬재가 정해 놓은 약속 시간은 아직 20여 분이 남아 있었다.

설마 벌써 왔나? 아니, 식당 직원인가?

생각하며 이다는 문으로 시선을 옮겼다. 그러자 노크 소리가 뚝 끊기고 문이 열렸다.

활짝 열린 문틈으로 찬재가 성큼 들어섰다. 특별히 신경 써서 꾸민 구석 없이, 평상시의 출근 복장과 다를 바가 없는 정장 차림이었다.

힘들이지 않은 편한 차림새에 이다는 어째 자기 마음이 편해지는 기분이 들었다. 세시 보고 놀란 가슴이 진정되는 기분이랄까.

"일찍 와 있었네?"

문을 닫은 찬재가 이다와 눈을 마주한 채 가볍게 질문을 건넸다. 별로 놀라울 건 없다는 듯 태연한 얼굴이었다. 그리고 흘끗 세시에게로 시선을 보냈다. 굳어 있던 세시는 찬재와 눈을 마주치자 입을 움직였다.

"와우."

한눈에 다 들어오지도 않는 높은 키를 위아래로 훑어보며, 세시는 휘파람까지 불었다.

"와우?"

세시의 말을 따라 하며, 찬재는 어이없어 눈살을 찌푸렸다.

그러게나 말이다…….

이다 역시 같은 표정을 짓고 싶었지만, 아닌 척 아무렇지 않은 얼굴로 세시의 손을 그러잡았다. 그러자 세시는 고개 돌려 이다와 눈을 마주쳤다.

"인사해. 저쪽이 내 남편이야."

누가 먼저랄 것 없이 이다와 세시의 시선이 찬재에게로 건너갔다. 그때 찬재의 시선은 이다의 손에 꽂혀 있었다. 세시의 손을 잡은 이다의 손에.

"이야, 되게 미남이시네?"

세시는 가만히 앉은 채로 찬재에게 손만 슬쩍 들어 보였다.

"반갑다긴 뭐하고, 아무튼 Hi."

세시가 경박스럽게 까딱까딱 손을 흔들었지만, 찬재의 시선은 여전히 다른 손에 가 있었다.

"여보, 당신 자리는 거기가 아닐 텐데?"

찬재는 나직하게 화를 참는 목소리로 지적했다.

"주문 받고 음식 나를 직원들 눈 생각해야지."

이다의 손에서 눈으로 시선을 옮기면서, 찬재는 애써 입술로 미소를 그렸다.

"그렇다고 네 옆에 앉을 수는 없잖아. 이 사람 보는 앞에서."

이다는 냉담하게 대꾸했다.

"그래?"

찬재는 세시에게로 시선을 돌렸다. 금세 웃음기가 싹 가신 얼굴이었다.

"그럼 네가 내 옆에 앉아."

세시에게 명령하듯 말하고서 찬재는 성큼 이다의 맞은편에 앉았다.

"지금 누구더러 네 옆에 앉으라는 거야?"

이다는 눈살을 찌푸리며 비난하듯 질문을 던졌다.

"둘이 나란히 놓고 비교하랬잖아. 앞에 나란히 앉혀 놓고 찬찬히 비교해 봐."

기다렸던 순간이란 듯이, 찬재는 흔쾌하게 대답했다.

이게 어디 두 남자 놓고 고르라는 남편 표정인가? 뭐 먹을지 메뉴판 보고 고르라는 애인 표정이지.

세시는 속으로 혀를 내둘렀다. 그러나 가만히만 있지 않고 행동을 개시했다.

"누나, 나 괜찮아. 걍 내가 저기 가서 앉지, 뭐."

이다의 눈을 보며 가볍게 말한 다음, 세시는 자리에서 일어났다.

"누나? 연하인가 봐?"

찬재는 이다를 향해 질문했다. 그러자 찬재의 옆자리에 앉은 세시가 대답했다.

"그건 아닌데. 원래 예쁘면 다 누나 아닌가?"

세시는 그윽한 눈빛으로 이다를 응시하며 덧붙였다.

"저렇게 예쁘기가 얼마나 어려운데. 누님으로 모시는 게 당연하지."

느끼해…….

이다는 테이블 아래로 주먹을 꾹 쥐면서 테이블 위로 세시에게 미소를 지어 보였다.

"그런 의미에서 형님 소리 할랍니다, 형님."

세시는 찬재에게 고개 돌려 실실 웃으며 한 손을 내밀었다.

"잘 부탁드리죠."

"이거 뭐 하자는 몸짓이야?"

"에이, 보면 모릅니까? 악수하잔 거."

"이 악수를 왜 하자는 거냐 말이야."

찬재는 세시의 손을 거들떠도 보지 않고 눈을 쏘아보며 말했다.

"나하고 누나, 사귀는 거 쿨하게 받아들였담서? 그러니까 잘 지내 보잔 악수지. 거 옛날에는 첩 두는 거 당연해서, 본처하고 첩 사이에 형님 동생 했다는데. 우리도 한번 잘 지내보십시다."

"너랑 잘 지낼 생각 없어. 그러자고 받아들인 관계 아니야."

찬재는 세시의 손을 내버려 둔 채 이다에게 눈을 돌렸다.

"너랑 잘 지내려고 받아들인 거야."

비난도 원망도 없는 덤덤한 눈빛이었다.

"너랑 잘 지낼 수 있으면, 딴 놈 백 놈 데려와도 상관 안 해."

순간 당황한 듯 떨리는 눈동자를 숨기려고, 이다는 얼른 시선을 피했다. 자연스레 이다의 눈길은 세시에게 가서 닿았다.

"됐어. 오빠, 애쓰지 마."

이다는 세시를 향해 마음 아픈 듯이 말했다.

"오빠?"

어처구니없어하는 찬재의 목소리가 들렸지만, 이다는 외면하고 세시에게 말을 이었다.

"어차피 이번 한 번만 보고 말 사이야. 친해지고 자시고 할 거 없어."

"아냐, 그래도 이건 아니지."

세시는 검지를 들어 좌우로 까딱까딱해 보였다. 손가락에 낀 오색찬란한 반지들이 찬재의 시선을 끌었다.

"사람 터가 중요한 건데. 언제까지 이 호텔 저 호텔 떠돌면서 살 순 없잖아. 뿌리박고 꽃피울 자기 터가 있어야지. 난 누나랑 예쁜 집에서 예쁘게 꽃피우고 살고 싶다?"

세시의 기대 만발한 시선이 찬재에게로 건너갔다.

"그러려면 형님 허락을 받아야지."

순간 기가 막혀 찬재는 헛웃음을 쳤다.

"형님, 앞으로 제가 형님으로 잘 모실 테니까, 형님도 저 잘 봐주면서 사이좋게 지냅시다. 우리 관계 인정해 주신 김에, 통 크게 두 집 살림도 허락해 주시고요."

세시가 다시금 손을 내밀자 찬재는 그 손을 손으로 툭 밀쳤다. 그리고 치가 떨리는 불쾌한 표정으로 뇌까렸다.

"넌 나 상대할 생각 말고, 네 앞가림이나 똑바로 하고 살아."

"와우, 터프하시네."

"사람 무안하게, 무슨 짓이야? 예의 없이."

이다는 정색하고 화난 목소리로 찬재를 비난했다.

"내가 이놈하고 예의 따질 사이인가?"

"너 이러려고 셋이 만나자고 했어? 사람 무안 주고, 시비 걸어 내쫓으려고?"

"아니. 난 너한테 현명한 선택을 위한 비교 기회를 마련했어. 그러니까 누가 누구한테 잘못하네, 심판 보지 말고 심사를 봐. 누가 너한테 가장 좋은 남자인지."

찬재는 세시를 노려보며 말을 이었다.

"두 집 살림? 이놈, 자기 힘으로 네 두 번째 집 마련할 수나 있는 놈이야? 이봐, 너. 네가 한번 말해 봐."

찬재의 검지가 세시의 미간을 딱 가리켰다.

"네가 꽃피우고 살겠다는 그 예쁜 집, 그거 네 힘으로 구할 생각이야?"

"아유, 형님. 내가 형편만 되면 당연히 내가 사죠. 내가 뭐, 돈 있는데 안 쓸까 봐요? 없어서 못 쓰지. 그래도 내가 대신 우리 누님,

최고로 행복하게, 돈으로는 줄 수 없는 스페샬한 썸띵을 많이 준다 아닙니까."

"결국 내 아내 돈으로 집 사겠다, 이 얘기잖아?"

"뭐, 그렇게 낭만 없이 한 줄 요약하시겠다면야. 얘기가 그렇게 되긴 하죠."

"낭만 없이 한 줄 요약?"

찬재는 냉소적으로 코웃음을 쳤다.

"너 내 아내, 진심으로 사랑하는 척하는 모양인데. 네가 진짜 이 여자, 돈 안 보고 진심으로 사랑하는 거면. 너 내 아내 돈으로 집 살 생각 안 해. 지금 네 아래위로 손끝 발끝까지 걸친 거 다 팔면, 어지간한 전세금 나오고도 남거든? 그거 팔아 번듯하게 꽃피울 집 마련해야지. 그게 진짜 사랑이지."

"형님. 이거 다 누나가 사 준 선물이에요. 함부로 팔 수 없는 소중한 거라고요."

뒷목 잡고 쓰러진다는 게 이런 기분인가?

기가 막혀 숨도 못 쉴 것 같아 찬재는 잠시 길게 깊은숨을 내뱉었다. 그러자 맞은편에서 이다의 목소리가 건너왔다.

"똑같이 사랑하는 사이에, 서로 모자라는 부분 채워 주는 게 당연한 거 아냐? 돈은 내가 더 있으니까, 내가 더 쓰는 게 당연하지."

"너 나한테 공평 따져 댈 땐 언제고!"

순간 자제가 안 돼 욱하고 언성이 높아졌다.

"사랑에는 예외가 있는 거야."

이다는 눈 하나 깜짝하지 않고 차분하게 받아쳤다. 찬재는 도저히 믿을 수가 없는 심정으로 눈을 부릅뜨고 물었다.

"너 진짜, 진짜 이놈 사랑해?"

"보면 모르겠어?"

"봐서 모르겠다. 어떻게 이런 놈을, 이런 놈을 좋아할 수 있어?"

"이유 알면 그게 사랑이야?"

"하……."

찬재는 소리 나게 깊은 한숨을 터뜨렸다.

"너 취향 참……."

차라리 최서한이 내연남이면, 이렇게 자괴감이 들지나 않지. 어디서 저런 제비 같은 걸 남자라고…….

속으로 많은 말이 맴돌았지만, 찬재는 이를 악물고 참았다. 그리고 벌컥벌컥 냉수를 마시면서 속을 다스렸다.

잠시 후, 찬재는 빈 컵을 내려놓고 입을 열었다.

"좋아. 그럼 그 집, 내가 사 줄게."

순간 이다는 굳은 얼굴로 눈을 깜빡였다.

"……예?"

세시는 얼빠진 목소리로 물었다. 그러자 찬재는 이다와 눈을 마주친 채 또박또박 강조하듯 말했다.

"그 집 내가 사 준다고."

"그걸 네가 왜 사?"

"난 너 사랑하니까. 헤어지는 것만 빼고, 네가 원하는 건 다 해 줄 사람이니까."

맙소사, 진짜…….

이다는 무너지듯 고개 숙여 두 손으로 얼굴을 가렸다.

"어디가 좋겠어? 아파트? 전원주택? 아, 동네는 어디가 좋지?"

이어지는 찬재의 질문 공세에 이다는 땅이 꺼져라 한숨을 내쉬었다.

정말 널 어떡해야 하냐……

이러다 딱 미치겠다 싶은데, 세시의 목소리가 들려왔다.

"그거 제 명의로 꼭 좀 부탁드립니다."

저건 벌써 미쳤나?

이다는 번뜩 고갤 들어 세시를 쏘아봤다.

"이왕이면 강남인 게 좋겠고요."

세시는 뻔뻔하기 그지없는 태도로 찬재를 향해 청탁했다.

쟤는 저거 연기야, 진심이야?

이다는 혼란에 휩싸여 눈동자가 마구 흔들렸다. 찬재는 그런 이다의 표정을 예의 주시하며 말을 건넸다.

"여보, 당신 생각은 어때?"

"둘 다 미쳤다고 생각해."

나는 빼 줘. 나는…… 너희 둘이 미쳐 보여.

세시는 등골이 오싹한 기분을 참아 내며 눈빛으로 이다에게 말했다.

이 상황이 대체 왜 이렇게 흘러가냐고……!

"아니, 그거 말고. 집 명의하고 위치 문제 말이야."

찬재는 사려 깊은 말투로 이다를 향해 다정하게 설명했다.

"난 당신 이름으로 해 두는 게 좋지 싶은데. 중요한 건 당신 생각이니까. 당신 원하는 대로 할게. 이놈 명의로 하겠다면 그렇게 하고. 위치도 당신이 정해."

도무지 농담 같지 않은 진지한 태도에 이다는 머릿속이 멍해졌다. 숨 쉬는 법도 잊을 만큼.

"여보, 내 말 듣고는 있는 거야?"

찬재는 석고처럼 굳어 있는 이다에게 걱정스레 질문했다. 그러자 정신을 차린 이다는 벌떡 자리에서 일어났다.

"아니! 안 들었어. 안 들은 거야!"

이다는 찬재를 똑똑히 직시하며 힘주어 대답했다.

"그런 말 같지도 않은 소리, 나는 안 들었어. 앞으로도 들을 생각 없으니까, 그만해."

딱 잘라 경고한 뒤 이다는 세시에게로 고개를 돌렸다.

"나 여기 더 못 있겠어. 먼저 나갈게."

이다는 말을 마치자마자 곧장 두 다리를 움직였다. 성큼성큼 빠르게 찬재의 옆을 지나치며 문으로 향했다. 세시는 그런 이다의 뒤를 따라 황급히 몸을 일으켰다. 그런데 찬재의 손이 세시의 손목을 붙들었다. 세시는 움찔해서 찬재를 내려다봤다. 찬재는 차갑게 돌변한 얼굴로 낮은 목소리를 냈다.

"둘이 의견 맞춰 보고, 결정해서 연락해."

세시의 손목을 붙잡은 채 찬재는 다른 한 손으로 명함을 끄집어냈다. 그리고 세시가 어찌할 새도 없이 그의 바지 주머니에 명함을 쓱 넣었다.

와……. 이거 진지하게 미친 인간이잖아?

세시는 머리끝이 쭈뼛 서고 온몸에 소름이 돋았다. 그사이 문 앞에 도착한 이다는 문을 열어젖혔다. 세시는 거친 문소리에 화들짝 놀라 몸을 돌렸다. 둘만 남게 될까 봐서, 무진장 겁이 나서 세시는 이다의 뒤를 따라 후다닥 달려갔다.

* * *

세시는 이다의 차 조수석에 올라타자마자 버럭 외쳤다.

"야, 너 나만 두고 먼저 가면 어떡하냐?!"

"어떡하긴? 이렇게 따라 나오는 거지."

이다는 운전석에서 벨트를 채우며 대꾸했다.

"이렇게 따라 나오기가 쉬웠는 줄 알아?!"

"장하다, 어려운 일 해내서."

이다는 대충 대답하며 재빨리 시동을 걸었다. 혹시라도 찬재가 따라 나올까 봐, 심장이 지나치게 뛰어 댔다.

"나 막 다리가 안 움직였다니까? 그 형님이 내 손 팍! 붙잡는데! 와, 나 간이 뚝 떨어졌어!"

세시가 떠들도록 내버려 둔 채 이다는 차를 출발하고 운전에 집중했다. 가뜩이나 가슴 떨리고 정신이 어질어질한데, 자칫 사고라도 날 것 같아 한마디도 대꾸할 수 없었다.

"최혜주 남편, 진짜 미치지 않고서야 어떻게 그럴 수가 있냐? 미쳐도 예사로 미친 게 아니지."

세시는 혹시 쫓아오나 싶어 뒤를 기웃거리면서 조잘거렸다. 이다가 속도를 높인 덕에 차는 주차장을 금세 벗어났다.

"아니, 어떻게 첩년도 아니고, 첩놈한테 집을 사 줄 생각을 해?"

"……"

"자기 첩 집 사 주는 남잔 많이 봤어도, 자기 와이프 첩 집 사 주는 남잔 처음이다!"

"……."

"미쳤어, 돌았네, 정상 아닌 거지!"

막힘 없이 도로를 주행하던 이다가 백미러를 확인했다. 따라오는 차는 없었고, 식당 건물은 시야에서 사라질 만큼 멀리 있었다.

"아니, 네가 그 정도야? 그 정도로 막, 남자가 저 정도로 미칠 여자야?"

이다는 핸들을 돌려 대로변에 차를 세웠다. 왜 하필 이 타이밍에 차를 멈추는 건지, 세시는 움찔했다.

"아, 어, 그러고 보니 그럴 여자인 거 같기도?"

괜히 불안해져 잽싸게 말을 바꾸는데, 이다가 핸들에 머리를 푹 내리박았다. 이어지는 깊은 한숨 소리에 세시는 더욱 불안해졌다.

"너, 너 왜 이러냐? 낯설다, 이런 모습? 설마 이거, 좌절하는 모습이냐?"

"넌 강찬재한테 자괴감을 주겠다더니. 저게 자괴감을 느낀 남자 태도야? 파괴력을 얻은 남자지."

이다는 조용히 기운 잃은 목소리로 말했다.

"야, 나 쓰레기 냄새 아직 반도 못 피웠어! 못 견디고 뛰쳐나간 건 너야, 너!"

"계속 있었으면, 승산은 있고?"

"아, 뭐, 해 봐야 아는 거지……. 물론 안 해 보고, 그냥 모르는 채 살고 싶긴 하지만……."

세시는 등골이 오싹하던 좀 전의 상황을 떠올리며 우물쭈물 말끝을 흐렸다.

"솔직히 나 아니라 누굴 갖다 대도, 저 정도로 미친 남자 막아 낼 놈 없을걸?"

"……."

"네가 완전 대단한 거야. 아니, 저 정도로 너한테 미쳐 날뛰는데, 어떻게 한 침대를 쓰고 살아? 어떻게 한 침대에서, 아무 일도 없이…… 잠만 자냐 말이지."

"……."

"나 같으면 그 침대 벌써 불타 없어졌다."

순간 이다가 불쑥 고개를 들었다. 그 바람에 세시는 움찔 차창 쪽으로 몸을 피했다.

치, 침대 얘긴 너무 야했나?

식은땀을 흘리면서 꿀꺽 마른침을 삼키는데, 이다는 정면을 멍하니 바라보며 입술만 움직였다.

"미친 것도 옮는 건가?"

혼잣말 같은 나지막한 질문에 세시는 고개를 갸웃거렸다. 이다는 그런 세시를 향해 고개를 돌렸다.

"나는 내가 최혜주였으면, 이런 부잣집에 입양된 게 나였으면. 그렇게 바란 적 한 번도 없었거든."

분명 나는 그랬었다고, 이다는 추호도 거짓 없는 눈빛으로 말했다. 그 눈을 마주한 채 세시는 고개를 끄덕였다. 이다는 시선을 거두고서 정면으로 고개를 되돌렸다.

"근데 그런 생각이 들어, 지금."

이다는 내리뜬 눈으로 핸들을 응시했다.

"내가 입양돼서, 내가 최혜주였으면. 내가 지금 얼마나 행복할까?"

"......."

"나도 미친 거지."

내 인생 후회하는 것도 아닌데. 최혜주 삶 부러운 것도 아닌데. 그냥, 딱 하나, 강찬재 하나 갖고 싶어서.

내가 별 미친 생각을 다 하는구나.

이다는 자괴감에 눈을 감았다. 한참 동안 차 안에는 침묵만이 감돌았다.

*　*　*

점심시간이 거의 끝날 즈음, 태건은 사무실 앞에서 찬재를 마주쳤다.

"사모님하고 식사는 잘하셨습니까?"

"식사는 잘했어."

찬재는 별일 없던 투로 대꾸하고 사무실 문을 열었다.

"사모님하고 잘하신 건, 아닌 건가요?"

등 뒤에서 태건의 질문이 들려왔지만, 대답하지 않고 사무실에 들어서서 문을 닫았다. 배부르게 식사하는 동안, 혼자였단 사실이 새삼 각인되자 또다시 속이 끓어올랐다.

"열 받지 마. 열 받을 거 없어."

혼잣말로 자신을 가르친 뒤, 찬재는 자리에 가 앉았다. 그러나 의지와 달리 무의식이 열 받을 기억을 되살려 냈다.

'아유, 형님. 내가 형편만 되면 당연히 내가 사죠. 내가 뭐, 돈 있는데 안 쓸까 봐요? 없어서 못 쓰지. 그래도 내가 대신 우리 누님, 최고로 행복하게, 돈으로는 줄 수 없는 스페셜한 썸띵을 많이 준다 아닙니까.'

"그 제비 새끼…….."

찬재는 이를 갈며 꽉 쥔 두 주먹을 떨었다.

쥐어짜면 기름 떨어지게 반질대는 머리 꼴하며, 덕지덕지 명품으로 눈부시게 싼 맛 내는 패션 감각하며. 대체 그놈의 말본새는, 혀가 구렁이야?

"어디서 제비를 골라도 그딴 버터 바른 제비를……."

눈앞에 있다면 다리라도 분질러 버릴 기세로 찬재는 앞을 노려봤다. 잠시 그러고 있노라니, 주머니에서 휴대 전화가 울렸다. 찬재는 계속 앞을 노려보면서 손으로 휴대 전화를 꺼내 들었다. 슬쩍 액정 화면으로 시선을 내리자 모르는 번호가 눈에 들어왔다. 찬재는 혹시나 하는 마음으로 전화를 받았다.

"누구시죠?"

[접니다, 형님.]

머릿속을 들쑤시던 얍삽한 목소리가 귓속으로 파고들었다.

제비가 원하는 약속 장소는 어느 카페의 테라스였다.

퇴근 직후 테라스에 도착한 찬재는 출입구에서 주위를 둘러봤다. 테라스는 상당히 넓었고, 듬성듬성 테이블 간의 간격도 넓었다. 덕

분에 옆 테이블의 대화가 들리지 않으리라 찬재는 짐작했다. 한편
으로 그 제비 놈은 지각이란 짐작도 했다. 그런데 그때, 조금 떨어
진 위치의 테이블에서 한 남자가 찬재를 향해 손을 번쩍 들었다.

"아, 형님!"

목소리를 듣는 순간 찬재는 불쾌감으로 눈살을 찌푸렸다. 분명
그 제비의 목소리였다. 그러나 눈에 보이는 남자의 모습은 그 제비
와 영 딴판이었다. 기름기 하나 없이 산뜻하게 내려 빗은 머리카락
에, 요란할 것 없이 단출한 옷차림에. 더구나 손짓하는 손에는 아
무런 장신구도 붙어 있지 않았다.

"너, 뭐냐?"

정말이지 못 알아볼 만큼 멀쩡해진 제비에게 다가가며 찬재는 의
심하는 눈초리로 물었다.

"왜 이렇게 낮 다르고 밤이 달라? 이중생활이야?"

찬재가 맞은편에 앉자 세시는 씩 웃으며 대답했다.

"제 매력이 팔색조인 거죠. 낮에 봐도 새롭고, 밤에 봐도 새롭고."

"팔색조는 얼어 죽을. 제비겠지."

"에이, 제비라니요. 형님도 참."

"형님 소리 집어치워. 용건이나 빨리 말해."

"그러는 형님 용건은 뭔데요? 형님도 용건 있으시다면서요."

"형님 소리 말라는데, 말 참 안 들어 먹네."

찬재는 코웃음을 쳤다. 그러나 까짓 호칭 문제는 지금 중요한 게
아니니까. 찬재는 금세 웃음기를 거두고서 본론으로 들어갔다.

"내 아내하고 헤어져."

"아……. 결국 그 얘기네요. 저하고 누나 살 집 주신다길래, 형님

은 보통 남편들하곤 차원이 다른 줄 알았는데. 결국 뻔한 전개네요."

"내 차원은 여전히 달라. 너하고 누나 살 집? 줄게. 대신 네 친누나하고나 살아. 내 아내 끌어들이지 말고."

"나 친누나 없는데요."

"그럼 너 혼자 살든가. 거기서 누구랑 살든 내 아내만 아니면 돼."

세시는 이걸 어쩐다 싶은 표정으로 머리를 긁적였다.

"원하는 게 더 있으면 말해. 내가 뭘 해 주면 내 아내랑 헤어질지."

"원하는 걸 더 주시겠다?"

세시는 구미가 당기는 듯 입맛을 다셨다. 그리고 팔짱을 끼며 덧붙였다.

"차원이 다르긴 다르시네. 보통 이렇게까진 안 하는데."

찬재는 뚫어지게 세시를 주시했다. 그런 찬재와 눈을 마주친 채 세시는 비딱하게 고개를 한쪽으로 기울였다.

"이렇게까지 하는 이유를 모르겠네요."

"이유?"

"형님 돈도 많고, 보아하니 여자도 많을 관상이신데. 뭐가 아쉬워서 이렇게까지 마누라한테 목을 매요? 누님은 누님대로 놀게 두고, 형님은 형님대로 놀면 되지. 왜요? 남들 눈에 완벽한 그 가정 깨질까 봐요? 에이, 어차피 누님도 깰 생각 없던데. 나한테 이렇게까지 돈 써 가며 헤어지라 할 이유, 없지 않아요?"

정말이지 알고 싶어서, 세시는 찬재의 답을 숨죽여 기다렸다.

그러나 찬재는 대답 대신 질문을 던졌다.

"대답하면, 알아들을 수나 있겠어?"

"뭐, 한국말로 해 주시면 당연히. Of course."

세시는 어려울 것 없단 투로 어깨를 으쓱해 보였다.

"아니, 못 알아들을 텐데?"

찬재는 차갑게 단정했다.

"넌 그 여자랑 연애하고 있다면서, 그 여자한테 그럴 만한 가치가 있다는 것도 못 알아챈 놈이잖아."

"……."

"그걸 눈으로도 못 알아챈 놈이, 귀로 들으면 퍽이나 알아듣겠군."

표정 없이 노려보는 찬재의 두 눈에는 열기가 들끓었다. 그를 보며 세시는 짐작했다.

이 남자한텐 진짜 그 정도의 가치구나.

"내 여자 가치, 너 같은 건 평생 몰라도 돼. 입 아프게 설명할 생각 없으니까, 네 가치나 말해. 얼마 주면 헤어질래?"

찬재는 위풍당당한 목소리로 질문했다. 마치 얼마를 부르든 상관없단 것처럼.

"이야……. 이걸 어쩐다?"

세시는 감탄하는 눈빛으로 혼잣말을 흘렸다. 휘이이, 긴 휘파람이 이어졌다.

이런 기회 흔치 않은데…….

잠시 갈등하다 세시는 휘파람을 멈췄다. 그리고 찬재를 향해 또렷한 목소리를 냈다.

"10억보단 많이 줘야 할걸요."

"10억?"

"최소 10억 1원."

찬재는 어이가 없어 실소했다.

"10억이면 10억이지. 10억 1원은 뭐야? 차라리 20억을 부르든가."

"20, 헉……."

순간 억 소리 대신 헉 소리가 절로 났다.

진심인 건 알겠는데, 제정신인 건 모르겠다.

세시는 놀란 가슴을 진정하려 냉수를 홀짝 마셨다.

"누가 제비 아니랄까 봐, 가슴이 새가슴이네."

찬재는 혀를 찼다. 냉수 먹다 체할 것 같은 기분에 세시는 컵을 내려놓고 가슴을 쓱쓱 쓰다듬었다.

"됐고요, 20억까진 됐고요."

세시는 절레절레 고개를 저으며 말했다. 그리고 애써 차린 정신으로 고갯짓을 멈추고서 덧붙였다.

"그냥 10억보다 살짝 많게만 주십쇼. 뭐, 한…… 10억에 만 원만 더."

* * *

이다는 저녁 식사 시간에 맞춰 펜트하우스에 돌아왔다. 이제 강찬재의 얼굴을 마주하면 과연 마음이 흔들리지 않을 수 있을지. 바람 앞의 촛불 같은 위태로운 기분이지만, 그래도 이다는 펜트하우스의 문을 열었다.

마음이 흔들려도, 들키지만 않으면 돼.

흔들리지 않는 것처럼, 연기만 잘하면 돼.

다짐하며 의연하게 발을 들이는데, 주머니에서 휴대 전화가 짧게 진동했다. 이다는 신발을 벗으며 휴대 전화를 확인했다.

[오늘 늦을 거야. 괜히 나 기다리지 말고, 저녁 맛있게 먹어.]

찬재의 메시지였다.

웬일로 저녁 식사를 따로 하잔 거지?

이다는 의아해진 얼굴로 가만히 메시지를 바라보았다.

* * *

캐리어를 끌고서 태건이 테라스의 문을 열고 나타났다. 태건은 두리번거릴 것도 없이 한눈에 찬재를 알아보고 그가 앉아 있는 테이블로 걸어왔다.

"이거, 부탁하신 10억이고요."

태건은 테이블 곁으로 캐리어를 놓았다. 그리고 주머니에서 지갑을 꺼내 지폐 한 장을 끄집어냈다.

"그리고 이거, 만 원입니다."

지폐를 눈높이로 척 들어 보인 뒤, 테이블에 떡하니 내려놓았다.

"이사님 금고에 만 원짜리가 없어서 일단 제 지갑에서 빼는 겁니다. 갚으세요."

"너 아주 부자 될 거다."

찬재가 장담하듯 덕담하자 태건은 후회되는 눈빛으로 허공을 응시했다.

"그 금고에 든 거 들고 튀었으면, 이미 부자였겠죠."

이어 태건은 캐리어를 쳐다보며 덧붙였다.

"이거 들고 튀었어도, 이미 부자였겠죠."

"그랬으면 콩밥 먹는 거지. 월세 없는 감방에서. 내가 너 못 잡을 리 없잖아?"

찬재는 피식 웃는 얼굴로 농담하듯 받아쳤다. 그러자 태건은 반박할 수 없어 쩝 입맛을 다셨다.

"그나저나 무슨 검은 거래를 하시길래 10억을 몽땅 현금으로 준비해 오랍니까? 거기다 만 원 추가는 또 뭐고요."

"제비뽑기야."

"예?"

"10억 만 원으로 제비 뽑으려고."

태건은 잠시 눈을 깜빡이다 아아, 하고 뭔가 알아차린 표정을 지었다. 그리고 잠시 후에 태건은 떨떠름한 얼굴로 중얼거렸다.

"제비 팔자 상팔자네요. 사모님 같은 미인한테 사랑 받고, 이사님 같은 애처가한테 돈도 받고."

태건의 눈길이 스르르 캐리어를 향해 가라앉았다.

나였으면…… 그 제비가 나였으면…….

울적해진 태건의 귓가로 찬재의 목소리가 파고들었다.

"이왕 사람으로 태어났으면 사람으로 살다 가라. 아무렴 제비보단 사람 팔자가 낫지. 제비 쫓다 쇠고랑 찰 생각 말고, 그만 퇴근이나 해."

태건은 미련 많은 눈빛으로 캐리어를 응시한 채 입맛을 다셨다. 그러나 뭐 어쩌겠나 싶어 이내 착잡하게 말을 뱉었다.

"그래야죠, 뭐. 내일 만 원이나 꼭 갚으세요. 그럼 전 퇴근합니다."

고개 숙여 인사한 뒤 태건은 테라스를 떠나갔다.

잠시 후 태건의 모습이 완전히 사라지자, 멀리 다른 테이블에 앉

아 있던 세시가 찬재에게 다가왔다. 세시는 아까처럼 찬재의 맞은
편에 앉았다.

"와, 여기 10억이 다 들어가요?"

세시는 신기한 듯 캐리어를 바라보며 질문했다.

"5만 원짜리 2만 장. 그리고 여기 만 원짜리, 한 장."

찬재는 테이블 위 만 원을 쓱 세시에게로 밀었다. 세시는 넙죽
만 원을 집어 주머니에 쑤셔 넣었다. 그리고 캐리어의 손잡이를 잡
아 가까이 끌어당겼다.

"설마 여기 위치 추적기 달고, 그런 거 아니죠?"

"달았으면 달았다고 말을 할 성싶어?"

"하긴. 그냥 돈만 빼고 캐리어는 버려야겠네요."

"그러기 전에, 여기 사인부터 해야지?"

찬재는 태건이 도착하기 전에 작성한 계약서를 다시 테이블 위로
끄집어냈다.

"나는 강찬재에게 10억 1만 원을 지급 받고, 최혜주와의 관계를
완전히 정리한다. 단, 최대한 최혜주를 배려하는 방식으로. 상처
주지 않고 관계를 정리할 것."

계약서의 내용을 읽어 준 뒤, 찬재는 서명란의 빈칸을 검지로 툭
툭 두드렸다.

"근데 여기, 이름 정도는 써야 하지 않나?"

찬재의 지적에 세시는 고개를 도리도리 저었다.

"어우, 그랬다가 신상 털리게요? 안 되죠. 내가 괜히 현찰 요구
했겠어요? 계좌 이체, 수표. 그런 거 이용하면 나 추적하기 쉬우니
까. 내 개인 정본 소중하니까. 그러니까 무겁게 현찰 받는 거지."

"그럼 사인이나 해. 어차피 계약 안 지키면 너 잡는 건 일도 아니니까. 그땐 내가 너 사기범으로 얼굴 공개하고, 아주 방송까지 동원해서 수배할 거거든."

그런 건 일도 아니라는 듯이, 찬재는 대수롭지 않은 투로 경고했다.

"걱정도 참 터프하게 하시네. 그럴 필요 없으신데."

세시는 어깨를 으쓱해 보이고서 펜을 들었다. 그리고 무슨 글자인지 알아볼 수도 없을 사인을 계약서에 휘갈겼다. 세시는 찬재에게 계약서를 내밀며 덧붙였다.

"저야 이 계약 안 지킬 이유가 전혀 없거든요."

"이유가 있든 없든. 무조건 지키기나 해."

찬재는 뺏어 가듯 계약서를 손에 쥐었다. 세시는 빈손을 이마에 가져가 거수경례를 해 보였다. 사명감을 아주 가득 채운 얼굴로.

"기필코 누님과 헤어질 겁니다. 누님 상처 주는 일 전혀 없이."

세시가 맹세하듯 장담했다. 그사이 찬재는 계약서를 접어 겉옷 안주머니에 꽂았다.

"근데 형님."

형님이란 호칭에 찬재의 인상이 구겨졌지만, 세시는 개의치 않고 이어 말했다.

"어쩌면 누님은, 그러니까 형님 아내는, 형님이 생각하는 그런 여자가 아닐 수도 있지 싶은데."

찬재는 더더욱 인상을 구겼다.

"아니, 뭐 난, 형님이 너무 누님한테 환상이 크신 것 같으니까. 이러다 나중에 후회하시는 거 아닐까? 환상 깨졌다, 환불해 내라. 그렇게 나 찾아내서 따지는 거 아닐까? 그런 걱정이 돼서 말이죠.

원래 사랑은 이뤄지지 않았을 때 가장 아름다운 법이거든요. 상대
에 대한 환상이 깨질 일이 없으니까."

강의하듯 술술 이어지는 언변에 찬재는 코웃음을 쳤다.

"애초부터 환상 없었어. 환장만 했지."

"환장……?"

"여러모로 사람 미치게 했지."

허심탄회하게 내뱉으며 찬재는 자리에서 일어섰다. 홀쩍 떠나려
는 듯한 움직임에 세시는 얼른 따라 일어섰다. 그리고 재빠르게 입
을 열었다.

"환상이 없어도, 실망은 할 수 있죠."

찬재는 우뚝 선 채 세시를 응시했다. 대체 뭔 소리냐는 듯이, 날
카롭게 찌르는 시선으로.

"내가 몰랐던 실체를 알게 된다든가. 아주 실망스러운 일을 겪는
다든가. 뭐, 그런 경우 생기면요."

세시는 슬쩍 어깨를 으쓱이고는 부러 가볍게 이어 말했다.

"그럼 그때 가서 후회하지 않겠어요? 나한테 이렇게까지 할 만
큼, 누님 가치 높게 평가한 거."

질문을 건넨 세시는 내심 걱정하면서 가슴 졸이며 답을 기다렸
다. 다행히 찬재의 입술은 금방 움직였다.

"결혼하고도 다른 놈 만나 온 실체를 알게 된다든가. 그놈하고
엿 같은 막장을 겪는다든가. 뭐 그런 경우, 이미 생겼잖아?"

찬재는 대답 대신 질문을 내던졌다.

"내가 지금 후회하고 있나?"

의미심장한 목소리가 이어졌다. 그 또한 질문이었다. 그러나 대

답이기도 했다. 후회 한 점 찾아볼 수 없는 눈빛 또한 대답이었다.

　카페를 빠져나온 찬재는 주차 된 자신의 차 운전석에 올라탔다. 시동을 걸고 시계를 보니, 저녁때가 제법 지난 시간이었다.

　이 여자, 저녁은 먹었으려나.

　찬재는 혹시나 하는 생각에 휴대 전화를 끄집어냈다. 그리고 확인차 전화를 걸려는데, 때마침 전화가 걸려 왔다. 액정 화면에 뜬 발신자 번호를 확인하고 찬재는 눈살을 찌푸렸다.

　"또 무슨 할 말 있나?"

　찬재는 전화를 받자마자 불쾌한 투로 물었다.

　[형님! 은혜 입은 제비가 박씨 물어다 줘야 하는 건데. 제가 그걸 깜빡했네요.]

　"놀부 건지 흥부 건지. 품종 모를 박씨 물지 말고 입이나 다물어. 오늘 계약 내용, 내 아내는 절대 모르게 해."

　[거참, 누가 부부 아니랄까 봐. 형님이나 누님이나 비밀 참 좋아하시네. 누님도 그랬거든. 우리 거래 내용, 강찬재는 절대 모르게 하라고.]

　"……뭐?"

　찬재가 귀를 의심하며 묻자 수화기 너머 세시는 헛기침을 했다. 이어 조금쯤은 진지해진 목소리가 수화기에서 흘러나왔다.

　[나 사실, 누님하고 헤어질 일 없습니다. 사귄 적이 없으니까.]

　"……뭐?"

　[그 누님이 며칠 전에 날 찾아와서, 갑자기 부탁을 하더라고요.

강찬재 씨 앞에서 자기 애인인 척 연기를 좀 해 달라고. 강찬재 씨가 자기, 싫어하게 만들어 달라고.]

"……."

[그래서 돈 받기로 하고, 애인인 척 연기한 거예요. 원래 이거 비밀인 건데. 형님한테 10억에다 만 원까지 받았으면, 이 정도는 알려 드리는 게 은혜 갚는 제비다 싶어서요. 이거 제가 드리는 10억 만 원짜리 박씹니다, 형님. 잘 키워서 흥부네 박씨처럼 잭팟 터지십쇼.]

말 끝나기 무섭게 뚝 소리와 함께 전화가 끊어졌다.

"뭐야, 이 자식?"

찬재는 발신자의 번호로 다시 전화를 걸었다. 그러나 상대의 휴대 전화는 그새 전원이 꺼진 상태였다. 찬재는 오만상을 찌푸린 채 전화를 끊었다. 그리고 거의 본능적으로 차에서 내려 성큼성큼 카페로 두 다리를 움직였다.

아마 멀리 가진 못했을 테니까. 잡아 붙들고서 제대로 모든 이야기를 캐낼 작정으로.

* * *

"아, 나 진짜 모른다니까요!"

세시는 멱살이 잡힌 채 억울한 얼굴로 소리쳤다.

"진짜 내가 아는 건 딱 거기까지라니까?"

시끄러운 하소연에 아랑곳하지 않고 찬재는 세시를 질질 끌고 차로 향했다. 세시는 캐리어를 꼭 쥐고 끌려가며 하소연을 계속했다.

"아니, 형님 진짜 집요하시다. 어떻게 여자 화장실을 그렇게 뒤져? 그냥 카페에 없으면 밖에 벌써 나갔네, 생각해야지. 얼른 나가서 뒤쫓을 생각을 해야지! 그새 여자 손님 매수해서, 와! 진짜 재주도 좋다!"

"밖으로 튀었어도 넌 잡혔어. 내가 여자만 매수한 줄 알아? 캐리어 들고 뛰는 놈 무조건 잡으라고, 카페 직원 총출동 시켰거든?"

"아, 어쩐지 카운터 휑하더라. 그러다 손님들 그냥 가면 어쩌려고."

"커피 100잔 파는 것보다 너 하나 잡는 게 이득이야."

"헐, 그새 카페에도 돈지랄을 하셨어요? 나 잡으면 그만큼 돈 준다고?"

차에 다다른 찬재가 조수석 문에 세시를 들이밀었다. 그 바람에 세시의 등이 문에 착 달라붙었다.

"잡소리 그만하고 차에 타기나 해."

찬재는 세시의 멱살을 풀고 손에서 캐리어를 낚아챘다.

"헉!"

캐리어를 빼앗긴 세시는 순간 충격으로 굳었다. 그사이 찬재는 뒷좌석 문을 열고 캐리어를 처박듯이 넣었다. 쾅, 소리 나게 문을 닫자 세시는 움찔했다.

"타라, 제비. 저거 돌려받고 무사히 네 둥지로 돌아가고 싶으면."

위협적인 낮은 목소리에 세시는 울상을 지었다. 그리고 쭈뼛쭈뼛 마지못해 조수석의 문을 열고 안으로 들어앉았다.

달리는 차 안에서 세시는 몸부림을 쳤다.

"아니, 나야말로 알고 싶네, 나야말로! 대체 그 누님이 왜 그랬을까? 왜 그런 연기를 나한테 시켰지? 내가 그걸 알았으면, 당장 형님 알려 주고 풀려났을 텐데! 나 왜 그걸 몰라? 어우, 답답해!"

"이유도 모르면서 그딴 짓을 왜 해?"

찬재는 운전하며 냉정하게 비난했다.

"형님, 저 같은 프리랜서는요, 언제 일이 뚝 끊길지 모르는 거거든요? 그니까 일 있을 때 뭐든 하고 봐야 돼요. 그만큼 큰돈 준단 누님, 놓칠 수 없었다고요! 아, 이유가 뭐가 중요해요? 돈 준다는데! 그냥 연기하고, 돈 받으면 그뿐이지."

"너 같은 프리랜서, 어디 경찰들은 뭐라 부르는지 확인할까?"

세시는 화들짝 몸을 들썩였다.

"아, 아니요? 아니요? 저 아는데요? 이미 아는데?"

"내가 모르잖아."

"정답! 제비!"

세시는 오른손을 번쩍 들며 외쳤다. 그러나 찬재는 앞만 보며 액셀을 밟아 속력을 높였다.

"제비! 제비! 제비라니까요!"

다급한 세시의 절규에 찬재는 찌릿 시선을 마주쳤다.

"너, 내 아내한텐 아직 돈 안 받은 거 확실해?"

"화, 확실해요! 거긴 후불이야, 후불!"

"근데 왜 이렇게 질겁을 해? 경찰한테 가면 수갑 찰 짓이라도 했어?"

"아뇨, 내, 내가, 경찰서 울렁증이 있거든요. 그냥 막, 보기만 해도 몸이 아파. 형님, 이런 게 트라우마겠죠?"

세시는 온갖 설움 다 끌어모은 슬픈 표정으로 찬재를 바라보며 울 것처럼 입술을 씰룩였다.

"그래? 그럼 경찰서 갔다 병원 가지, 뭐."

찬재는 시큰둥하게 고개 돌려 세시를 외면한 채 좀 더 속력을 높였다.

"혀, 혀어어어어엉니이이이임!"

차 안 가득 세시의 통곡이 울려 퍼졌다.

경찰서가 아닌 호텔 프런트 데스크에서 세시는 안도의 숨을 내쉬었다. 한 손으로 세시의 팔을, 다른 손으로 캐리어를 끌고 왔던 찬재는 잠시 캐리어를 놓아둔 채 체크인을 했다.

이윽고 찬재는 스위트룸 카드 키를 받아 주머니에 꽂았다. 그리고 다시 캐리어를 쥐고 걸음을 움직였다.

"저기 형님, 근데 객실 바꾸는 건, 좀 위험하지 않을까요?"

세시는 찬재를 따라 걸어가며 조심스레 운을 뗐다.

"제가 원래 묵던 방으로 부르는 게 자연스러운데……. 굳이 이렇게 확 차이 나게 비싼 방으로 바꾸시면……. 누님이 혹 눈치챌 수도 있을 텐데."

"그냥 방에 문제 생겨 바뀌었다고 해. 호텔에서 사죄의 뜻을 담아 객실 업그레이드해 줬다고."

"아하! 그거 Good! Good idea!"

세시는 엄지를 척 들어 보였다. 때마침 승강기 앞에 도착한 찬재는 걸음을 멈췄다. 그리고 어이없단 눈초리로 세시를 쳐다봤다.

"승강기 버튼이나 눌러."

"아, 형님 두 손 다 바쁘시구나. 옙!"

세시는 찬재에게 잡힌 팔의 반대편 팔을 움직였다. 세시가 승강기 버튼을 누르자 승강기의 문이 열렸다. 찬재는 세시와 캐리어를 끌고 승강기에 올라탔다.

"몇 층 누를까요, 형님?"

"10층."

"10층으로 모시겠습니다, 형님."

세시의 손이 재깍 10층 버튼을 눌렀다. 그리고 슬그머니 눈치를 보며 덧붙였다.

"그런데 형님, 그래도 굳이 스위트룸으로 바꿀 이유는 없지 않나요?"

"둘이 대화하는 동안, 최대한 멀리 있으라고."

찬재는 경고하듯 무거운 목소리로 말했다.

"나 안 보이는 데서 둘이서만 얘기하게 돼야 하는데, 최대한 큰 방 줘서 멀리 떨어져 있게 해야지. 그래야 내가 참기 쉽지."

"아하……."

세시는 살짝 오한을 느끼면서 고개를 살살 끄덕였다.

내가 우는 척할 땐 눈도 깜짝 않더니만. 무슨 고작 이런 일에 눈을 치켜뜨는 거야? 방에서 대화만 한다는데!

마른침을 삼키면서 속으로 외치는데, 귓가로 찬재의 목소리가 들려왔다.

"허튼 생각 말고, 내가 시킨 일 제대로 해. 그럼 넌 이 호텔 빠져나갈 때, 이 캐리어 끌고 가게 될 테니까."

찬재가 말을 마친 찰나, 승강기의 문이 열렸다.

　　　　　　　　　＊　＊　＊

이다는 호텔 로비에서 다시금 세시의 문자 메시지를 확인했다.

[나 객실 옮겼어. 이왕 돈지랄하는 거, 스위트룸 정도는 묵어 줘야지. 1005호로 와.]

"하여간 이 철따구니하고는."

이다는 한숨 쉬듯 혼잣말을 흘렸다.

이 인간은 어째 이런 상황에도 캐릭터가 변하지를 않아…….

가타부타 뭐라 혼낼 기운도 없어 이다는 답장하지 않고 그냥 승강기로 향했다. 마침내 1005호 앞에 다다른 이다는 초인종을 눌렀다. 잠시 후, 문이 열렸다.

"왔어, 누님?"

문을 연 세시가 짓궂게 인사를 건네며 한쪽 눈을 찡긋했다.

"장난치지 마라."

이다는 기운 없이 대꾸하고는 세시를 지나쳐 객실로 들어섰다. 그러자 넓은 스위트룸의 모습이 눈앞에 펼쳐졌다. 정면으로 바로 보이는 공간은 응접실과 같이 소파와 테이블, TV 등이 놓여 있었다. 응접실의 양옆으로는 벽이 있었고, 두 벽에는 다른 공간으로 이어지는 문이 존재했다.

"저기 앉아서 얘기할까, 누님? 내가 차 준비했는데."

세시는 응접실 테이블을 가리키며 따라오란 듯이 그리로 걸어갔다.

"아니, 나 누울래. 여기 침대 있지?"

이다는 피곤한 목소리로 대꾸하며 오른쪽 벽에 난 문으로 향했다.

"아, 아 거기 말고!"

세시는 흠칫 놀라 잽싸게 이다의 앞을 가로막았다. 그 바람에 멈칫한 이다는 눈썹을 찡그렸다.

"뭐야?"

"여긴 내가 자는 데고, 누우려면 저쪽 방에 가. 여기 막 내가 속옷 벗어 놔서 더러워 지금."

"알았다."

이다는 하는 수 없이 돌아서서 반대편 문으로 발을 움직였다.

"그럼 먼저 들어가 있어. 내가 차 가져다줄게."

세시의 목소리를 뒤로한 채 이다는 침실에 들어갔다. 어지간한 객실만큼 넓은 침실이었다. 대체 혼자 쓸 거면서 이런 침실이 두 개나 있는 스위트룸을 왜 쓰는 건지. 딱히 이유는 모르겠지만, 궁금해할 정신적 여유가 없어 그냥 침대로 가 몸을 눕혔다. 그리고 이내 벽 쪽으로 돌아누웠다.

얼마쯤 지났을까. 등 뒤에서 세시가 들어오며 인기척을 냈다.

"누님 왜 이렇게 기운이 없어?"

문을 열어 둔 채, 세시는 침대로 다가가며 조심스레 질문했다. 조심스러운 말투치고 목소리는 작지 않았다. 목소리가 방문을 새어 나갈 만큼.

"누님 소린 왜 자꾸 해? 둘만 있는데."

조용히 반문이 돌아오자 세시는 뜨끔했다.

"아, 연기의 생활화지. 이게 평소에 호칭이 입에 딱 붙어 있어야,

연기할 때 실수가 없지."

세시는 그럴싸하게 둘러대며 이다의 시선 앞에 섰다. 정확히는 벽과 이다의 얼굴 사이에 선 그는 머그잔을 들고 있었다.

"자, 이거 마셔."

세시가 이다의 앞, 침대 위에 슬쩍 머그잔을 내려놓았다. 그러더니 슬그머니 뒷걸음을 쳐서 이다와 멀어졌다. 세시는 가능한 한 멀리, 아예 등을 벽에 딱 붙이고서 바닥에 앉았다.

"차라길래 홍차인 줄 알았는데, 커피네."

이다는 냄새만으로 파악하고 중얼거렸다.

"왜? 커피 싫어?"

"머리 복잡해서 그냥 일찍 자고 싶어."

이다는 머그잔을 들어 침대 옆 테이블로 옮겼다.

"어? 설마 누님 여기서 자려고?"

"그래야지."

"또 나랑 잤다고 오해하게 할 작전이야? 저번처럼 내 향수 뿌리고?"

"아니. 그냥 피하는 거야."

이다는 피곤한 듯 눈을 감았다. 그리고 허심탄회하게 이어 말했다.

"피할 수 없으면 즐기라는데, 즐길 수 없으면 피해야지."

"뭘 피하는데?"

"그 남자하고 한 침대에 누워 자는 거."

이다는 잠꼬대하듯 희미한 목소리로 대답했다.

"뭐? 그 남자하고 한 침대에 누워 자는 거? 그걸 피해야 한다고?"

세시는 전혀 뜻밖의 얘길 들은 양, 귀를 의심하는 척 목청을 높여 물었다. 이다는 눈을 감은 채 인상을 썼다.

"그럼 그걸 피해야지, 즐겨?"

"아니, 그걸 왜 피해? 누워서 잠만 잘 거잖아? 누님 남편이랑 손만 잡고 자는 것도 아니고, 손도 안 잡고 잔다면서? 그조차도 못 하겠어? 왜?"

"……."

"누님, 첩놈한테 집까지 사 주는 애처가 남편, 왜 그렇게까지 밀어내야 하는 건지. 나 솔직히 이유는 모르겠지만. 꼭 그렇게 밀어내야 하는 거면, 아, 제대로 해! 무슨 꼴랑 침대에 누워만 있는 것도 못 하겠대? 사람이 뭐든 하고자 하는 의지가 있어야지. 그런 마음가짐으로 밀어내긴 뭘 밀어내? 의지가 없네, 의지가 없어."

"……."

"아, 할 거면 제대로 하자, 누나! 가서 남편 옆에 누워! 누워서 막 이 갈고 코 골면서 자!"

이다는 듣기 싫단 듯이 반대편으로 몸을 돌아누웠다. 그러자 세시는 무릎걸음으로 휙휙 침대까지 다가갔다.

"어차피 그 남편 못 받아 준다면서? 그럼 확 제대로 밀어야지!"

세시는 이다가 베고 있는 베개를 휙 잡아당겼다. 순간 이다가 벌떡 몸을 일으켰다.

"밀기는 내가 너를 옥상에서 밀고 싶다, 이 자식아!"

이다는 쏜살같이 세시의 머리채를 확 낚아챘다.

"아! 왜, 왜, 왜 이러셔, 누님!"

이다의 두 손이 세시의 머리칼을 움켜쥔 채 뒤흔들었다. 이다의 목소리는 세시의 비명을 덮을 만큼 커졌다.

"안 그래도 열불 나서 속 타 죽겠는데! 불난 집에 불구경 관광 왔어?"

"야, 야, 이거 놓고 말해! 놓고!"

"불을 보면 끌 생각을 해야지! 아주 확성기 틀고 생중계만 하고 있네? 무슨 제비 아니라 딱따구리야? 뭐 이렇게 따따따따 말로 못을 박아! 뭐? 의지가 없어? 제대로 해? 남의 일이라고 말 쉽게 하는 거야?"

"놓고 말하라니까……!"

"너 내가 어떤 마음으로, 얼마나 참고 있는데!"

"아, 참긴 뭘 참아! 피한다면서? 피하는 게 참는 거야? 못 참고 도망치는 거지."

"나는 이게 참는 거다! 안 보는 게 참는 거고! 피하는 게 참는 거다!"

"내 머리털 다 뽑는 것도 참는 거야?!"

"그건 네가 참을 일이고!"

"씨이……!"

세시는 오만상을 찌푸리며 눈물을 글썽였다. 울음을 터뜨리려 준비하는 얼굴에 이다는 혀를 찼다.

"눈물 참아. 나도 성질 참을 테니까."

이다는 스르르 세시의 머리채를 풀어 주었다. 그러자 세시는 쪼르르 가서 벽에 등을 붙이고 앉았다. 그리고 머리카락을 털어 내며 볼멘소리를 냈다.

"아 나 진짜 묻고 싶다, 이유를."

"네 머리털이 왜 뽑혔는지, 네가 그걸 모른다고 지금?"

"아니, 그 이유 말고. 애초에 나는 왜 끌어들인 거야?"

드디어 본론을 던져 놓고, 세시는 빤히 이다를 바라봤다.

'돈 주고 제비까지 끌어들여 남편 밀어내는 이유. 그게 뭔지 묻기만 해. 내가 맡길 일은 그것뿐이야.'

찬재의 목소리를 떠올리며, 세시는 일단 해냈다는 생각에 두 주먹을 꼭 쥐었다. 하지만 손에 금세 땀이 차올랐다. 혹시라도 이다의 입에서 최혜주 이야기가, 최 회장과의 계약 이야기가 나올까봐. 조마조마 가슴이 졸아드는 탓이다. 그렇기에 세시는 미리 수를 썼다.

"계약 핑계는 빼고 말하자. 넌 우리 계약이나 신경 쓰라는 둥, 계약대로 일만 하면 된다는 둥. 기타 등등, 그 어떤 계약 얘기도 지금은 하지 마. 계약 소린 지겹도록 들었으니까. 그냥 그런 거 다 떠나서, 마음만 놓고 말해 봐."

설마 이렇게까지 차단하는데, 쟤가 계약 얘길 하겠어?

세시는 스스로 안심시키며 다시금 분명하게 질문을 던졌다.

"계약 빼고, 그냥 마음이 주는 답만 말해 봐. 제비 써서 이렇게까지 강찬재 밀어내야 하는 이유, 뭐야?"

이다는 잠자코 세시를 지켜봤다. 정적 속에 세시는 마른침을 삼켰다. 이윽고 이다가 지친 듯이 한숨을 내쉬고서 입을 열었다.

"너 이게 무슨 악취미야?"

"응?"

"내가 지금 내 마음대로 할 수 있는 상황이면, 이미 마음이 하라는 대로 하고 있겠지. 이러고 참고 있겠어?"

“…….”

“마음을 마음대로 못 하는데. 마음에서 뭐라는지, 알 게 뭐야? 알아 봐야 속만 터지지. 그냥 내가 내 마음, 모르는 척 무시하게 내 버려 둬. 자꾸 알려 달라 들쑤시지 말고.”

“……더 물어봐야 답 안 줄 거지?”

“또 물으면 제비 털 다 뽑아 버릴 거다.”

이다는 단호하게 대답하고 침대에 몸을 눕혔다. 세시를 등지고서 눈을 감은 뒤, 희미한 목소리로 덧붙였다.

“내일 새벽부터 최혜주 남편 상대하려면, 나 지금 충전해야 돼. 나 좀 혼자 있게 해 줘.”

더는 답이 나올 것 같지 않은 이다의 뒷모습에 세시는 고개 돌려 열린 문을 응시했다. 그리고 혼잣말하듯 의미심장하게 말했다.

“난 최선을 다했어.”

잠시 후, 방을 빠져나온 세시가 살그머니 문을 닫았다. 문 옆에 서 찬재는 생각에 잠긴 얼굴로 벽에 등을 기대고 서 있었다.

“저…….”

세시가 속삭이듯 작은 목소리로 말을 걸자, 찬재는 성큼 세시의 앞을 지나쳤다. 세시는 눈치 빠르게 찬재의 뒤를 따라갔다. 잠시 만에 찬재는 맞은편 침실로 들어섰다. 따라 들어선 세시는 조심스 레 문을 닫고 다시금 작은 목소리로 운을 뗐다.

“형님, 들으셔서 알겠지만 저는 이게 한곕니다. 제가 백번 더 물 어도, 나올 답이 없어요.”

"알아."

찬재는 계속 무언가를 생각하는 표정이었다. 그러나 입술은 재깍 대답을 내뱉었고, 곧이어 손은 곁에 놓인 캐리어의 손잡이를 붙잡았다.

"시킨 일은 다 했으니까. 나도 약속은 지켜야지."

찬재는 캐리어를 드르르, 세시에게 건넸다. 순간 세시는 냉큼 무릎을 꿇고 캐리어를 끌어안았다.

내가 먹을 돈은 아니지만, 얼마나 소중한 건데!

세시는 이산가족 상봉인 양 감격에 겨워 코를 훌쩍였다. 찬재는 그런 세시에게 냉담한 시선으로 입을 열었다.

"이봐, 제비. 시청률 보증 수표 한류 스타도, 드라마 회당 출연료 10억은 못 받아."

"그, 그래서요?"

설마 다시 뺏으려고?

세시는 불안해져 찬재를 올려다봤다.

"시청자 고작 둘뿐인데. 그깟 몇 분 연기하고 10억. 그거 네가 다 받겠다면 너무 양심 없지."

역시 뺏을 건가?!

세시는 캐리어를 아주 꼭 껴안았다. 찬재는 허리 숙여 세시의 눈높이에 얼굴이 가까워지게 했다.

"앞으로도 계속 연기하면서 살아. 죽을 때까지 우리 부부 얘기 입도 뻥긋 안 하는 역할, 두 번 다시 내 아내 앞에 얼쩡대지 않는 역할. 그 정도는 해야지. 안 그러면 말이야. 인생 날로 먹다 골로 가는 경우. 네가 되는 수가 있어."

나긋나긋한 목소리에 세시는 꿀꺽, 마른침을 삼키려 했다. 그런데 반대로 딸꾹, 딸꾹질이 튀어나왔다. 세시는 당황해 얼른 입을 틀어막았다.

"네 할 일은 끝났으니까, 이제 이거 끌고 조용히 퇴장해라."

찬재의 덧붙임에 세시는 반색하며 마구 고개를 끄덕였다.

* * *

내쫓은 지 얼마나 되었다고 또 들어오는 건지.

조용히 문이 열리는 소리에 이다는 그냥 가만히 자는 체를 했다.

말 걸어도 대꾸하지 말아야지.

다짐하고 숨만 내쉬면서 세시가 나가기를 기다렸다. 그런데 발소리는 성큼성큼 가까워졌다.

왜 저래? 설마 깨우려고?

생각하는 찰나 침대 시트에 무게가 더해졌다. 아마 세시가 침대에 앉은 듯했다. 이다는 성가셔질 예감이 들어 눈썹을 찌푸렸다. 그리고 아예 세시를 등지는 방향으로 몸을 돌렸다.

"나가. 혼자 있게 해 달랬잖아."

이다는 한숨 쉬듯 조용한 목소리를 내뱉었다. 그런데 등 뒤의 묵직한 존재감은 사라지지 않았다. 기척은 멀어지지 않고 오히려 더 가까워졌다.

곧이어 머리 위로 부드러운 손길이 내려왔다. 귓가로는 부드러운 목소리가 내려왔다.

"많이 힘든가 보네."

순간 번쩍 눈이 뜨였다. 이다는 벌떡 몸을 일으켜 목소리의 주인공을 마주했다. 전등불이 꺼져 있었지만, 테이블 위 스탠드의 불빛 덕에 눈앞이 희미하게나마 보였다. 그 희미한 불빛 속에서도, 남자의 이목구비는 뚜렷하기 그지없었다. 그를 보자마자 이다는 일순 온몸이 얼었다. 설마 했는데, 역시 강찬재였다.

"너, 왜, 어떻게 여기 있어?"

이다는 겨우 입술을 움직여 질문을 던졌다. 찬재는 빙그레 웃음을 띤 얼굴로 이다를 바라보고 있었다.

"속에서 열불 나면 참기 힘들지."

누구보다 내가 잘 안다는 듯, 찬재는 이해한단 눈빛으로 넌지시 손을 뻗었다.

"참느라고 속이 다 타는데. 대체 왜 참고 있어?"

찬재는 부드럽게 질문하며 이다의 머리를 쓰다듬었다. 순간 이다는 가슴이 철렁했다.

"다 들었어? 아까 이 방에서 내가 한 말, 다 듣고 있었어?"

심각해져 묻는 말에 찬재는 이다의 머리에서 어깨로 손을 내렸다. 그리고 커다랗고 따뜻한 손바닥으로 어깨를 감쌌다. 입꼬리는 계속 귀에 걸어 둔 채, 입술을 움직여 다정하게 질문했다.

"마음을 마음대로, 왜 못 한다는 거야?"

다 들었어…….

이다는 머리가 핑 돌 것처럼 어지러웠다. 그러나 어떻게든 정신을 바짝 차리려고 두 주먹을 꽉 쥐었다. 찬재는 말을 이어 갔다.

"마음대로 해. 뭐든 마음대로 해도 돼. 안 될 이유, 내가 다 치워 버릴 테니까."

이다는 애써 매서운 표정을 짓고 어깨에 놓인 찬재의 손을 쏘아봤다.

"네 손이나 치워."

"이제부턴 너 좋은 것만 생각하고, 너 좋을 대로만 행동해. 세상에 너보다 중요한 건 아무것도 없잖아."

"넌 네가 나하고 한 계약이나 지켜!"

이다는 세차게 팔을 들어 찬재의 손을 뿌리쳤다. 그리고 황급히 침대에서 몸을 일으켰다.

"계약 내용 또 잊었어? 나한테 손대지 말고! 내 사생활에 간섭하지 마!"

이다는 날카롭게 쏘아붙이고서 곧장 문으로 향했다. 그러나 문에 먼저 도착한 찬재가 이다의 앞을 가로막았다.

"그거 지키면, 네가 행복해져?"

"뭐?"

"계약보다 중요한 건 네 마음이잖아. 제대로 판단해 봐. 그 계약 안 지키면, 아예 없던 걸로 만들면, 네가 얼마나 행복할지."

"내 마음이 어떻든 그것도 내 사생활이야! 네가 상관할 바 아니라고!"

답지 않게 흥분하는 이다의 모습에 찬재는 걱정스러운 얼굴로 이다의 어깨를 그러잡았다.

"화내지 마, 진정해. 너 지금 안색이……."

"손대지 말라잖아!"

이다는 찬재의 말을 끊어 내며 팔을 뿌리쳤다. 그러나 찬재는 또

다시 이다의 어깨를 붙들었다.

"걱정돼서 그래. 제발 흥분 가라앉혀. 가뜩이나 힘들 텐데, 서서 이러지 말고 앉자. 앉아서 편한 마음으로 얘기해."

찬재는 불안하기까지 한 눈빛으로 사정하듯 부탁했다. 그 눈빛에 이다는 가슴속이 울컥 뜨거워졌다. 그렇지만 애써 모질게, 날카로운 눈빛으로 응수했다.

"그렇게 걱정되면 손이나 떼! 네가 계약을 지키면, 내가 화낼 일이 없잖아!"

"난 지금 계약에서 정한 대로 하고 있어."

찬재는 계속 이다의 어깨를 잡은 채로 말했다. 이다는 험악하게 인상을 썼다.

"이게 지금 계약 내용 지키는 짓이라고?"

"계약 어길 시엔 우리 결혼할 때 양가에서 받은 지분 전체, 넘기기로 돼 있지."

"뭐?"

"그래, 네가 다 가져."

"……뭐?"

"계약에서 정한대로, 깨끗하게 벌금 물고 계약 어길게."

"…….."

"그러니까 계속 내 손 닿게 해 줘. 네 마음에 상관하게 허락해 줘."

"…….."

"아예 내가 가진 거, 네가 다 가져. 대신 나도 가져 주고."

순간 와르르, 마음을 감싼 벽이 무너지는 감각에 아찔해졌다. 이다는 눈을 질끈 감아 버렸다. 애써 숨을 몰아쉬는데, 두근거림이 찾아들지 않았다.

"어렵게 생각하지 말고, 그냥 한번 가져 봐."

조언하며 찬재는 이다의 어깨를 감싸 안았다.

"나 가지면 얼마나 좋을지. 그것만 생각해."

찬재의 입술이 이다의 뺨에 닿았다가 떨어졌다.

"네 마음만 생각해. 네 마음대로만, 뭐든 다 하면서 살아. 나 참지 말고, 밀어내지 말고."

이번에는 이마 위로 찬재의 입술이 지그시 달라붙었다. 어깨를 감싼 찬재의 두 팔은 토닥토닥 등을 다독였다. 진정시키려는 입술과 손바닥의 체온을 느끼면서도, 이다는 왜인지 흥분이 가라앉지 않았다. 도리어 심장이 빨리 뛰었다. 숨이 가빠졌다.

"넌 너만 생각해. 나 가지고, 너 하고 싶은 대로 다 해. 다른 건 아무 생각 안 해도 돼. 나만 믿어."

슬며시 입술을 뗀 찬재가 나직하게 장담했다. 그리고 계속 눈을 감고 있는 이다의 얼굴에 한 손을 올렸다. 한쪽 뺨을 지그시 덮는 찬재의 손바닥이 뜨거웠다. 그 열기에 불이 붙은 것처럼 이다는 얼굴이 화끈 달아올랐다.

한 손으로 이다의 뺨을 덮은 채, 찬재는 다른 팔을 이다의 허리에 둘렀다. 이마를 이마에 대고서 속삭였다.

"눈 뜨고 나 봐. 피하지 말고, 나 보면서 생각해."

이다는 눈을 뜨지 않았다. 더 질끈 감고, 입술을 깨물었다. 찬재는 그런 이다의 입술을 살짝 입술로 건드렸다. 잠시 닿았다가 물러난 입술이 말을 건넸다.

"사랑해."

"……."

"우리 그만 힘들자."

순간 이다가 눈을 떴다. 동시에 입술로 입술을 덮쳤다.

느닷없이 부딪쳐 오는 입맞춤에 찬재는 잠시 움찔했다. 그렇지만 금세 눈을 감고 입술을 움직였다. 두 손으로 등을 어루만지고, 벌어진 입술 사이를 혀로 파고들었다. 마주 닿은 이다의 입술도 가만히 있지 않았다.

서로 얽혀 들고, 깊게 넘나드는 키스가 쉴 새 없이 이어졌다.

* * *

호텔 스위트룸은 욕실도 넓네…….

욕실에 들어선 이다는 세면대의 물을 틀며 생각했다. 아니, 그렇게 생각하려 애를 썼다. 지금은 빨개진 얼굴의 열을 식혀야 할 때니까. 욕실 밖의 찬재를 떠올릴 순 없는 노릇이었다.

"넓다, 되게 넓네."

이다는 멍하니 주위를 둘러보며 기계적으로 중얼거렸다. 꼭 외워야 할 낱말을 몇 번이고 반복해서 읽어 보듯이. 그러다가 이다는 정면에서 조금 아래로, 수도꼭지의 물줄기로 시선을 내렸다.

"넓어……."

불현듯이 떠오르는 기억에 이다는 시선을 더 아래로 내렸다. 그리고 천장으로 향하게 편 자신의 손바닥을 응시했다.

그래, 넓었지.

이다는 슬그머니 자신의 가슴 위로 손을 얹었다. 바로 조금 전까지 한참 동안 손에 닿아 있던 누군가의 가슴과는 다른 촉감이었다.

확실히 이것보다 넓었어. 이것보다 훨씬 단단했고⋯⋯.

"남자 가슴이라 그런가⋯⋯."

무심코 혼잣말을 흘리다가 이다는 번뜩 정신을 차렸다. 고개 들어 정면을 확인하자 거울 속의 자신이 보였다.

"돌았어? 왜 이래?"

이다는 아주 태양초처럼 더욱 새빨개진 얼굴을 향해 따갑게 질책했다.

"정신 똑바로 잡아. 아까처럼 또 놓치지 말고."

인상을 확 찌푸리고서 이다는 쏟아지는 물줄기로 손을 뻗었다. 그리고 고개 숙여 세수하듯 찬물을 마구 끼얹었다.

이다가 침실 안의 욕실을 빠져나왔을 때, 찬재는 그녀가 누워 있었던 침대에 걸터앉아 있었다. 그는 넋이 나간 얼굴로 침실 문을 응시하고 있었다. 찬재 곁에 다가선 이다는 그가 보고 있는 곳을 흘끗 곁눈질했다. 아마 조금 전까지 두 사람이 마주 서 있던, 키스를 나누었던 곳을 보는 모양이었다. 같은 곳을 바라보는 이다의 얼굴은 다시 빨개졌다.

찬물로 기껏 식혀 놨더니, 키스 기억 한 방에 말짱 도루묵이네.

곤란해진 이다는 다시 찬물을 끼얹으려 냉큼 몸을 돌렸다. 그러나 때마침 그녀를 발견한 찬재가 손목을 붙잡았다.

"언제 나왔어?"

다정하게 질문하며 찬재는 몸을 일으켰다.

"나온 줄도 모르고, 그냥 보낼 뻔했네."

찬재는 슬그머니 뒤에서 이다의 허리를 끌어안았다.

"여기까지 왔으면서 왜 그냥 가려고 해?"

넓은 가슴으로 이다의 등을 감싸 안은 채, 찬재는 이다의 어깨에 살며시 턱을 괴었다.

"아까는 키스 한 번 끝내 놓고, 갑자기 그냥 가 버리더니. 이번엔 아무것도 안 해 주고 그냥 갈 생각이야?"

찬재는 고개를 틀어 이다의 목에 입을 맞추었다. 그리고 살짝 입술을 떼고 말했다.

"혹시 내 속 태우려고 왔다 갔다 하는 건가?"

"……."

"더 탈 게 없는데."

증명하듯 찬재는 더 바짝 이다를 끌어안았다. 그러자 등에 단단히 달라붙은 찬재의 가슴에서 뜨거운 체온이 느껴졌다. 순간 불이 옮겨붙은 듯이, 이다는 닿아 있는 모든 곳이 뜨거워졌다.

"네가 다 태워 놓고, 설마 몰라서 이래?"

찬재의 질문이 끝나자마자, 이다는 힘껏 몸을 돌렸다. 순식간에 찬재를 마주하고 그의 입술을 삼켰다. 이다는 처음보다 능숙하게 입을 움직이며, 어느 때보다 과감하게 손을 움직여 갔다.

휘몰아치는 키스 세례가 어찌나 사나운지 찬재는 깜빡 정신이 하얘지고 말았다. 그사이, 이다는 찬재의 가슴을 마구 주무르다 덜컥 멱살을 잡아 침대로 떠밀었다.

뒷걸음치다 침대에 부딪힌 찬재의 몸이 뒤로 넘어갔다. 털썩, 등이 침대에 닿은 순간 찬재는 불현듯 정신을 되찾았다. 그때, 이다는 찬재의 허리 위에 올라탄 채 셔츠를 양쪽으로 잡아 뜯고 있었다.

"자, 잠깐, 잠깐만."

찬재는 이다의 두 손목을 그러쥐며 애써 침착하게 말했다.

"왜? 뭐?"

이다는 눈살을 찡그린 채 거칠어진 숨을 몰아쉬었다.

"우리 이러기 전에, 나한테 할 말 있지 않아?"

"뭐래, 이따 얘기해."

이다는 거슬린단 표정으로 손을 뿌리치고 다시 셔츠를 뜯어 내렸다. 찬재는 석연찮은 기분에 사로잡혀 인상을 찌푸렸다.

"이따?"

찬재는 벌떡 몸을 일으켰다. 동시에 이다의 어깨를 잡아 안고 옆으로 몸을 굴렸다. 그 바람에 손바닥 뒤집듯이 금세 자세가 뒤집혔다.

눈 깜짝할 사이 침대에 눕혀진 이다는 찬재를 올려다봤다. 찬재는 이다의 어깨를 내리누른 채 눈을 빤히 바라보며 말했다.

"너, 대체 무슨 마음으로 나한테 이래?"

"뭐?"

"아니, 마음이라는 게 있기는 해?"

"……."

"그냥 네 몸 가는 대로, 내 몸 갖고 노는 거야, 혹시?"

진지하게 물어 오는 눈동자와 목소리에 이다는 가슴속이 출렁거렸다.

"마음, 있어."

이다의 대답에 찬재는 주체할 수 없이 활짝 미소를 펼쳤다.

"그럼 말을 먼저 해 줘. 네 마음이 어떤 건지."

찬재는 이다의 입술을 지켜보며 기대했다.

사랑한다 말해 줄 때, 저 입술이 얼마나 사랑스러울지.

그런데 이다의 입술은 찬재의 기대와 다른 모양으로 움직였다.

"갖고 싶어. 가져야겠어."

"……그리고?"

"그리고?"

"……더 할 말 없어?"

"뭐?"

"……더 할 말이 있을 텐데?"

"없는데."

찬재는 애써 미소를 유지한 채 입술 끝을 파르르 떨었다.

"너 장난해?"

"뭐야, 무슨 말이 있어야 하는 건데?"

차라리 장난이면 좋겠는데. 도무지 장난 같지 않아 보여 찬재는 욱하고 속에서 열이 올랐다. 그렇지만 꾹 참고 차분하게 대답했다.

"사랑한다, 사랑해. 둘 중 아무거나."

"……."

이다는 곰곰 생각에 빠져들었다.

사랑……. 이게 사랑인가?

잠시 만에 이다는 입을 열었다.

"아직, 둘 다 입에서 안 떨어져. 아직……. 내 마음이 그 정도는 아닌가 봐."

무너지는 기대감에 찬재는 눈을 질끈 감고 한숨을 내쉬었다. 그러나 이내 마음을 다잡고서 눈을 떴다. 환한 미소는 사라졌지만, 낙담하는 기색도 전혀 없었다.

"그래, 아직 사랑은 아니겠지. 그래도 나, 갖고는 싶단 거지?"

확인하듯 묻는 말에 이다는 분명하게 고개를 끄덕였다.

"그럼 됐어. 넌 그냥 네 마음대로 해. 그 마음, 내 마음처럼 바꾸는 건 내가 할 테니까."

찬재는 고개 숙여 가볍게 입술을 맞추었다. 그사이 찬재의 손은 이다의 손을 잡아 깍지를 끼웠다.

"일단 오늘은, 손만 잡고 잘 마음으로 바꿔야겠네."

"왜지? 왜 바꿔야 하는 건데?"

이다는 이해할 수 없다는 듯 질문했다. 그러자 찬재는 피식 웃으면서 농담으로 반문했다.

"너 나랑 사귈 것처럼 굴어 놓고, 내 몸만 먹고 버릴 생각이야?"

"뭐?"

"나 그런 놈 많이 봤거든?"

"뭐라는 거야."

"그런 거 아니면, 내 뜻대로 해 줘. 감정 들기 전에 몸정 들면 큰일이거든."

찬재는 깍지 채운 이다의 오른손을 들어 자신의 가슴에 가져다 댔다.

"이 몸 한번 가져 보면, 감정 느낄 정신이 어디 있겠어?"

"뭐라고?"

"그러니까 몸정 쌓기 전에 감정부터 쌓고 가자."

이건 아무래도 진담인 듯 찬재는 진지하고 자신만만한 표정이었다.

"걱정 마. 오래 안 걸려. 네 마음 사랑으로 바뀌는 거. 내가 금방 바꿔 줄 테니까, 그때까진 나랑 손만 잡고 자."

이다는 오른손에 닿은 다부진 맨가슴을 착잡하게 응시했다.

보기 좋은 떡이 먹기에도 좋다더니. 저 그림의 떡, 촉감까지 끝내주네. 그림의 떡 주제에…….

아쉬움에 한숨을 쉬려는데, 찬재의 목소리가 들렸다.

"근데 우리 손만 잡고 자는 것도 처음이다?"

이다는 찬재의 눈을 봤다. 찬재는 고작 손 하나 잡아 놓고 세상 다 가진 양 뿌듯한 표정이었다.

"아, 그러네."

이다는 다시 맨가슴을 향해 시선을 옮겼다. 그러나 이번에 시선이 도착한 곳은 가슴에 닿아 있는 손이었다. 찬재의 손이 꼭 그러쥐고 있는 자신의 손.

"전엔 손도 안 잡고, 그냥 잠만 잤으니까. 지금이 처음이네."

이다는 생각에 잠긴 얼굴로 중얼거렸다. 찬재는 잡고 있던 이다의 손을 펼치더니, 손바닥을 제 가슴에 지그시 붙였다. 그리고 싱글벙글하며 말했다.

"손만 잡기 아쉬우면, 가슴 잡아도 돼. 가슴까진 봐줄게."

선심 쓰듯 장난스레 하는 말에 이다는 픽 웃음이 났다.

"그래? 그럼 나도 가슴까진 봐주지, 뭐. 서로 공평하게."

저도 모르게 환한 웃음꽃을 피운 채, 이다는 장난으로 응수했다. 그런데 찬재의 반응은 장난이 아니었다. 정말이지, 장난이 아닌 표정이었다.

"너, 지금 처음이지?"

찬재는 웃음기가 싹 사라진 진지한 얼굴로 질문을 던졌다.

"뭐가?"

"나한테 웃어 준 거. 연기 아니라, 진짜 웃어 준 거."

"그런가? 그것도 처음인가?"

이다는 지난 시간을 돌이켜 보느라고 미간을 찌푸렸다.

"뭐, 그걸 일일이 세고 있진 않으니까. 잘 모르겠는데."

"확실해. 내가 기억해."

찬재는 확신에 찬 목소리로 말을 이어 갔다.

"지금까지 너 웃은 거, 내가 다 셀 만큼 기억하는데. 이거 처음이야. 너 이렇게 웃은 거."

말을 마친 찬재의 얼굴에 함박웃음이 가득 차올랐다.

"너 그렇게 웃는 것도 처음 같은데?"

이다는 어째 머쓱해져 얼굴을 붉힌 채로 말했다.

"당연히 처음이지. 이렇게 환장하게 좋은 기분 처음인데."

증명하듯 찬재는 입술을 맞춰 왔다. 안을 휘어잡는 깊고 짙은 키스로 흥분을 전했다.

이렇게 환장하게 좋은 기분, 뭔지 알 것 같아졌다.

이다는 새하얗게 번져 오는 황홀감에 눈을 감고 본능에 몸을 맡겼다. 손에 닿은 넓은 가슴을 마구 매만지고, 단단한 근육을 주물렀다.

"자, 잠깐, 잠깐!"

갑작스레 입술을 뗀 찬재가 몸을 일으켜 앉았다. 찬재는 훤히 드러난 가슴을 얼른 두 팔로 가렸다.

"가슴 안 돼, 안 되겠어."

"왜?"

"손, 손만 잡아. 손만 잡고 자."

"아, 왜 줬다 뺏어?"

이다는 눈살을 찌푸렸다.

"가슴까진 된다면서?"

"안 돼, 나 가슴 터질 거 같아."

"뭐?"

내가 그렇게 세게 만졌나?

이다는 자기 손과 찬재의 가슴을 번갈아 보며 갸웃거렸다. 찬재는 귀까지 빨개진 채 눈을 감고 심호흡하듯 숨을 몰아쉬었다.

"야, 내가 살살 만질게. 그럼 되지?"

눈치 없는 이다의 질문에 찬재는 울컥했다.

아니, 이게 강도의 문제냐?! 살살해도 터져! 터진다고!

찬재는 목까지 차오른 말을 입안에 가둬 둔 채, 눈을 부릅떴다. 그러자 빤히 자신을 바라보는 이다의 얼굴이 눈에 들어왔다. 기대하고 원하는 뜨거운 눈빛 앞에 찬재는 터질 것 같던 가슴이 돌연 녹아내리는 기분이었다. 입안에 있던 말까지 모두 녹아내린 모양인지, 찬재의 입에서는 말 대신 뜨거운 숨이 흘러나왔다.

"그리고 너도 내 가슴 만지면 되잖아."

이다는 당당하게 협상을 걸었다.

"아니야……. 그게 더 위험해……."

찬재는 마른세수를 하며 신음하듯 말을 흘렸다.

"뭐야, 그럼? 방법 없어? 나 네 가슴 못 만져?"

이다는 불만스러운 듯 얼굴을 구겼다.

"그래. 오늘은 네 가슴도 내 가슴도, 노 터치 존이야."

인내심을 최대한 발휘한 채, 찬재는 고개 숙여 셔츠 단추를 채워 갔다. 보기 좋게 펼쳐져 있던 가슴팍이 셔츠로 가려졌다.

"아, 진짜 되게 까다롭게 구네."

잔뜩 실망한 얼굴로 이다는 벽을 향해 휙 몸을 돌려 누웠다.

"설마 그게 진짜 터지겠어? 가슴이 뭐 풍선이야? 사람이 좀 만진 다고 터지게. 그거 하나 못 참아 주면서 사랑은 무슨."

꿍얼거리는 이다의 등 뒤에서 찬재는 몸을 눕히면서 슬그머니 이 다를 안았다. 그리고 어르듯이 부드러운 목소리로 귓가에 속삭였다.

"내가 먼저 좋아해서 사귀자고 매달리는 거, 처음이라 그래."

"뭐?"

"나는 벌써 사랑인데. 너는 아직 아니니까. 네가 나 사랑하기 전 에 몸부터 나누는 거, 난 불안해."

불안하다니. 뜻밖의 표현에 이다는 찬재를 향해 고개를 돌렸다.

"뭐가 불안하단 건데?"

찬재는 이다의 눈을 보며 허심탄회하게 대답했다.

"네가 내 마음 제대로 안 봐 주고, 몸만 봐 주다가 떠날까 봐."

"……."

"몸으로 잡을 수 있는 건 몸뿐이야. 마음은 못 잡아. 근데 지금 내가 원하는 건 몸보다 마음이거든."

찬재는 가볍게 미소를 지어 보였다. 그리고 너무 무겁지는 않게, 차분한 목소리로 고백했다.

"나 너한테 되게 사랑 받고 싶어."

"……."

"그래서 손만 잡고 자는 거니까. 이해해 줘."

이다는 잠시 가만히 찬재의 눈을 지켜봤다.

"이해······. 안 되는데······."

이윽고 중얼거리면서 이다는 찬재를 향해 몸을 돌렸다. 이어 두 가슴이 맞닿도록 찬재를 끌어안았다.

"내가 잘해 준 것도 없는데. 네가 왜 이러나 모르겠다."

정말 이해가 안 돼······.

이다는 속으로 덧붙이며 찬재의 등을 다독였다.

"그러게. 나 그렇게 밀어내도 네가 좋아 미치겠던데. 네가 잘해 주기까지 하면, 대체 얼마나 더 사랑스러울지 모르겠네."

기대된다는 듯 말하고서, 찬재는 이다의 입술에 살며시 입술을 맞대었다.

아······. 내가 이렇게까지 행복해도 되나?

이다는 눈이 절로 감긴 채로, 까마득해진 앞날의 불안을 느꼈다. 그러나 이내 이어지는 키스에 머릿속은 하얗게 변해 갔다.

아, 됐어······. 내일 일은 내일 생각하자······.

이다는 아예 생각을 놓아 버리고, 과감하게 키스를 함께 나누어 갔다.

5장

5장

신혼부부가 신혼집을 비워 둔 채 호텔 스위트룸에서 하룻밤을 묵었다는 사실은 숨기고 쉬쉬할 일이 아니었다. 그렇기에 찬재는 출근 중일 펜트하우스의 가사 도우미에게 전화로 그 사실을 알렸다.

부부끼리 외박을 해 집이 비어 있으니, 아침 식사는 준비할 필요 없노라고. 찬재는 별다른 변명이나 거짓말 없이 있는 그대로의 사실만을 전했다.

룸서비스로 아침을 해결한 뒤, 두 사람은 호텔을 나섰다. 하지만 호텔 바깥에서부터는 두 사람의 목적지가 달랐다. 펜트하우스가 있는 태강 타워로 출근하는 찬재와 달리, 이다는 그와 반대 방향으로 이동해야 했다. 이다는 먼저 가 있으라는 인사로 찬재를 안심시키고서 택시를 잡아탔다.

얼마 후, 이다는 세시의 옥탑방 앞에 도착했다.

문이 잠겨 있다면 문을 부수고라도 들어갈 작정이었다. 그런데 문은 아주 쉽게 열렸다.

이다는 주저 없이 덜컥 옥탑방 안으로 들이닥쳤다. 좁은 거실을 순식간에 가로질러 세시의 방문 앞에 다다랐다.

"야, 이 제비 자식아!"

외치는 동시에 문을 열었는데, 방은 텅 비어 있었다. 넓지도 않은 방 한가운데에는 떡하니 편지가 놓여 있었다.

[네 방에 캐리어 있다. 그거 네 거야. 자물쇠 비밀번호 : 네 생일.]

이다는 편지를 읽고 미간을 찡그렸다.

"뭐야?"

뜬금없이 웬 캐리어 타령인지. 이다는 황당하다 생각하며 우선 자신의 방으로 건너갔다. 문을 열자 정말로 커다란 캐리어가 방에 있었다. 이다는 다가가서 무릎을 꿇고 앉아 캐리어의 자물쇠를 손에 쥐었다.

비밀번호, 내 생일.

어렸을 때 둘 사이에서 곧잘 사용하던 암호였다. 그렇기에 이다는 고민하지 않고 자물쇠의 비밀번호 네 자릿수를 모조리 0으로 채웠다. 0000.

없으면 없는 대로 사는 거지. 보육원에서 이름만큼이나 대충 지어 놓은 가짜 생일은 뭐하러 챙기느냐고. 우리 생일은 그냥 0월 0일이다, 합의했던 어릴 때의 기억이 불현듯 되살아났다.

그 기억은 틀리지 않았다.

달칵, 손끝에서 자물쇠가 열렸다. 이다는 자물쇠를 치우고 캐리어를 열었다. 그러자 캐리어 안을 가득 채운 5만 원권 지폐들이 모습을 드러냈다.

"……."

이다는 너무 놀라 말문이 막힌 채로 지폐들을 훑어봤다. 그러다가 5만 원권 지폐들의 한가운데에 시선을 고정했다. 거기에는 생뚱맞게 만 원짜리 지폐 한 장이 놓여 있었다.

"뭐야, 대체?"

이다는 곧 정신을 차리고 세시에게 전화를 걸었다. 안 받으면 받을 때까지 걸 작정이었는데, 세시가 전화를 받았다. 마치 기다렸단 듯이, 아주 빨리.

[야, 너 왜 이제 연락하냐?]

"뭐?"

[난 너 어제 바로 연락할 줄 알았거든? 막 쫓아 나올까 봐, 내가 얼마나 털 빠지게 날라 튀었는데. 너 나 쫓아오지도 않고, 지금까지 뭐 했어? 연락도 안 하고, 설마 계속 호텔에서어? 강찬재랑 있었나아?]

세시는 짓궂게 놀리듯이 물어 왔다.

[둘이 잘된 건가아?]

"너 이 돈 뭐야?"

[음?]

"내 방 캐리어에, 이 돈 뭐냐고."

[아아! 그거? 너 지금 옥탑방이냐? 야, 그거 10억하고 만 원이야! 아껴 써!]

"뭐, 10억?!"

[아니, 10억 플러스 만 원!]

"너 이 자식! 이 돈 어디서 났어?!"

[내가 만 원 더 받았어! 너 받을 계약금보다 만 원이나 더 받았다고! 야, 나 대박이지?]

"이거 대체 어디서 났냐니까?!"

[에이, 뭘 묻고 그래. 벌써 감 잡았으면서.]

능청스러운 대구에 이다는 설마 하며 질문을 던졌다.

"강찬재야? 너 이거, 설마 강찬재한테 받았어?"

[나 말이다. 사모님 말고, 사장님한테 돈 받아 보긴 처음이다? 근데 그 느낌, 나쁘지 않아.]

역시 강찬재란 소리다.

이다는 확 구긴 얼굴로 눈을 질끈 감았다. 그리고 어금니를 꽉 문 채 위협적으로 말했다.

"사장님 돈으로 맞아 보는 느낌도 나쁘지 않을 거다."

[그 느낌은 사양할게, No Thank you. 너는 그 돈 사양 말고, 그냥 Thank you 하고 cool 하게 써!]

"내가 이걸 왜 써? 아니, 애초에 네가 이걸 왜 받아?!"

[어제 내가 너 몰래 강찬재 좀 불러내 봤는데. 그때 강찬재가 묻더라고. 얼마 주면 너랑 헤어질지.]

"그런다고 10억을 불러?"

[10억 만 원이라니까. 암튼 그래. 그런다고 불렀어. 10억하고 만원. 그랬더니 바로 주더라. 너랑 바꿀 수만 있으면, 그까짓 돈 하나도 안 아깝단 태도던데. 왜 못 받아? Why not? 받아서 너랑 바꿔주면 되잖아?]

"뭐?"

[거기 있는 10억 만 원이면, 너 강찬재한테 마음 줄 수 있잖아. 네가 원하는 대로.]

세시는 흔쾌한 목소리로 주장했다.

* * *

캐리어를 끌고 펜트하우스에 도착한 이다는 침실 침대에 몸을 앉혔다. 그리고 캐리어를 발 앞에 둔 채 생각에 잠겼다.

"이걸 어쩐다……."

고민하는 이다의 머릿속으로 세시의 목소리가 끼어들었다.

'남자 마음 언제 어떻게 변할지 모르는 건데. 그거 갖겠다고 10억 토하는 일, 나 비추천이다. 계약 깨고 10억 잃고, 그놈 하나 잡았는데. 나중에 둘이 헤어져 봐. 아, 내가 그냥 그때 10억이나 벌걸! 이 생각에 잠도 못 잘걸. 너도 그래서 망설인 거잖아? 10억 놓고 그 남자 잡느냐, 그 남자 포기하고 10억 잡느냐.'

틀린 말 아니지. 맞는 말이야.

이다는 고개를 끄덕였다.

내가 최혜주가 아니란 걸 알면 강찬재의 마음은 달라질 수 있다. 만약 달라질 게 없다 해도, 마음이란 언제든 다른 이유로 달라질 수 있는 거다.

영원한 건 결코 흔한 게 아니니까.

마음 하나 믿고 10억 포기하는 거, 도박 같은 선택이다.

"누가 친구 아니랄까 봐, 남의 속을 잘도 아네."

이다는 캐리어를 응시하며 팔짱을 꼈다.

'그러니까 내가 받은 거야, 그 캐리어. 그거 계약금보다 만 원이나 많으니까. 계약금 포기하더라도, 너 손해 절대 아니다? 아니, 오히려 이득이다? 그 남자 잡더라도 잃는 돈 없고, 만 원이나 더 버는 거니까.'

기억에서 세시의 목소리는 가벼웠다. 그러나 마음에서 세시의 마음은 묵직하게, 든든하게 자리했다.

'……이 캐리어, 그냥 네가 들고 튀는 게 절대 네 이득일 텐데.'

'야, 우리가 부모덕은 못 봤지만, 친구 덕은 봐야지. 우리 사이에, 내가 이 정도는 해 줘야지!'

이어 떠올린 대화 내용에 아까처럼 또다시 코끝이 찡해졌다.

'서이다, 너 진짜 나한테 잘해야 돼, 알지?'

세시는 감동할 거 없다는 듯 장난스럽게 신신당부했었다.

"그야 원래 당연한 거고."

이다는 세시에게 들려줬던 대답을 혼자 반복하며 피식 미소 지었다. 이윽고 미소를 거둔 이다는 다시 심각하게 고민에 빠져들었다.

"이걸 어쩐다⋯⋯."

강찬재를 갖겠다고 마음먹은 순간부터, 사실 계약금은 문제가 아니었다. 지키지 못한 계약의 계약금은 당연히 내 것이 아닌 거다. 그건 그냥 원래부터 내 돈이 아니었다고, 돌려주고 속 편하게 계약 파기하면 그뿐이다.

하지만 진짜 문제는 강찬재와 최 회장 사이의 거래다.

내가 최혜주가 아니란 걸, 최 회장이 내세운 가짜란 걸 알았을 때 강찬재는 최 회장의 속임수에 분노할 수 있다. 이 결혼은 두 집안의 거래였는데 최 회장은 가짜를 건네주고 부당 이득을 얻은 셈이니까.

강찬재가 분노할 경우 최 회장은 피해를 입을 수 있다.

내가 최혜주가 아니란 걸 밝혔을 때, 강찬재가 분노하지 않을 수도 있나? 아니, 분노하지 않게 할 방법이 있을까? 최 회장과의 거래를 안전하게 유지하면서 서이다와의 진짜 관계를 시작하게 할 방법, 뭐가 있을까?

이다는 종일 생각하고 생각했다. 격투기 수업을 받는 동안에도 마찬가지였다. 땀이 뻘뻘 나도록 몸을 쓰는 내내, 쉬지 않고 머리를 썼다.

수업을 마치고서 샤워를 하는 동안, 몸이 덜 움직이는 만큼 머리는 더욱 생각에 집중했다. 마침내 샤워를 마친 이다는 편하게 샤워 가운을 입고 욕실을 빠져나왔다. 침실로 걸어가는 몸은 개운하고 가벼웠다. 그러나 머릿속은 과부하가 걸릴 듯이 계속 생각으로 가득 차 있었다.

　잠시 후 침실에 도착하자 휴대 전화 벨이 울렸다. 이다는 휴대 전화가 놓여 있는 침실 탁자로 걸어갔다. 휴대 전화를 들고 발신자를 확인한 이다는 생각을 멈추었다. 그리고 입가에 희미한 미소를 건 채 전화를 받았다.

　[뭐 하고 있었어?]

　수화기에서 찬재의 목소리가 건너왔다.

　뭐 하고 있었더라…….

　이다는 잠시 생각하다 답을 내뱉었다. 솔직하게, 담담한 목소리로.

　"네 생각."

　[……뭐?]

　"네 생각했다고. 방금까지."

　[좋은 생각 했네. 계속하고 있어.]

　찬재는 기분 좋은 듯이 한결 부드러운 목소리를 냈다.

　[근데 더 좋은 생각이 뭔지 알아?]

　"뭔데?"

　[멀리서 생각만 하지 말고, 직접 보러 가잔 생각.]

　유혹하는 듯한 발언에 이다는 서슴없이 반응했다.

　"가도 되나? 지금 근무 시간 아니야?"

　[와도 돼. 근무 시간 맞으니까.]

　"근무 시간인데, 내가 가도 된다고?"

　[맞아, 너 오면 일이 더 잘될 예정이거든.]

　찬재는 자신만만하게 장담했다.

　[거기서 한 층만 내려와 줘. 와서 나랑 있다가, 퇴근길에 같이 몇

층 내려가서 저녁 먹고 영화 보자.]

이어지는 당당한 부탁에 이다는 환하게 웃었다. 머릿속에 꽉 차 있던 심란한 생각을 잠시 내려놓은 채로.

*　*　*

클레오파트라의 코가 조금만 낮았더라도 역사가 바뀌었을 거라던데.

강찬재의 사무실을 하루라도 일찍 방문했더라면, 내 연애사가 바뀌지 않았으려나.

퇴근 시간, 찬재와 함께 사무실을 나서면서 이다는 생각했다.

일할 때의 모습을 진작 보았더라면, 아마 그때 연애가 시작됐겠지.

이다는 확신하며 다시금 찬재의 모습을 되새겼다. 그러자 불현듯이 지난날 윤 비서와의 대화가 함께 되살아났다.

'그 남편, 피곤한 타입 같던데.'

'피곤한 타입이요?'

'혈기가 넘쳐서 흥분이 헤픈 타입이요. 다혈질이랄까. 저랑 되게 안 맞아요.'

'다혈질……. 강찬재 씨가요? 그럴 리가 없는데……. 사업 스타일로 보면 냉정하거나 여유롭거나. 그렇게 둘 사이를 왔다 갔다 하는 타입이고. 또 여자 문제로 봐도……,'

그러네. 윤 비서의 말이 맞네.

이다는 고개를 끄덕였다.

냉정하거나 여유롭거나. 강찬재가 둘 사이를 왔다 갔다 하는 사이, 혈기가 넘친 쪽은 이다였다. 머릿속 찬재의 모습에 이다는 다시 혈기가 넘쳐 뺨이 더워졌다. 그런 이다의 옆에서 찬재가 자연스레 손을 그러잡았다.

"혼자 무슨 생각해?"

찬재의 질문에 이다는 회상을 멈추고 찬재를 봤다. 그러자 일할 때와 정반대인 다정다감한 얼굴이 이다를 맞이했다.

"네 생각해."

순간 찬재의 입꼬리가 귀에 걸리도록 길게 올라갔다.

"좋은 생각 방해해서 미안한데. 저녁 뭐 먹을지 골라 주고, 다시 생각하면 안 될까?"

"스테이크."

이다는 곧장 대답했다.

"무슨 대답이 1초 만에 나와?"

"그건 길게 생각할 게 아니야."

"그럼 나는 길게 생각할 게 되나?"

찬재는 기대하듯 눈을 빛냈다.

"그러니까 지금까지 하고 있겠지?"

이다는 태연한 얼굴로 똑똑히 눈을 마주 보며 되물었다. 그러자 찬재의 얼굴이 아주 가까이 다가왔다.

"계속 생각하게 해야겠네."

코앞에서 중얼거린 다음, 찬재는 조금 더 앞으로 고개를 움직였

다. 이다는 자연히 눈을 감았다. 바짝 입술이 마주 닿자 찬재는 고
개를 멈추었다. 그리고 가볍게 맛을 보듯 윗입술을 입술로 물었다
가 놓았다. 부드럽고 간지러운 감촉에 감질이 났다. 그러나 찬재는
더 달라붙지 않고 뒤로 물러났다.

"일단 저녁부터 먹자."

찬재는 느긋이 미소를 보이고서 이다의 손을 쥔 채 발걸음을 움
직였다. 이다는 못내 아쉬운 기분이었지만, 주린 배를 느끼면서 그
와 걸음을 함께했다.

레스토랑에 마주 앉아 음식을 기다리는 사이, 이다는 찬재를 향
해 슬쩍 운을 뗐다.

"너 어제 호텔에서 했던 말, 전부 진심이야?"

"전부 진심 맞아."

찬재는 1초도 생각 않고 대답했다.

"뭐든 마음대로 해도 된다. 너 좋은 것만 생각하고, 너 좋을 대로
만 해라. 이것도 진심이야?"

"그건 특히 별표 치고 강조하고 싶은 진심이지."

"내가 내 마음대로 할 수 없던 이유, 너 밀어냈던 이유. 내가 말
도 안 해 주는데, 어떻게 그런 마음일 수 있어?"

이다는 신기해하는 눈빛으로 물었다.

"내 이유가 뭔지 알면, 그 마음 달라질 수도 있지 않나?"

찬재는 턱을 괴고 이다의 눈을 그윽하게 바라봤다.

"그 이유가 뭔지, 최악이다 싶은 가정 다 해 봤어. 혹시 나 모르

게 숨겨 놓은 자식이 있는 건가. 아니면 혹시 불치병에 걸린 건가. 이도 저도 아니라면, 혹시 외계인이라도 되는 건가."

전부 아니라고, 이다는 목까지 차오른 말을 애써 삼켰다. 찬재는 말을 이었다.

"그런 거면, 네가 날 밀어내야 하는 이유는 돼. 근데 내 마음이 변할 이유, 그건 안 돼. 자식이 있든, 불치병이든, 외계인이든."

"셋 다 상관없단 얘기야?"

"뭐든 상관없단 얘기야."

찬재는 개의치 않는 표정으로 어깨를 으쓱해 보였다. 그때, 테이블로 다가온 직원이 테이블 위에 접시를 내려놓았다. 하나, 둘. 각자의 앞에 식사가 차려지는 동안 침묵이 흘렀다. 이윽고 할 일을 마친 직원이 테이블을 떠났다. 그사이 생각에 잠겨 있던 이다는 정신을 차리고 나이프와 포크를 손에 쥐었다. 그리고 별스럽지 않은 투로 스테이크를 썰며 말했다.

"내가 그냥 고아라도 상관없어?"

예상치 못한 질문에 찬재는 의아한 얼굴로 이다를 봤다. 이다는 칼질하는 손에 시선을 고정한 채 말을 계속했다.

"만약에 말이야. 내가 재벌가에 입양되지 않았더라면. 아니, 아예 어디에도 입양되지 않고 그냥 고아로만 자랐으면. 그래도 네가 날 지금처럼 좋아했을까?"

찬재는 가만히 이다를 응시했다. 잠시간 아무런 대답이 없었다. 이다는 짐짓 아무렇지 않은 척 스테이크 한 조각을 입에 넣었다. 우물우물 스테이크를 씹는데, 별다른 맛이 느껴지지 않았다.

"별로 상상이 안 되는데. 굳이 해야 하나?"

시원스러운 찬재의 목소리에 이다는 고개 들었다. 찬재는 심각할 거 없단 듯이 싱긋 웃었다.

"그런 환경에서 자랐으면, 지금하곤 성격이 달랐으려나? 그럼 지금만큼 사랑하진 않을 것 같긴 해."

"……."

"결혼할 때 조건 보고 사진 봤지만, 그땐 너한테 별 감흥 없었거든. 같이 살면서 겪고 보니 환장하게 좋아진 거지."

"그럼 날 좋아하는 게, 내 성격 때문이다?"

"아마도?"

"성격 빼고 다른 거 다 변해도 상관없어?"

질문한 뒤, 이다는 빤히 집중하는 눈빛으로 찬재의 눈을 주시했다. 손에 쥔 나이프도 포크도 전혀 움직이지 않았다. 어째 진지하게 대답해 줘야 할 것 같아 찬재는 팔짱을 끼고 깊이 생각에 잠겼다. 그리고 잠시 후에 말문을 열었다.

"이제 와서 네가 변해 봤자, 내가 변하기는 글렀다."

"뭐?"

"암만 생각해도 답은 똑같아. 내 마음은 변하려면 진작 변했을 거야. 네가 결혼하고도 다른 놈 만나 왔다 했을 때. 뭣 같은 제비 데려다 엿 같은 막장 찍게 했을 때. 그때 변했겠지, 변할 수 있는 마음이면."

"……."

"나 안 변해. 아니, 못 변해. 이건 내 의지로 어쩔 수 있는 일이 아니야."

찬재는 항복하듯 살짝 두 손을 들어 보였다. 항복하는 사람치곤

지나치게 흡족한 표정으로.

"확인하고 싶으면 마음껏 변해 봐. 그래도 난 안 변하는 거, 직접 확인하게 해 줄 테니까."

장담하고 손을 내린 찬재는 나이프와 포크를 잡았다. 그 모습에 이다는 입가에 미소를 머금었다. 그리고 멈춰 있던 손을 움직여 식사를 재개했다.

입에 들어간 스테이크 조각이 아주 달콤하게 느껴졌다.

* * *

식사를 마친 두 사람은 극장으로 이동했다. 손을 잡고 매표소 앞에 나란히 도착하자 찬재는 이다에게 물었다.

"무슨 영화 볼까?"

"지금 7시 4분이니까 저거 보지, 뭐. 10분에 시작하는 거."

이다는 상영 시간표를 가리키며 대답했다.

"시간 신경 쓰지 말고, 내용 보고 골라. 네가 보고 싶은 거, 아무거나."

"내가 보고 싶은 거?"

흘끗 찬재를 본 이다는 반대편으로 고개를 돌렸다. 그러자 현재 상영 중인 영화들의 팸플릿이 꽂힌 진열대가 보였다. 이다는 진열대로 찬재를 이끌고 갔다.

진열대를 마주한 채 여러 팸플릿을 살펴보던 이다는 마침내 한 장을 골라냈다.

"이거."

찬재가 팸플릿을 받아 들자 이다는 곧바로 고개 돌려 상영 시간 표를 응시했다.

"도련님?"

영화 제목을 읽어 보며 찬재는 황당한 듯 눈살을 찡그렸다. 그사이 상영 시간을 확인한 이다 역시 눈살을 찡그렸다.

"뭐야, 이건 심야 상영밖에 안 하잖아?"

"시간은 신경 안 써도 돼. 어차피 내가 상영관 통째로 대관했으니까. 시간 상관없이 너 원하는 거 아무거나 틀 수 있어."

"그래?"

"문제는 내용이지."

신기한 듯 쳐다보는 이다 앞에서 찬재는 팸플릿을 자세히 훑어봤다.

"……너 진짜 이걸 보고 싶어?"

"응."

"……왜?"

"내가 좋아하는 막장의 냄새가 나."

"……그래. 그건 확실하네."

찬재는 착잡하게 한숨을 내쉬었다.

"근데 이건 네가 드라마에서 좋아하던 막장하곤 차원이 다른 막장인데? 이건 너무 심하잖아?"

"드라마에서는 못 할 구경, 영화로 하는 거지."

이다는 확고한 신념에 차 주먹을 꼭 쥐어 보였다.

하는 수 없이 영화 '도련님'의 상영을 신청한 뒤, 찬재는 이다와 함께 상영관으로 입장했다. 이다는 커다란 팝콘 통을 끌어안은 채 텅 빈 상영관의 중앙 좌석으로 향했다. 찬재는 양손에 콜라를 쥐고서 그녀의 뒤를 따랐다.

두 사람이 자리에 앉자 조명이 꺼지고 영화가 시작되었다. 이다는 드라마를 볼 때처럼 눈을 반짝이며 스크린을 주시했다. 반면 찬재는 스크린은 안중에도 없이 이다의 얼굴만을 지켜봤다.

몇 분이 지나도록 찬재의 시선은 떠날 줄을 몰랐다. 그사이 영화 속 여주인공의 남편은 해외로 출장을 떠났고, 여주인공은 조실부모한 남편의 남동생과 단둘이 한집에서 살게 되었다. 남편의 남동생, 다시 말해 여주인공의 시동생은 고등학생이기에 보호자가 필요한 탓이었다. 영화 제목이 '도련님'이니 만큼, 당연히 저 도련님이 남주인공일 모양이다.

"영화 안 봐?"

아직까지 찬재의 시선이 느껴져서, 이다는 스크린에 눈을 고정한 채 질문을 던졌다.

"안 봐."

당당한 대답에 이다는 찬재에게 시선을 옮겼다.

"그럼 여긴 뭐하러 왔어? 영화도 안 볼 거면서."

"영화 보는 네 얼굴 보러."

"내 얼굴은 매일 보잖아. 지금은 영화에나 집중해."

"영화 보는 네 얼굴은 처음이거든. 그러니까 지금은 너한테 집중할게."

이다는 기막힌 얼굴로 찬재를 봤다. 찬재는 슬그머니 이다의 얼굴을 감싸 스크린을 바라보게 돌려놓았다.

"넌 나 신경 쓰지 말고, 영화에 집중해. 내 영화는 내가 알아서 보고 있을 테니까."

그때, 스크린에서 교복 차림이던 도련님이 교복을 벗어 던졌다. 순간 이다의 눈이 휘둥그레졌다. 이 영화의 상영 시간이 왜 심야로만 몰려 있었는지, 그 이유가 분명해지는 순간이었다. 아니, 그 진가가 분명해지는 순간이랄까…….

"오……."

이다는 스크린을 향해 감탄사를 흘렸다. 그리고 스크린에 집중하려 자세를 바로잡았다.

"뭔데 그래?"

찬재는 질문하며 스크린으로 시선을 옮겼다. 그러자 교복은커녕 아무것도 입지 않은 시동생의 상반신이 스크린을 꽉 채우고 있었다. 찬재는 얼굴을 구겼다.

"너 설마 저거 보고 감탄하는 거냐?"

이다는 대답 없이 스크린만 주시하며 정지 화면처럼 멈춰 있었다. 찬재는 흘끗 자기 가슴을 내려다보고 스크린을 쳐다봤다. 그때, 시동생이 형수를 껴안았다. 형수는 괴로운 듯 고개를 내저으며 시동생을 밀어내려 했다.

[도, 도련님, 이러지 마세요.]

스크린 속 시동생은 형수의 두 손목을 모아 붙들고 애절하게 물었다.

[당신을 내가 먼저 만났더라면……. 형이 아니라 내가, 먼저 당신을 만났더라면……. 그래도 날 이렇게 밀어냈을까요?]

형수는 눈물 한 방울을 떨구면서 고개를 내저었다.

[그럼 마음이 시키는 대로 해요, 우리. 형만 모르면 되잖아요.]

시동생의 애원에 형수는 고개를 끄덕였다. 그러자 시동생은 다시 와락, 형수를 끌어안고는 황홀한 듯 형수의 귀에 속삭였다.

[이대로, 시간이 멈췄으면 좋겠어요.]

스크린 속 두 남녀는 식탁 위로 널브러지며 역동적인 키스를 시작했다.

"아니, 쟤 아직 고등학생이잖아? 벌써 19금이 왜 나와?"

찬재는 발가벗은 시동생을 가리키며 비난했다.

"쟤 1년 꿇어서 스무 살이야. 넌 영화 안 보고 나만 봐서 몰랐겠지만."

이다가 대답하는 사이, 스크린 속 형수는 시동생의 맨가슴을 두 손으로 마구 만졌다.

"이야, 역시 영화다. 드라마는 저런 거 안 보여 주는데. 영화 좋다, 영화 좋네."

찬재는 울컥해서 이다의 얼굴을 감싸 잡고 제 쪽으로 돌렸다.

"야, 네가 저거 보고 감탄하면 안 되지."

정색하고 눈을 부릅뜬 찬재의 표정에 이다는 눈을 찌푸렸다.

"왜 이래? 좋은 구경 놓치게."

"뭐, 좋은 구경? 더 좋은 구경 여기 있다. 그냥 여기 봐."

"아니, 영화 보러 와서 내가 너를 왜 봐. 영활 봐야지."

"너 지금 영화 아니고, 딴 놈 몸매 보는 거잖아!"

"나 보라고 벗었는데, 봐야지 그럼."

"누가 너 보라고 벗었다는 거야?!"

[하아……!]

[아아!]

발끈하는 찬재의 목소리를 뚫고 스크린 속 남녀의 신음이 들려왔다. 순간 스크린 앞 두 남녀의 고개가 스크린으로 향했다.

삐거덕삐거덕.

스크린 속 식탁이 요동쳤다. 식탁 위의 두 남녀도 요동쳤다.

"……."

"……."

스크린 앞 두 남녀는 미동도 하지 않고 침묵했다. 얼마 후, 식탁이 움직임을 멈추자 이다는 입술을 움직여 침묵을 깼다.

"역시 남자는 연하인가."

"뭐라고?"

찬재는 귀를 의심하며 이다를 봤다.

"아, 혼잣말이야. 나 혼자 속으로만 생각한다는 게 그만. 나도 모르게 말해 버렸네. 너무 감탄스러워서."

이다는 무덤덤하게 찬재를 향해 말했다.

"아니, 말 잘했어. 안 했으면 내가 몰랐을 거잖아."

예상외로 찬재는 차분히 이다의 어깨를 그러쥐며 말했다.

"영화나 드라마 보면, 하도 많이 나와서 그게 현실인 양 믿게 되는 판타지들이 있지."

"판타지?"

"차가운 도시 남자가 내 여자에게만은 따뜻할 거라는 판타지. 날 이렇게 대한 여잔 네가 처음이면 널 사랑할 거라는 판타지. 기타 등등 이하 생략. 근데 그런 건 잘못된 상식이야. 현실과는 다르다고."

"현실에서 그런 일은 절대 없단 얘기야?"

"아니, 있어. 네가 주인공인 현실에선 그런 일이 벌어지지. 근데 그건 네가 특별하기 때문이지. 누구에게나 그런 일이 벌어지진 않는다는 얘기야."

찬재는 확고하게 주장했다.

대체 설명인지 고백인지, 헷갈리고 설레는 이 말에 어떻게 반응해야 할지. 이다는 머쓱한 눈빛으로 찬재를 바라보기만 했다.

"그런데 말이지. 그렇게 특별한 너한테도 벌어지지 않는 일이 몇 가지 있어."

"뭐?"

"남자는 어릴수록 좋을 거란 판타지. 그거 잘못된 상식이야. 영화나 드라마에서 만들어 낸 연하남 판타지에 속지 마. 어린 남자가 힘도 좋고 귀여울 것 같아? 그런 일은 절대 너에게 벌어지지 않아."

"……."

"똥차 가고 벤츠 온단 판타지. 그것도 너에게는 벌어지지 않아. 특히나 너에게는."

"……."

"내가 이미 벤츠인데, 나보다 나은 벤츠 없거든."

찬재는 장담하며 어깨를 으쓱해 보였다.

"글쎄, 아무리 벤츠라도 오래 타면 낡을 텐데."

이다는 넌지시 찬재의 허리 아래를 응시하며 의미심장하게 말했다.

"같은 벤츠라도, 10년 뒤 승차감보단 지금 승차감이 훨씬 나을걸?"

"뭐?"

"너 서른 살이지? 나보다 여섯 살 많은."

이다는 찬재의 눈을 보며 덧붙였다.

"지금보다 나은 내일은 없어."

"……."

"하루라도 더 젊을 때, 승차감 좀 자랑해 봐. 말로 말고, 몸으로 제대로."

유혹 같은 발언에 찬재는 헛웃음을 쳤다.

"이 벤츠 키는 네가 쥐고 있어. 문 열고 타. 그리고 기름만 넣어. 그럼 내가 달릴 테니까."

"기름?"

"네 마음이 사랑 되면, 그게 기름이야. 그거 써서 초고속으로 달릴 테니까. 언제든 기름만 넣어."

"……어쨌든 지금은 못 달린단 얘기네."

이다는 떨떠름히 입맛을 다셨다. 그런데 그때 스크린에서 또다시 야릇한 음성이 들려왔다.

[하아……!]

순간 둘은 얼른 스크린으로 고개를 돌렸다. 누가 먼저랄 것 없이, 똑같이 열띤 눈빛으로.

* * *

"난 또, 에로 영화라서 심야 상영만 있는 줄 알았더니."

상영관을 빠져나오면서 이다는 불만인 표정으로 투덜거렸다.

"베드 신은 많지도 않고, 길지도 않고."

"딱 보니까 이 영화, 인기 없어서 상영관 줄어든 거야."

짐작을 내뱉으며 찬재는 자연스레 이다의 어깨에 팔을 둘렀다. 그리고 승강기로 향하면서 말을 이었다.

"관객 많은 시간대엔 인기작 걸어야 하니까. 이 영화에 시간 주기 아까웠겠지. 그러니까 사람 별로 없는 심야 시간에만 상영하는 거고."

"근데 스토리는 재미있던데?"

"뭐?"

"그렇게 인기 없을 영화 같진 않아."

이다의 반응에 찬재는 기막힌 눈빛으로 이다를 쳐다봤다.

"진심이야?"

"진심이야."

"대체 어디서 재미를 느낀 건데?"

찬재는 도무지 이해할 수 없단 투로 물었다.

"결말이 파격적이잖아. 둘 사이가 무르익었을 때, 형이 딱 등장한다. 나 여기까진 예상 가능했거든? 근데 형이 그렇게."

"동생한테 총 맞아 죽을 줄은 몰랐겠지."

"바로 그거야. 보통은 형이 동생을 죽이거나, 아내를 죽이거나. 아니면 둘 다 죽이거나. 그렇게만 예상했을 텐데. 와, 어떻게 그런 결말을 내지? 진짜 파격적이야. 어디 가도 못 볼 구경이었어."

때마침 승강기 앞에 다다라서 찬재는 우뚝 멈춰 섰다. 그리고 승강기를 기다리며 대꾸했다.

"대한민국 가정집 서랍에서, 뜬금없이 권총이 튀어나올 줄 누가 알았겠어. 그거 들고 동생이 형 쏠 줄은 또 누가 알았겠고."

"내 말이! 나 그때 진짜 놀랐잖아."

이다는 경이로운 듯이 감탄하며 눈을 반짝였다.

"그래, 놀라웠어. 저렇게까지 개연성이 없을 수가 있다니……."

찬재가 말끝을 흐리는 사이, 승강기의 문이 열렸다.

"뭐야, 넌 저 영화 별로였던 거야?"

이다는 질문하며 승강기 안으로 찬재를 이끌었다. 승강기에 올라 탄 찬재는 펜트하우스 층 버튼을 눌렀다. 그리고 이다를 바라보며 훈훈하게 미소를 지었다.

"네가 좋았으면 됐어."

"나만 좋았던 거 같은데."

"난 어차피 너 보러 들어간 거니까. 어떤 영화여도 상관없었어. 네가 좋아하는 거 봐서, 나도 좋았어."

다정한 대답에 이다는 잠자코 찬재를 지켜봤다. 그러다 잠시 후에 입을 뗐다.

"그럼 저거 또 보자면 볼래?"

"……굳이 저걸 두 번 보자고?"

"응."

"그 정도로 재미있었어?"

"응. 내가 본 영화 중에 제일 재미있었어."

"그럴 리가……."

그때 승강기가 펜트하우스 층에 도착했다. 자연스레 두 사람의 발걸음이 문 바깥으로 향했다. 문을 지나치며 찬재는 도무지 믿어지지지 않는 투로 물었다.

"너 지금까지 대체 어떤 영화들을 봤던 거야? 아니, 너 혹시 영화 오늘 처음 본 거 아냐?"

그렇다고 대답하면 이상하겠지…….

이다는 아직 자신을 최혜주로 알고 있는 찬재를 지켜보며 생각했다.

집에서 TV 볼 시간도 없이 살았던 건 서이다지, 최혜주가 아니니까. 최혜주가 극장에서 영화를 오늘 처음 봤다는 건 말이 안 되지.

그렇지만 펜트하우스 현관 앞에 걸음을 멈추었을 때, 이다는 최혜주라면 하지 않을 대답을 내뱉었다.

"그래. 오늘 처음이야."

현관문에 비밀번호를 누르던 찬재는 멈칫했다.

"진짜 오늘이 처음이라고?"

찬재는 뜻밖이란 눈빛으로 이다를 봤다. 이다는 고개를 끄덕였다. 그리고 손을 뻗어 현관문의 비밀번호를 마저 눌렀다.

"아니, 어떻게 그럴 수가 있지?"

의아해하는 찬재의 눈앞에서 이다는 가볍게 현관문을 열었다.

어차피 서이다라는 정체, 곧 밝힐 테니까. 이젠 굳이 최혜주인 척 대답할 필요 없어.

이다는 그렇게 생각하며 찬재의 손을 잡았다. 그리고 펜트하우스 안으로 그를 이끌었다. 찬재는 순순히 따라 들어가며 입을 열었다.

"그게 정말이면, 내가 저것보다 재미있는 영화 보여 줄게."

"저거 두 번은 같이 못 보겠고?"

"저거 백 번도 더 보겠고, 딴 영화도 백만 개는 더 보겠어."

찬재는 현관문을 닫으며 자신 있게 대답했다. 그러자 신발을 벗던 이다가 피식 웃었다.

"죽을 때까지 매일 봐도 백만 개는 못 볼 텐데."

"오래 살면 돼. 백만 개 다 볼 때까지."

아주 간단한 방법인 양 말하고서 찬재는 마주 웃었다.

"같이 오래 살자."

찬재의 덧붙임에 이다는 마음이 뭉클해졌다.

같이 오래.

꼭 가족이 생긴 것처럼 가슴속이 꽉 차는 기분이었다.

이대로 변하지 않았으면, 헤어지지 않았으면······. 정말 같이 오래, 가족처럼 살았으면······.

소원을 품어 보며 이다는 찬재의 어깨를 끌어안았다. 그러자 찬재는 마치 지기 싫은 사람처럼 이다를 더 꼭 끌어안았다. 단단히 마주 닿은 넓은 품이 참으로 따뜻해서, 이다는 눈을 감고 잠을 청하듯이 편안하게 숨을 들이마셨다.

머리에서 소원마저 지워질 만큼, 아무 생각도 들지 않을 만큼 달콤한 느낌이었다.

* * *

침실 문을 두드리는 소리에 찬재는 눈을 떴다. 그러자 마주 누워 있던 이다와 눈이 마주쳤다.

"뭐야, 벌써 깼어?"

찬재는 잠이 덜 깬 나른한 목소리로 물었다.

"벌써가 아니라."

이다가 운을 떼는데, 문밖에서 또다시 노크 소리가 났다. 이어 가사 도우미의 목소리가 건너왔다.

"이사님, 혹시 오늘 출근 안 하세요?"

조심스러운 질문에 찬재는 고개를 갸웃거렸다.

"무슨 소리지?"

"지금 여덟 시 넘었어."

"뭐?"

"내가 벌써 깬 거 아니고, 네가 늦잠 잔 거야."

"뭐?!"

이다의 말이 채 끝나기도 전에 찬재는 벌떡 몸을 일으켰다. 그리고 시계를 확인했다. 이다의 말은 사실이었다. 시간은 정말로 여덟 시가 넘어 있었고, 이는 평소라면 아침 식사를 마치고서 출근 준비를 시작했을 시간이었다. 그때, 가사 도우미의 목소리가 이어졌다.

"혹시 늦잠 주무시는 걸까 봐……."

"예! 늦잠 잤습니다!"

찬재는 문밖을 향해 대답했다.

"바로 준비하고 나가야 하니까, 제 아침 식사는 차리지 마세요."

당부를 마치고 곧장 욕실로 향하려는데, 이다가 팔을 붙잡았다. 찬재는 멈칫 의아한 눈으로 이다를 봤다.

"왜 그래?"

"지금 샤워할 거야?"

"뭐?"

"샤워할 거냐고."

"글쎄, 그럴 시간까진 없겠는데. 어차피 아침 운동도 안 했으니까, 그럴 필요도 없을 것 같고."

"그럼 같이 들어가."

"뭐?"

"지금 하고 싶은 말이 있어서 그래. 너 세수하고 양치질하는 동안, 옆에서 얘기 좀 할게."

"아아."

찬재는 금세 말뜻을 알아듣고 고개를 끄덕였다.

"뭐, 나야 샤워할 때 따라와도 상관없지."

시원스럽게 덧붙이고서 찬재는 이다의 손을 잡았다.

이다는 욕실 욕조에 걸터앉아 찬재를 올려다봤다. 찬재는 세면대 앞에서 거울을 마주하고 선 채 면도를 시작했다. 지잉, 면도기 소리가 작게 울렸다.

"나 좀 일찍 깼는데. 너 깨우는 걸 깜빡했어."

이다의 목소리가 소음을 뚫고 선명하게 찬재의 귀에 들어갔다.

"너 보니까, 계속 같이 있고 싶단 생각밖에 안 들어서. 깨울 생각이 안 들었어."

찬재는 뚝, 면도기를 멈췄다. 그리고 거울에서 고개를 돌려 이다와 눈을 마주쳤다.

"그래서?"

찬재는 빤히 이다를 지켜보며 물었다.

"앞으로도 계속, 나 자고 일어났을 때 네가 같이 있으면 좋겠어."

"……그래서?"

"그래서 너한테 고백할 게 있는데."

"……해."

찬재는 숨죽인 채 이다의 고백을 기다렸다.

사랑한다, 사랑해, 나 너 사랑하는 것 같아.

셋 중 하나거나, 아니거나. 어쨌거나 사랑이란 단어는 꼭 있을 거라 기대하면서.

"고백은 이따 저녁에 할게. 그러니까 일찍 와."

한껏 집중하고 있던 찬재는 눈살을 찌푸렸다.

"지금 안 하고?"

"지금? 너 바쁘잖아. 지각이라며."

"아니, 이제 딱 한마디 남았는데. 그 한마디 할 시간이 없어?"

찬재는 애가 타서 급한 마음에 보채듯이 묻고 말았다.

"한마디라니?"

이다는 금시초문인 얼굴로 반문했다.

"나 보니까, 계속 같이 있고 싶었다면서. 앞으로도 계속, 너 자고 일어났을 때 내가 같이 있으면 좋겠다면서?"

"맞아."

"그럼 남은 건 딱 한마디밖에 더 있어?"

"무슨 한마디?"

"사랑한다, 사랑해, 사랑하오."

찬재는 열렬하게 끓는 눈빛으로 대답했다. 순간 그의 고백 같아서, 이다는 철렁 가슴속이 설레었다.

"아, 그거 아니야."

이다는 얼굴을 살짝 붉힌 채로 해명했다.

"……아니야?"

"그래, 그거 아니야. 그리고 한마디도 아니야. 아주 길어. 그러니까 이따 저녁에 얘기하겠다는 거야. 아주 중요한 고백이니까, 꼭 일찍 오라고."

헛물을 켠 상황에 찬재는 한숨을 내쉬었다. 천장 뚫고 올라갔던 기분이 바닥으로 뚝 떨어진 기분이었다. 그러나 찬재는 금세 마음을 추스르고 헛기침을 했다. 그런 다음 의연해진 얼굴로 면도를 다시 시작했다. 지잉, 면도기가 소리를 냈다.

"알았어, 일찍 올게. 근데 말이야."

찬재의 목소리가 면도기 소리를 덮었다. 찬재는 거울에 비친 이다를 흘끗 쳐다보며 이어 말했다.

"나는 너 사랑해."

이다는 거울 속 찬재와 눈을 마주쳤다.

"계속 같이 있고 싶고, 앞으로도 계속, 너 자고 일어났을 때 내가 같이 있으면 좋겠어."

찬재는 이다가 들려줬던 말을 고스란히 되돌려 주었다.

"나는 너 사랑하니까, 그런 마음이 드는 거야."

덧붙이는 뚜렷한 목소리에 이다는 잠시 생각했다.

"아마 나도 그런 거려나."

혼잣말하듯 조용한 목소리는 면도기 소리에 파묻혔다. 그런데도 찬재는 다 알아들을 수 있었다. 그새 면도를 마친 그는 면도기를 끄고 이다를 향해 돌아섰다.

"잘 생각해 봐. 그리고 확실해지면, 꼭 얘기해 줘."

찬재는 당부하고서 이다의 이마에 입을 살짝 맞추었다.

* * *

영업 시작 전, 태강 타워의 모든 입점 매장을 둘러보는 첫 업무는 활발하게 진행되었다. 조금 늦게 시작했기 때문인지 찬재의 발걸음은 평소보다 조금 더 힘 있고 시원시원한 느낌이었다. 매장 직원들에게 인사를 건네는 목소리도 마찬가지였다.

마침내 첫 업무를 마치고서 사무실로 발길을 돌렸을 때, 찬재의 옆에서 태건이 질문을 건넸다.

"이사님, 지금 얼굴 밥알 같은 거 아십니까?"

"밥알?"

"아주 얼굴에 윤기가, 갓 지은 밥알처럼 좌르르하네요."

태건의 비유가 아주 마음에 드는 듯이, 찬재는 활짝 웃었다.

"죽 쑤다가 밥 되니까 좋네."

찬재는 가볍게 응수하며 에스컬레이터에 올라탔다. 태건은 그의 옆에 나란히 섰다.

"뭐, 밥이 아주 잘된 모양이네요. 질지도 않고, 고들고들하지도 않고."

서서히 올라가는 에스컬레이터 위에서 찬재는 주위를 슬쩍 둘러봤다. 영업 시작 직전이라 몇몇 직원들만 눈에 띄었다. 그들은 멀리 매장에 있었고, 에스컬레이터 위에는 태건과 그 둘뿐이었다. 듣는 귀가 없다는 걸 확인한 뒤, 찬재는 태건에게 운을 뗐다.

"알아보라는 건 어떻게 됐어?"

"아, 그거요."

태건 역시 빠르게 주위를 두리번거렸다.

"뭐, 속사정은 아직 좀 더 알아봐야 하겠지만, 일단 외부에 알려진 바로는 SJ 최 회장님이 워낙 완강하셨다고 하네요. 이사님하고 사모님 결혼, 최 회장님 입김이 아주 태풍급이었답니다. 사모님 입장에선 무조건 해야 하는 거였겠죠."

"최 회장이 반대한 건 아니었다?"

"예."

"그렇다고 이 결혼이 오래오래, 끝까지 유지되길 바라는진 확신할 수 없지. 계속 알아봐. 최 회장한테 무슨 꿍꿍이는 없는지. 이 결혼 가지고, 뒤에서 수작 부리는 건 없는지. 이건 최 회장뿐만 아니라, 그쪽 일가 사람들 다 포함이야."

찬재는 어느새 웃음기를 걷어 낸 채 냉정한 얼굴로 말했다.

최혜주가 왜 그토록 나를 밀어내야 했는지. 마음을 마음대로 할 수 없던 이유가 무엇인지. 어쩌면 최 회장네 집안에 답이 있을지 모른다. 그 집안을 캐고 캐다 보면, 최소한 단서쯤은 있을지도 모르지.

짐작하는 사이 위층에 도착했다. 두 사람은 자연히 에스컬레이터를 벗어났다.

"저, 그런데 좀 전에 이상한 소식이 들어왔는데요."

"무슨 소식?"

"최서한 씨 말입니다. 지금 검찰에서 조사를 받고 있답니다."

"의외네. 일은 깔끔하게 하는 타입일 줄 알았는데."

찬재는 대수롭지 않은 투로 반응하며 성큼성큼 전진했다.

"아뇨. 일 문제가 아니라, 마약 문제랍니다."

순간 찬재는 발걸음을 멈췄다.

점심시간이 되자 찬재는 펜트하우스로 올라왔다. 식탁에는 두 사람을 위한 점심이 차려져 있었다. 자리에 앉은 이다는 건너편에 앉은 찬재를 향해 말을 걸었다.

"아침은 어떻게 해결했어?"

"샌드위치. 넌?"

"나야 집에서 늘 먹던 대로."

"늘 먹던 아침 먹는데, 늘 같이 먹던 내가 없었잖아. 그거 괜찮았어?"

"나쁘진 않았지만, 있으면 더 좋을 것 같긴 했어."

이다는 혼자였던 아침을 떠올리며 대답했다.

"결혼 전엔 원래 혼자 먹는 게 익숙했었는데. 이제 너랑 먹는 게 익숙해지려나 봐."

이다의 덧붙임에 찬재는 기분 좋은 미소를 그렸다.

"저녁때 하겠다던 고백, 지금 하면 안 되나? 뭔지 궁금해서 못 기다리겠는데. 점심시간 한 시간은 되니까, 시간 충분하지 않을까?"

찬재가 질문하자 이다는 고개를 내저었다.

"아니. 지금은 곤란해. 저녁때가 딱 맞는 시간이야."

"뭐, 그럼 하는 수 없지."

찬재는 가볍게 어깨를 으쓱하고 수저를 들었다. 그리고 크게 한술을 떠 식사를 시작했다. 이다는 그런 찬재를 바라보며 생각에 잠겼다.

내가 가짜 최혜주란 사실을 고백해도, 최 회장에겐 타격이 없을 방법이 있다. 하지만 강찬재에게 충격이 없을 수는 없다. 이 방법이 아닌 어떤 방법을 쓴다 한들, 최혜주가 서이다가 되는 순간이 강찬재에게는 충격일 수밖에.

　충격일 줄 뻔히 알면서, 그런 고백을 지금 한다는 건 못 할 짓이다. 당장 한 시간 뒤엔 회사로 돌아가야 할 사람에게. 그건 아니지.

　이다는 홀로 고개를 절레절레 저었다.

　"왜 그래?"

　이다를 본 찬재가 물어 왔다.

　"아니, 그냥."

　대답하는데, 휴대 전화가 울렸다.

　"뭐지?"

　이다는 휴대 전화를 확인하고 고개를 갸웃거렸다. 발신자 번호가 낯설었다.

　"왜?"

　"모르는 번호라서."

　이다는 대수롭지 않은 투로 대답한 뒤 전화를 받았다. 그러자 수화기에서 낯선 음성이 흘러나왔다. 이다는 수화기에 귀를 기울였다. 그러나 아주 잠시 만에 무심한 표정으로 휴대 전화를 귀에서 내렸다. 이어서 뚝, 한 손으로 전화를 끊어 버렸다.

　"뭐야? 무슨 전환데 말도 없이 끊어?"

　찬재는 의아해서 물었다.

　"보이스피싱."

　이다는 휴대 전화를 식탁에 내려놓으며 대답했다.

"검찰인데, 나더러 무슨 조사를 받아야 한다나. 하여간 남의 이름이랑 전화번호는 대체 어디서들 털어 내는지."

덧붙이는 말에 찬재는 표정이 어두워졌다.

"그거, 진짜일 수 있어."

"뭐?"

"보이스피싱 아니라, 진짜 검찰일 수 있다고."

찬재는 걱정스러운 듯 심각한 목소리로 말했다.

"아냐, 진짜 검찰이면 소환장을 편지로 보냈겠지."

"만약……. 검찰청 마약 팀이면 얘기가 달라."

"뭐야. 소리 들렸어? 방금 전화 마약 팀이라고 소개한 거."

이다의 말이 채 끝나기 전에, 식탁에서 휴대 전화가 다시 울렸다.

두 번째 전화의 발신자는 윤 비서였다.

[저, 혹시 검찰에서 연락 받으셨습니까?]

이다가 전화를 받자마자 윤 비서는 다급한 목소리로 질문했다.

"무슨 연락이요?"

이다는 일단 침착하게 반문했다. 찬재는 그런 이다를 빤히 바라보며 온 신경을 집중했다.

[그……. 최서한 씨가 지금 마약 소지 혐의로 조사 중입니다. 아마 최혜주 씨까지 연루됐을 가능성이 제기된 모양인데. 제가 지금 태강 타워로 가고 있습니다. 일단 만나서, 만나서 자세한 얘길 하겠습니다.]

그럼 방금 전화가 진짜였단 말인가?

갑작스러운 상황에 이다는 얼떨떨한 기분으로 전화를 끊었다.

"아마 간단한 참고인 조사일 거야. 마약 수사는 주변 인물 조사가 기본이니까. 그냥 네가 둘째 오빠하고 친해서, 혹시 너도 같이 했나, 물어보는 정도겠지. 걱정하지 마."

찬재는 부드럽지만 힘이 담긴 목소리로 이다를 안심시켰다.

아니기를 바랐는데. 내 아내한테까지 연락 오는 일은 없이, 아무 것도 모르는 채 그냥 지나가길 바랐는데…….

역시 그건 무리한 바람이었나.

속으로만 생각하며 찬재는 한숨을 삼켰다.

"너 알고 있었어?"

"최서한을 조사 중이란 것까지는, 오늘 들었어."

"근데 왜 아무 말 안 했어?"

"그냥 그 선에서 끝날 일이니까. 넌 걱정할 거 없고, 아무 문제 없을 거니까."

확신하는 찬재의 목소리가 고마웠지만, 정작 이다는 확신할 수 없었다.

최혜주가 이 사건에 얼마나 연루되어 있는지. 이게 과연 아무 문제 없을 일인지.

* * *

"아마 서이다 씨에게 별문제는 없을 겁니다."

운전석의 윤 비서는 조금 전의 찬재와 거의 비슷한 말을 내뱉었다. 그러나 윤 비서의 표정은 찬재와 완전히 달랐다. 그는 몹시 불안하고 초조한, 어쩔 줄을 몰라 하는 얼굴이었다.

"서이다 씨는 마, 마약에 손도 댄 적 없을 테니까. 검사해도 불리할 게 없죠. 그렇죠? 마약, 서이다 씨한테서는 검출될 리 없죠?"

있다고 대답하면 당장 기절이라도 할 것 같은, 새파랗게 질린 얼굴에 이다는 착잡한 입맛을 다셨다.

"아니라고 말해 줘요, 아니잖아요."

아니어야 하는 거겠지.

윤 비서의 애원을 안쓰럽게 바라보며 이다는 입을 열었다.

"그건 윤 비서님 생각이 맞아요. 나한테서 마약이 검출될 리는 없죠."

윤 비서는 눈을 감고 하아아, 안도의 숨을 내쉬었다.

"그런데 최혜주는요?"

"예?"

이다의 질문에 윤 비서는 도로 이다와 눈을 마주쳤다.

"최혜주한테서는, 마약이 검출될 리 있었나요?"

"그건……. 저도 모르겠습니다."

"확실하게 아니라고는 못 하시네요."

"……."

"최서한과 최혜주가, 정말로 마약을 함께했을 가능성. 있는 거죠?"

의미심장하게 질문하자 윤 비서는 마지못한 얼굴로 천천히 고개를 끄덕였다.

"물론 최서한 씨는 아니라고 주장하고 있습니다만. 검찰에서 잡아들인 마약 밀수업자 진술대로라면……, 최서한 씨는 지난 2년 동안 그 밀수업자에게서 각종 마약을 거래해 왔답니다. 아직 최서한 씨 검사 결과가 나오지는 않았지만, 솔직히 이변은 없을 거라 생각

합니다. 쓰지도 않을 마약을 2년이나 사들이진 않았을 테니까요."

"그건 최서한이 마약을 했단 증거는 되지만, 최혜주가 함께했을 증거는 아닐 텐데요. 단지 친하단 게 증거가 되나요?"

"그게, 서한 씨가 거래하는 동안, 밖에서 기다리고 있던 혜주 씨가 찍힌 CCTV가 있답니다."

"CCTV요?"

"물론 이것도 정황 증거일 뿐이지만. 일단 검찰에서는 이 증거를 물고 늘어질 테고. 그날 혜주 씨의 행적에 대해 질문할 겁니다. 하지만 어차피 서이다 씨한테서 마약이 검출될 리 없으니까. 혜주 씨는 무혐의로 결정 날 겁니다. 그러니까 검사 결과 나올 때까지만, 염치 없지만 수고 부탁드립니다. 이건 최 회장님 부탁이기도 합니다."

윤 비서는 이다를 향해 꾸벅 고개를 숙여 보였다.

"그 최 회장님은, 정확히 어떤 수고를 원하시는 건데요?"

"예?"

"쌍둥이는 DNA가 거의 같으니까. 제가 입만 다물고 있으면, 제 검사 결과는 최혜주의 검사 결과가 되겠죠. 그리고 CCTV. 거기 찍힌 그날 행적쯤은 최혜주에게 유리하게 진술할 수 있어요. 기억 안 난다, 모른다. 아니면 그냥 난 아무것도 모르고, 오빠가 뭘 하는지 모르는 채 기다렸을 뿐이다. 그 정도는 우리 계약 생각해서 충분히 할 수 있는 수고예요."

이다는 담담하게 얘기했다. 그리고 잠시 입을 다물었다가, 의미심장해진 눈빛으로 다시 입을 열었다.

"혹시 최서한 씨를 위한 거짓 진술까지 바란다면. 그런 수고는 기대하지 마세요."

"……."

"검찰에는 내일 출석하게 됐으니까, 그렇게 아시고요."

"출석할 때, 저희 측 변호사가 동행하도록 준비하겠습니다."

"아니요."

"예?"

"지금 내가 믿고 내 변호를 맡길 사람은 나뿐인 것 같네요."

이다는 단호하게 말하고서 차 문을 열었다. 그리고 훌쩍 차 밖으로 빠져나갔다.

이다가 펜트하우스로 돌아왔을 때, 찬재는 서재에서 나오고 있었다. 찬재는 막 통화를 마치고서 휴대 전화를 귀에서 뗐다.

"점심시간 끝났을 텐데. 아직 안 내려갔네."

이다는 그 앞에 멈춰 서서 그를 향해 말했다. 그러자 찬재가 다가와 이다의 어깨를 부드럽게 그러잡았다.

"오늘 오후 스케줄 다 비워 뒀어. 안 내려가도 돼."

"……."

"그리고 도우미들 퇴근시켰으니까, 편하게 얘기해."

듬직하게 말하고서 찬재는 이다를 감싸 안았다.

"내가 네 편이니까, 안심하고."

찬재는 넓은 손으로 이다의 등을 쓰다듬었다.

"다른 건 다 내가 함께할 테지만, 검찰 조사에는 변호인만 동행할 수 있어. 그건 어쩔 수 없는 일이니까, 대신 나만큼 믿을 만한 변호인을 불러 둘게."

사려 깊고 믿음직한 목소리에 이다는 가슴속이 한결 나른해지는 듯이 긴장이 가라앉았다.

'지금 내가 믿고 내 변호를 맡길 사람은 나뿐인 것 같네요.'

이다는 조금 전 윤 비서에게 내뱉었던 자신의 냉정한 목소리를 떠올렸다.

아니⋯⋯. 한 사람이 더 있는 건가?

생각하며 이다는 찬재의 어깨에 턱을 기대었다.

"너, 정말 내가 범죄자면 어쩌려고 이래."

"최대한 선처 구하고, 형량 낮추고. 옥 수발들면서 기다려야지."

"⋯⋯."

"아, 사식으로 스테이크 넣을 수 있나?"

농담조로 건넨 질문에 이다는 피식 실소했다.

"네가 잘못한 게 아니라면 아니라고 믿을 거야. 하지만 네가 잘못한 게 맞다 해도, 내가 변할 일은 없어. 그러니까 어느 쪽이든 걱정하지 마. 그냥 사실대로만 말하면 돼. 난 무조건 네 편이니까."

이어지는 찬재의 목소리는 진지했다.

"그래, 믿어 볼게. 네가 변하지 않을 거라고."

이다는 그에 못지않게 진지해진 목소리로 말했다. 그리고 깊은숨을 내쉬었다. 이어 두 주먹을 꼭 쥔 채, 찬재의 몸을 꽉 끌어안았다.

잠시 후, 이다는 팔을 풀고 찬재의 손을 잡았다.

"저녁때 하기로 한 고백, 지금 할게."

이다는 찬재를 소파로 이끌었다. 찬재는 자연스레 이다를 따라 소파에 나란히 앉았다.

"대체 무슨 고백인데, 이렇게 심각해?"

찬재는 이다를 향해 몸을 돌려 앉으며 질문했다. 그러나 이다는 찬재와 마주하지 않고 정면만 바라봤다.

"나한테 쌍둥이가 있었대."

"쌍둥이?"

금시초문인 이야기에 찬재는 미간을 좁혔다.

"24년 동안 모르고 살았는데, 얼마 전에 알게 됐어. 원랜 쌍둥이였는데, 아주 어릴 때 한쪽만 입양되고, 다른 한쪽은 고아로 자랐다는 거."

"……."

"입양된 쪽은 재벌가 막내딸로 자랐고, 너도 알다시피 그쪽 이름은 최혜주야."

이다는 고개 돌려 찬재와 눈을 마주했다.

"그리고 내 이름은, 서이다야."

"……뭐?"

"내 이름은 보육원 원장님이 지어 주셨어. SJ 그룹 사모님은 본 적도 없고, 어디에도 입양된 적 전혀 없어."

이 여자가 대체 무슨 말을 하는 거야……?

찬재는 귀를 의심하며 이다의 눈을 빤히 들여다봤다. 이다는 짐짓 의연하게, 차분하게 고백을 계속했다.

"최혜주가 내 쌍둥이라는 건, 결혼식 이틀 전에 알았어. 너하고 최혜주 결혼식 말이야. 그리고 그때부터 난 최혜주 대신 최혜주 행세를 했어. 최혜주인 척 결혼식에 입장하고, 최혜주로 1년만 너랑 살아 주면 돈을 받기로 했거든."

"너 지금 장난하는 거야?"

찬재는 도무지 믿을 수가 없단 얼굴로 물었다.

"지금 상황에 장난이 나올 만큼 내 정신 나가 있진 않아. 전부 사실이야."

이다는 미안한 눈빛으로 대답했다. 순간 아찔해지는 정신을 다잡으려 찬재는 인상을 썼다. 그리고 상황을 똑똑히 판단하고자 질문을 던졌다.

"넌 최혜주가 아닌데. 최혜주인 척 나랑 결혼했다?"

"맞아."

"나랑 결혼해서 1년만 살아 주면 돈을 받는다?"

"그래서 너 밀어냈었어. 1년 뒤엔 여기 최혜주의 자리에 있을 수 없으니까. 그땐 내 자리로 돌아가야 하니까."

"그 이유가……. 이거였어?"

이다는 천천히 고개를 끄덕였다. 그 모습에 찬재는 두 눈을 질끈 감고 탄식했다. 충격으로 속이 뒤틀리는 지경이었다. 찬재는 이다에게서 몸을 돌리고는 허리 숙여 두 손으로 얼굴을 가렸다.

잠시 침묵이 흘렀다. 이다는 잠자코 바라보다 찬재에게로 손을 뻗었다. 어깨에 손이 닿으려는데, 찬재의 목소리가 흘러나왔다.

"그러니까 처음부터 넌 날 속여 왔단 얘기지?"

무겁게 가라앉은 목소리에 이다는 손을 멈칫했다. 찬재는 손을 내렸다.

"최혜주가 아닌데 최혜주인 척. 1년 뒤에 날 떠날 생각이면서, 전혀 아닌 척."

이다를 외면한 채 앞만 보면서, 찬재는 차가운 목소리로 말했다.

"그랬었어. 하지만 지금은 아니야."

낯선 목소리에 움찔 주먹을 그러쥔 채, 이다는 고개를 저었다. 하지만 찬재의 시선은 그녀에게 오지 않았다.

"누가 시켰어?"

날카로운 질문에 이다는 선뜻 답을 할 수 없이 굳어 버렸다.

"대체 누가 이딴 장난질을 시켰냐고!"

찬재는 벌떡 몸을 일으키며 소리쳤다. 그리고 몸을 돌려세워 이다와 눈을 마주했다. 칼날같이 차디찬 눈빛에 이다는 가슴이 저며왔다. 단 한 번도 본 적 없는 모습이라, 그가 대체 얼마나 화가 난 건지 두려울 정도였다.

이런 상태라면, 최 회장에게 피해가 가지 않는다는 보장이 없다.

이다는 잠시 아랫입술을 깨물었다.

역시 최 회장에게 화살이 가지 않는 방법은 이것뿐이겠지.

이다는 괴로운 심정으로 하는 수 없이 입술을 움직였다.

"최혜주."

"뭐?"

"최혜주가 부탁했어. 딱 1년만 대신 결혼 생활 유지해 달라고."

찬재는 표정 없이 굳은 얼굴로 이다를 응시했다.

"딱 1년만 대신 살아 주고, 나 버릴 생각이었어?"

"처음엔. 널 모를 때는. 하지만 지금은 그럴 수 없게 됐어."

이다는 찬재의 눈을 똑똑히 바라보며 힘주어 말했다. 그러자 찬재는 차갑게 헛웃음을 쳤다.

"대체 어디서부터 어디까지가 진짜인지, 하나도 믿을 수가 없네."

찬재는 고개 돌려 이다를 외면했다.

"네 말, 이제 하나도 못 믿어."

감정 없는 목소리에 이다는 얼어붙은 듯이 굳었다. 찬재는 그대로 휙 자리를 떠나갔다. 잡을 새도 없이 성큼성큼, 현관을 향해 빠르게 떠나갔다. 이다가 자리에서 몸을 일으켰을 때, 찬재는 이미 현관문을 박차고 있었다. 복도에 들어선 이다의 눈앞에서 현관문은 매정하게 닫혔다.

*　*　*

찬재는 승강기에 올라타자마자 버튼을 눌렀다. 승강기의 문이 닫히고, 승강기는 1층으로 향해 갔다.

"최혜주가 아니었어? 최혜주가 아니라고?"

기가 막힌 진실에 혼잣말이 절로 터져 나왔다. 승강기 문에 비친 얼굴이 엉망으로 꼴사납게 일그러져 있었다.

"처음부터, 헤어질 생각으로 결혼했어?"

승강기는 점점 지상으로 내려가는데, 승강기 속 온도는 점점 끓어올랐다. 마치 지상에서 지하로, 용암으로 가까워지는 것처럼. 온몸이 자꾸 뜨거워지고 있었다.

"내가 그렇게 아무것도 아니었어?! 내가?"

그래, 아니었겠지. 내가 그렇게나 죽자 사자 매달리지 않았으면, 그 여잔 나 버리고 아무렇지 않게 떠났겠지. 누군 처음부터 하루하루, 벼락 맞은 사람처럼 제정신 아니게 해 놓고서. 정신없이 너만 쫓게 해 놓고서.

"젠장, 내가 버려도 될 사람으로 보였어?!"

들끓는 열기를 참지 못해 찬재는 재킷을 벗어젖혔다.

내가 너한테 준 마음이 어떤 건데! 앞으로 줄 마음은 또 어떻고!

"1년 같은 소리 하네, 내가 놔줄 줄 알아?"

그때 승강기의 문이 열렸다. 승강기는 어느새 1층에 도착해 있었다. 그러나 찬재는 발을 떼지 않았다.

"아, 나 못 참아!"

확 떠나 버릴 생각이었는데, 그 생각이 떠나 버렸다.

찬재는 곧장 버튼을 눌러 문을 닫아 버렸다. 그리고 P 버튼을 눌렀다. 승강기는 다시 펜트하우스를 향해 올라갔다.

해야 할 말이 자꾸자꾸 치솟아서, 당장 이 여자 얼굴을 봐야 했다. 안 보고는 참을 수가 없게 됐다.

펜트하우스로 가까워지는 동안에도 열은 멈추지 않고 계속 올랐다. 한 층, 한 층 가슴속이 부글부글 새카맣게 타들어 갔다.

이 승강기 원래 이따위로 느렸나?

찬재는 손에 쥔 재킷을 꽉 그러쥐며 전광판을 뚫어지게 노려봤다. 층수를 표시하는 전광판의 숫자가 너무 천천히 바뀌고 있었다.

빨리 이 여자를 봐야겠는데. 안 보면 미치겠는데…….

찬재는 시선을 전광판에 꽂아 둔 채 셔츠 단추 하나를 풀어 헤쳤다. 다음 단추까지 손을 데려는데, 드디어 전광판의 숫자가 P자로 바뀌었다. 그러자 곧이어 승강기가 멈췄다.

찬재는 정면으로 시선을 옮겼다. 문이 열리면 곧장 발을 내디딜 기세였다.

그런데 문이 열린 순간, 찬재는 멈칫 굳었다.

열린 문 앞에 이다가 서 있었다. 한 발 내디디면 닿을 거리에.

찬재를 본 이다 역시 멈칫했다. 당장 뛰어 들어가려던 생각마저 멈춘 채, 이다는 눈을 크게 떴다.

1층에서 내렸을 줄 알았는데. 얼른 뒤쫓으려 했는데. 왜 그가 이 안에 있는 건지.

이다는 머릿속이 하얘졌다.

"너, 너 믿으라면서!"

다급하게 외치면서 찬재의 팔을 붙잡았다.

"믿으니까, 이제 너 떠날 생각 없으니까 하는 말이잖아! 난……!"

순간 찬재의 손이 와락 어깨를 잡아당겼다. 남은 말이 새어 나갈 틈도 없이, 그의 입술이 입술을 틀어막았다. 절로 눈이 감겼다.

찬재는 집어삼킬 듯이 키스를 이어 가며 그녀를 끌어당겼다. 두 손으로 뒷목을 감싸고, 혀로 입술 새를 파고들며 열기를 퍼부었다. 떼어 내지 못하도록 집요하게 붙들고 옭아맸다.

한참 만에 찬재가 입술을 놓았을 때, 이다의 등은 승강기 벽에 닿아 있었다. 찬재는 코앞에서 눈을 똑똑히 마주했다. 그리고 얼굴을 감싸며 입술을 움직였다.

"나 믿고, 지금 이 말도 믿어."

이다는 뜨거운 숨을 몰아쉬며 그의 말에 귀를 기울였다.

"나 같은 놈 어디 가도 없어. 나뿐이야. 어디 갈 생각 말고, 내 옆에 있어."

찬재는 열띤 눈빛으로 장담했다.

"두고 봐. 나 믿은 거, 네 평생에 제일 잘한 일로 만들어 줄 테니까."

말 끝나기 무섭게, 이다가 입술을 맞부딪쳐 왔다. 불이 붙은 듯이 뜨겁게 하나로 엉켜드는 키스가 다시 시작되었다.

말이 필요 없는, 확실한 대답이었다.

* * *

주방으로 들어서자마자 찬재는 냉장고 문을 열고 물병을 꺼냈다. 그리고 벌컥벌컥 물병째로 냉수를 들이켰다. 활짝 열어 둔 냉장고 앞에 몸을 식히며, 물병을 반이나 비워 냈다.

"진짜 내가 미친놈이지."

찬재는 물병에서 입을 떼고 기막힌 듯 혼잣말했다. 그사이 먼저 식탁으로 향한 이다는 의자를 빼 앉았다.

"야, 진짜, 난 왜 아직도 네가 이렇게 좋은 거지?"

질문하며 찬재는 이다를 향해 몸을 돌렸다.

"애 딸린 미혼모, 불치병, 외계인. 다 감당할 수 있을 거라 상상했는데. 이건 도대체가 상상에도 없던 일이라고."

"그러게. 남의 신분 도용해서 아예 다른 사람인 척 속인 건데."

이다는 미안하면서도 감탄스러운 마음으로 찬재를 보며 말했다.

"보통 드라마에서는, 아무리 좋아해도 이런 사실 알고 나면 배신감 느끼잖아. 혹시 너도 그럴 수 있지 않을까……. 많이 걱정했었어. 내가 고백하면, 배신감 때문에 네가 날 싫어하게 될까 봐."

"내 말이. 나 왜 네가 안 싫어지지?"

찬재는 냉장고 문을 닫고 식탁으로 걸어갔다.

"보통 드라마면 이 문제로 최소 몇십 분은 갈등하고, 보는 사람 고구마 먹이는 속 답답한 장면 꼭 나왔을 텐데."

맞은편에 앉으려나 싶었는데, 이다의 예상과 달리 찬재는 저벅저벅 식탁을 지나쳤다. 그리고 이다의 곁에서 걸음을 멈췄다.

"이건 뭐, 너랑 찍는 드라마는 몇 분도 안 걸리네."

찬재는 이다의 뺨을 감싸고서 눈을 보며 덧붙였다.

"내가 보통이 아닌 거지, 너 사랑하는 정도가."

자부하는 눈동자를 마주한 채 이다는 인정할 수밖에 없었다.

"너 정말 보통 아니야."

"너도 보통 아닌 거야. 나 이렇게 만들 정도면."

찬재는 미소와 함께 대꾸했다. 덕분에 새삼 안도감이 차올라 이다는 찬재의 허리를 끌어안았다.

"믿으라고 해 줬던 거 고마워. 그 말 생각하면서, 고백 결심할 수 있었어."

가슴속이 뿌듯해져 찬재는 입꼬리를 한껏 올렸다. 그는 이다를 마주 안고, 가슴속에 차오른 말을 내뱉었다.

"네가 나를 속여 왔다는 건 이제 중요하지 않아. 네가 나를 믿게 됐다니까, 그걸로 됐어. 다른 건 안 중요해."

그래, 뭐가 중요할까? 이 여자가 나를 믿는다는데. 떠나려던 마음, 접었다는데.

찬재는 한참 동안 이다를 얼싸안은 채로 등을 어루만졌다.

"그런데⋯⋯. 네 이름, 서이다라고 했었지? 설마 내가⋯⋯ 사이다를 서이다로 잘못 들은 건 아니지?"

한참 만에 침묵을 깬 찬재의 목소리에 이다는 작게 웃었다.

"서이다야. 사이다 아니고. 서이다."

이다가 대답하자 찬재 역시 피식 웃음을 터뜨렸다. 그러고서 찬재는 그녀의 귓가에 입술을 가까이했다.

"그래, 서이다. 이제 가짜 최혜주 말고, 진짜 서이다 얘길 해 봐."

진짜 이름을 속삭이는 그의 목소리가 어느 때보다 감미롭게 느껴졌다. 목소리 때문인지, 열이 오른 품속 때문인지. 이다는 녹는 듯한 기분으로 나른한 목소리를 냈다. 그리고 진짜 자신의 이야기를 시작했다.

* * *

다음 날 아침, 검찰청으로 향하는 차 안에는 두 사람뿐이었다.

"장 변호사님 벌써 검찰청에 도착했대."

이다는 조수석에서 휴대 전화를 확인하고 말했다. 그러자 운전석의 찬재가 난감한 투로 고개를 절레절레 흔들었다.

"이틀 연속 늦잠이네."

혼잣말을 흘리는데, 이다의 목소리가 들려왔다.

"그러게 내가 운전한다니까, 왜 고집이야? 내가 운전하면 더 빨리 도착할 텐데."

"30초 빨리 가려다, 30년 빨리 가는 수가 있어."

"뭐래. 나 한 번도 운전하다 사고 낸 적 없어."

"배달하다 사고 난 적 있었다며. 무릎에 흉터 그거 때문이라며."

"그건 내 잘못 아니었고. 신호 대기 중에 차가 와서 들이받은 거라니까."

"그래, 그럼 사고는 안 낸다고 치자. 그래도 난 30년 일찍 가게 될걸. 네 운전 지켜보다 심장 마비로."

찬재는 단호하게 장담했다.

"너 그때, 수영장에 빠졌던 날 생각해서 그러나 본데. 그땐 내가 열 받아서 운전이 좀 격해졌던 거지. 평소엔 그 정도 아니야."

"좀 격해진 게 그 정도면, 좀 덜 격해져도 절대 안전하지 않아. 이건 뭐 배달 알바를 하고 산 건지, 카레이싱을 하고 산 건지."

운전하느라고 찬재는 앞만 보며 혀를 내둘렀다.

"그냥 빠르게만 할 테니까, 운전대 넘겨. 이번엔 난폭하게 안 해."

"됐어."

"나 못 믿어?"

"……."

찬재는 대꾸 없이 운전에만 열중했다. 이다는 그런 찬재를 바라보다 눈을 찡그렸다.

"왜 못 믿어?"

"됐으니까, 가는 동안 눈이나 좀 더 붙여."

"왜?"

"못 믿는 게 아니라, 네가 쉬었으면 하니까. 너 쉬라고 운전 내가 하는 거야. 너 어제 네 얘기 해 주느라, 변호사 만나느라, 기운 쓸 일 많았잖아."

"아……. 그런 거였어?"

"검찰 조사 코앞에 두고 늦잠 잘 정도면, 보통 피곤했던 거 아니다, 너."

"늦잠은 너도 같이 잤는데. 그럼 너도 그만큼 피곤했단 얘기잖아? 그럼 공평하게 번갈아 가며 운전해야 하는 거 아냐?"

"난 꿈에 네가 나와서 늦잠 잔 거고."

"……."

이다는 어이없어 아무 말 없이 바라만 봤다.

"그리고 넌 아직 더 피곤할 일이 남았잖아. 검찰 조사. 그러니까 지금은 내가 운전해야 공평한 거야."

공평이라 말하지만, 배려로 느껴지는 발언이었다. 덕분에 이다는 마음이 든든하고 훈훈해졌다.

"좋아. 나 여기서 편하게 쉴 테니까, 넌 이따가 편하게 쉬어. 나 조사 받는 동안, 아무 걱정 하지 말란 얘기야."

이다는 눈을 감고 당부했다.

"걱정 안 해. 너한테는 정말 아무 문제 없을 테니까. 내가 없게 할 거니까."

확신하는 찬재의 목소리가 자장가처럼 느껴졌다. 마음이 지나치게 편해져서, 나른히 잠이라도 올 것 같은 기분이었다.

이다는 정말 이래도 되나 싶을 만큼 편안하게 잠을 청했다. 희미하게 미소를 띤 얼굴로.

살면서 이런 날이 생길 줄은 몰랐는데.

이다는 검사실 의자에 앉아 담담하게 생각했다.

검사 만나 검찰 조사란 걸 받게 될 줄이야.

하긴 재벌가에 최혜주 대신 들어가게 될 줄은 언제 알았던가?

최혜주가 아니었다면 겪지 않았을 모든 일을 돌이켜보며, 이다는 새삼 최혜주가 궁금해졌다.

최혜주는 대체 어쩌고 있는 걸까…….

그때, 잠시 자리를 비웠던 담당 검사가 검사실 안으로 돌아왔다.

"모발 감정 결과는 보름쯤 후에 나올 겁니다."

검사는 맞은편 의자에 앉으며 딱딱한 목소리로 말했다.

"1차 시약 검사에서는 음성 반응이 나왔지만, 모발 감정 결과까지 음성일지는 두고 봐야 알 일입니다. 만약 거기서도 음성 반응이 나온다면, 최혜주 씨는 무혐의 판정을 받게 될 겁니다. 물론 반대의 경우, 최혜주 씨는 참고인이 아니라, 피의자 신분으로 조사를 받게 되겠죠. 물론 저는 참고인의 마약 복용 가능성이 농후하다고 판단합니다만."

"검사님, 증거도 없으신데. 그런 발언은 위험하지 않습니까?"

이다의 옆자리에서 장 변호사가 검사의 말허리를 잘랐다.

"어쨌거나 그때까진 참고인 신분으로, 성실하게 조사에 협조해 주시길 바랍니다."

검사는 장 변호사를 거들떠보지 않고 날카롭게 이어 말했다.

"그러죠."

이다는 태연히 검사의 눈을 보며 답했다.

"좋습니다."

검사는 건성으로 반응하며 책상 위의 노트북으로 시선을 옮겼다. 그리고 달칵달칵, 마우스 버튼을 몇 번 눌렀다.

"제가 참고인을 최서한 씨 마약 사건 공범으로 추정하는 데엔 그럴 만한 이유가 있습니다."

마우스에서 손을 뗀 검사는 노트북 화면을 이다에게로 돌려 보였다. 그러자 CCTV 영상의 정지 화면이 화면을 가득 채우고 있었다. 정지 화면 속 최혜주와 최서한은 승강기 안에 나란히 서 있었다.

"이때가 언제인지 기억나십니까?"

검사의 질문에 이다는 흘끗 변호사와 시선을 마주쳤다. 그리고 어젯밤 그와의 대화를 떠올렸다.

'우린 두 분이 함께 찍힌 CCTV가 있다는 것만 알지, 정확히 언제 어디서 찍힌 CCTV인지는 알 수 없는 상탭니다. 혹시 혜주 씨는 짐작 가는 날짜가 있습니까?'

'아니요. 사실, 제가 기억력이 많이 안 좋아서요. 하지만 이거 하나 확실하게 기억하는데, 난 한 번도 오빠한테서 마약을 나눠 받은 적은 없어요.'

'그럼 최혜주 씨는 검사가 CCTV에 대해 질문하면, 무조건 모른다고 일축하세요. 그래도 됩니다. 혜주 씨 말이 사실이라면 절대 혜주 씨 몸에서 마약이 검출되지 않을 텐데. 두 사람이 언제 어디서 함께 있었든, 그게 혜주 씨가 마약을 함께 복용했단 증거는 될 수 없어요. 그러니까 겁먹지 마시고, 당당하게 대응하시면 됩니다.'

이다는 검사에게로 시선을 되돌렸다.

"글쎄요. 제가 서한 오빠하고 승강기를 탔던 적이, 한두 번이 아니라서요. 저게 언제 찍힌 CCTV인진 알 수가 없네요."

담대한 눈빛으로 또박또박 말하자, 검사는 잠시 침묵하며 이다의 눈을 지켜봤다.

"최서한 씨 소유인 오피스텔 승강기입니다. 그래도 기억 안 납니까?"

이다는 다시금 화면 속 최혜주를 응시했다.

최혜주는 하늘하늘 얇고 부드러운 소재의 원피스 차림이었다.

옷차림을 보아하니 여름이나 겨울은 아닐 것 같은데…….

"예. 그래도 잘 모르겠네요."

이다는 고개를 절레절레 저으면서 딱 잘라 말했다. 그러자 검사는 못마땅한 얼굴로 입을 열었다.

"4월 28일입니다."

"4월 28일……?"

그건, 내가 강찬재와 결혼하기 5일 전인데?

뭔가 이상하단 직감에 이다는 미간을 찡그렸다.

"최혜주 씨 결혼 5일 전이죠. 이날, 최서한 씨가 마지막으로 마약상과 거래를 나눴습니다. 그리고 곧장 최혜주 씨와 함께 자기 소유 오피스텔로 이동했죠. 바로 여기, 이 모습이 그 증거입니다."

"……."

"결혼 5일 전. 결혼 준비하느라고 한창 바쁠 땐데. 그런 예비 신부가, 예비 신랑도 아닌 둘째 오빠와 저기서 왜 만나고 있었을까요?"

검사는 의미심장하게 캐물었다.

"그것도 밤 11시. 저 야심한 시간에 말이죠. 보통 예비 신부라면, 하지 않을 행동 아닙니까?"

이다는 대답하지 않았다. 그저 빤히 최혜주를 바라보면서 주먹을 꽉 그러쥐었다.

나야말로 묻고 싶다. 대체 너, 거기서 최서한과 뭘 했던 거지?

불길한 예감에 사로잡힌 채, 이다는 눈으로 질문을 던졌다.

* * *

"두 사람, 승강기로 올라가는 모습하고, 내려가는 모습이 CCTV
에 찍혀 있었어."

말을 하다 말고, 장 변호사는 소파 앞 테이블에 놓인 커피를 들
어 목을 축였다. 그리고 테이블 너머 찬재를 마주 보며 다시 입을
열었다.

"그런데 내려갈 때 말이야. 최서한이 혜주 씨를 안아 들고 나왔
어. 혜주 씨, 완전 인사불성 상태더라고. 몸도 못 가누고, 눈도 못
뜨고."

찬재는 눈썹을 찌푸렸다.

"인사불성 상태였다?"

"이상한 건, 정작 혜주 씨는 그날 그렇게 실려 가서 무슨 일이 있
었는지, 도무지 기억이 안 난다고만 해."

그야 서이다는 기억이 안 날 수밖에. 최혜주가 그때 뭘 어떻게
했는지, 서이다는 알 리 없잖아.

찬재는 속으로만 생각하며 개운치 않은 입맛을 다셨다. 그러자
장 변호사가 미심쩍은 투로 물어 왔다.

"근데 진짜 그게 기억 안 날 수가 있나? 뭐 그리 오래된 일도 아
니잖아. 혜주 씨, 설마 진짜 마약에 손대신 건 아니겠지?"

"내 아내는 그럴 사람 아니야."

찬재는 확고한 표정으로 단언했다.

최혜주는 어떨지 모르겠지만. 서이다는 그럴 사람 절대 아니지.

자신하는 찬재의 모습에 장 변호사는 난감한 표정을 지었다.

"글쎄, 그게……. 실은 CCTV에 찍힌 혜주 씨, 좀 이상했어."

"뭐가?"

"내려올 때 모습은 말할 것도 없고, 올라갈 때부터……. 꼭 취한 사람처럼 보이던데."

"그냥 술에 취했던 거야."

찬재는 대수롭지 않은 투로 대꾸했다.

"아니, 올라갈 때 분위기가 너무 묘해. 최서한한테 자꾸……."

"자꾸 뭐?"

"자꾸 매달리더라고. 껴안고, 키스하고……. 최서한이 떼어 내는데도, 계속."

장 변호사는 조마조마한 눈으로 찬재의 눈치를 봤다.

최혜주가 최서한을……?

뜻밖의 이야기가 마음에 걸렸지만, 찬재는 아무렇지 않은 얼굴로 어깨를 으쓱해 보였다.

"그럼 취한 게 확실하지. 다른 이유 없어."

"……괜찮냐?"

"뭐가?"

"그……. 두 사람 사이……."

"그야 결혼 전이잖아."

찬재는 시원시원하게 반응했다.

"결혼 5일 전이거든."

"어쨌든 결혼 전은 전이고."

힘을 준 목소리로 또박또박 강조한 뒤, 찬재는 자신만만하게 가슴께에 팔짱을 꼈다.

"지금 내 아내는 나밖에 없어."

지금 내 아내는 그 여자가 아니거든. CCTV에서 딴 남자랑 그러고 있던 여자, 내 여자 아니거든.

찬재는 머릿속으로 덧붙였다. 그리고 시계를 확인하며 입을 열었다.

"그나저나 내 아내는, 아직 얘기가 덜 끝났나?"

장 변호사는 덩달아 시계를 확인했다.

"네 아내랑 윤 비서 얘기 시작한 지, 아직 10분밖에 안 지났어. 그새를 못 기다려서 시계를 봐?"

"너 계산 잘못했어."

찬재는 고개를 저었다.

"검찰 조사 받는 내내, 몇 시간을 기다렸는데. 거기서 10분이나 더 지난 거야."

"그야 그렇지만. 네 와이프 대신 내가 이렇게 설명해 주고 있잖아."

"내가 설명 못 들어서 이럴까? 얼굴 못 봐서 이러지."

"……"

"뭐야, 그 떫은 표정은?"

"네가 낯설다."

장 변호사의 대답에 찬재는 피식 웃었다. 그런데 불현듯이 이상한 점이 떠올랐다.

잠깐……. 최혜주가 최서한에게 매달리고 있었다고?

그럼 그때 그 고백, 최서한이 내 아내에게 했던 그 고백은 뭐지? 최서한은 내 아내를 최혜주로 알고 있을 텐데……. 내 아내한테 사랑한단 고백은 왜 한 거지?

뭔가 석연치가 않아 찬재는 얼굴을 구겼다.

장 변호사가 먼저 찬재의 사무실에 가 있는 사이, 이다는 펜트하우스의 서재에서 윤 비서를 마주하고 있었다.

"아니요."

이다는 서재 책상에 걸터앉은 채 단호하게 고개를 내저었다.

"윤 비서님이 먼저 내 질문에 대답하세요. 윤 비서님 질문은 그다음에 들을게요. 윤 비서는 대답부터 듣고, 그다음에."

"하, 하지만. 회장님께서 검찰 조사 상황을 급히……."

"알아 오라고 했겠죠."

이다는 잘 알겠다는 투로 고개를 끄덕였다.

"그럼 제가 질문을 빨리해 드릴게요. 윤 비서님은 대답을 빨리해 주세요. 그럼 저한테 질문할 차례가 빨리 생기겠죠."

"……."

"나 찾는 데 며칠이나 걸렸었죠?"

"예?"

"최혜주가 가출하고, 최 회장은 윤 비서에게 날 찾아내라 지시하고. 윤 비서는 날 찾아서 최혜주 대역을 부탁하고. 이 과정이 며칠이나 걸렸냐는 얘기예요."

"갑자기 그건 왜……."

"어려운 질문 아니잖아요, 윤 비서님."

이다는 부러 별스럽지 않은 투로 윤 비서의 눈을 봤다.

"그냥 회장님에게 지시 받은 날짜만 알면, 금방 대답하실 수 있을 텐데."

"그, 그렇기는 합니다만. 갑자기 그런 걸 묻는 이유가……."

"윤 비서님, 혹시 저한테 숨길 이유라도 있나요?"

"예?"

"저는 지금 최혜주가 정확히 언제 사라졌는지. 그걸 알고 싶은 거예요. 진짜 최혜주가 사라지고, 가짜 최혜주가 나타나기까지. 그 공백을 제대로 알아야, 앞으로 검찰 조사에서 그 기간의 알리바이를 댈 때 실수가 없을 테니까요."

그럴싸하게 이유를 대자 윤 비서는 아아, 하는 입 모양을 보였다. 이다는 그런 윤 비서에게 예리한 눈초리로 덧붙였다.

"이게 제가 그런 걸 묻는 이유인데. 윤 비서님은, 대답 못 할 이유라도 있나요?"

윤 비서는 고개를 가로저었다.

"아닙니다. 그냥 잠시 당황스러워서, 그래서 대답 못 한 겁니다. 딱히 숨길 일은 절대 아닙니다."

대답하고서 윤 비서는 곰곰 기억을 되짚었다.

"최혜주 씨가 정확히 언제 사라졌는지는 저도 잘 모르지만……. 최 회장님께 메시지를 보낸 건 결혼 나흘 전 아침이었습니다. 회장님은 종일 고민하시다 저를 불러 지시를 하셨었죠."

"나흘 전……."

"서이다 씨를 찾는 일은 간단했습니다. 회장님이 보육원을 기억하고 계셨으니까요. 보육원 사람들을 통해 서이다 씨 주소를 알아내는 일은, 반나절도 안 걸렸습니다. 그다음은 서이다 씨도 기억하시겠죠. 결혼 사흘 전, 저와 만났던 거."

"그랬죠. 그럼 최혜주는 결혼 나흘 전, 최 회장에게만 메시지를 남겨 놓고 사라졌단 건데."

이다는 고개를 끄덕이다 멈추었다.

"그 메시지를 최혜주가 보냈다는 건, 대체 어떻게 확신하나요?"

"예?"

"다른 사람이 보냈을 수도 있잖아요. 최혜주의 휴대 전화로, 최혜주인 척."

"그게 무슨……."

윤 비서는 어안이 벙벙해져 눈을 껌뻑였다.

"아니, 다른 사람이라니요? 혜주 씨가 아니라면, 그런 메시지를 보낼 사람이 없지 않습니까?"

"아직 검찰에서 최혜주와 관련된 증거 자료를 그쪽에는 전부 공개하진 않은 모양이네요."

이다는 자신이 본 CCTV 영상을 기억하며 추측했다.

"그래도 곧 공개하게 될 테니까. 제가 미리 알려 드릴게요."

"……."

"최서한과 최혜주는 같이 있었어요. 결혼 5일 전 밤부터, 4일 전 새벽까지. 최서한의 오피스텔 승강기 CCTV가 그 증거 자료예요."

귀를 기울이던 윤 비서의 두 눈이 휘둥그레졌다.

"5일 전 밤부터, 4일 전 새벽이요?"

"최혜주가 양아버지에게 그런 메시지를 보내기 전에, 마지막으로 함께 있던 사람."

이다는 머릿속으로 최서한을 떠올렸다. 그런 채로 윤 비서의 눈을 똑똑히 바라보며 이어 말했다.

"그 사람은 알고 있지 않을까요? 누가 그런 메시지를, 어떤 마음으로 보냈는지. 그리고 지금 최혜주는, 진짜 어디에 있는지."

윤 비서와의 대화를 마친 이다는 곧장 찬재의 사무실로 내려갈 생각이었다. 그러나 윤 비서가 먼저 서재 문을 열고 나갔을 때, 이다는 생각이 바뀌었다. 문 너머에 강찬재가 서 있었기 때문에.

"아, 이사님, 와 계셨습니까?"

코앞에서 찬재를 맞닥뜨린 윤 비서는 당황한 목소리로 인사를 건넸다. 찬재는 가볍게 윤 비서의 어깨를 두드렸다.

"윤 비서, 왜 이렇게 얼굴이 사색이야? 마음고생이 그렇게 심한가?"

찬재는 여유롭고 넉살 좋은 미소를 보였다.

"아, 아닙니다. 아닙니다……."

찬재의 말처럼 그야말로 사색이 된 채, 윤 비서는 넋이 나간 몸짓으로 고개를 내저었다.

"전, 전 이만 가 보겠습니다."

윤 비서는 도망치듯 발걸음을 재촉했다. 둘 사이를 가로막고 있던 존재가 빠지자마자, 찬재는 성큼성큼 서재 안으로 들어섰다.

"왜 여기 있어? 장 변호사님은 어쩌고?"

이다의 질문에 대답은 하지 않고, 찬재는 입술을 맞부딪쳤다.

입술에 닿는 감촉이 분명 서이다였다. 이 여자가 아니면 어디서도 느껴 볼 수 없는 감각이었다.

"서이다 맞네."

찬재는 입술을 살짝 놓아주고 중얼거렸다. 그리고 다시 입술을 쪽, 부딪쳤다.

"다른 여자 아니라, 내 여자 맞네."

황홀한 듯 감탄하는 목소리를 흘리고서, 이번에는 이마로 입술을 맞추었다.

"여기도 내 여자가 확실하고."

찬재는 두 손으로 얼굴을 감싸더니, 뺨에도 입술을 가져다 댔다. 포근하고 간지러운 기분에 이다는 피식 웃고 말았다.

"보면 몰라? 내가 나인 거."

"몰라. 모른다고 쳐."

대답하며 찬재는 이다를 끌어안았다. 품을 채우는 감촉도 분명 서이다였다.

"알아도 모르는 척, 계속 이렇게 확인할 거니까."

찬재의 덧붙임에 이다는 찬재의 얼굴을 마주했다.

"그럼 제대로 확인시켜 줘야겠네."

이다는 말을 내뱉고서 찬재의 입술을 삼켰다. 달콤하게 파고드는 움직임에 찬재는 눈을 감았다.

* * *

예상치 못한 CCTV 자료가 등장했지만, 이는 정황 증거일 뿐. 최혜주가 마약을 함께했단 혐의의 물적 증거는 될 수 없다. 그러니 물적 증거인 모발 검사 결과가 나올 때까지, 검찰은 최혜주를 피의자 신분으로 조사할 수 없을 것이다. 물론 모발 검사 결과가 나온 후라도, 최혜주는 피의자가 되지 않을 것이다. 자기 아내에게서는 결단코 마약이 검출될 리 없노라는, 강찬재의 주장대로라면.

그렇기에 장 변호사는 서재에서 이루어진 대책 회의에 긴 시간을 들이지 않았다. 검사 결과가 나올 때까지 그저 마음 편히 기다리면 될 일이니까.

회의를 마친 장 변호사가 펜트하우스를 빠져나갔을 때, 시간은 저녁때가 다 되어 있었다. 어제처럼 가사 도우미들은 평소보다 일찍 퇴근한 상태였다.

"당장 오늘 결과 나왔으면 속 시원했을 텐데."

식탁에 앉으며 찬재는 아쉬운 듯 말했다.

"열흘 동안 의심 받고 지내는 거, 피곤하고 별로잖아. 괜히 기분 더럽고."

찬재는 인상을 찌푸렸지만, 맞은편에 앉은 이다는 무덤덤한 얼굴이었다.

"내 기분은 안 더러워."

"뭐, 그래 보이기는 하는데. 정말 괜찮아?"

찬재는 이다의 얼굴을 살펴보며 물었다. 이다는 앞에 놓인 스테이크를 응시하며 포크와 나이프를 쥐었다. 표정에 달리 변화는 없었다.

"나 같아도 의심했을 거야. 최서한이 마약을 산 날, 최혜주는 같이 있었고. 꼭 약에 취한 사람처럼 CCTV에 찍혔으니까. 정말 최혜주는 마약을 했었던 게 아닐까, 의심할 수 있어."

이다는 스테이크를 썰며 말을 덧붙였다.

"지금 내가 최혜주의 자리에 있으니까. 그 의심을 대신 받는 거지."

최혜주의 자리라…….

찬재는 쓴 입맛을 느꼈다.

"그 자리, 꼭 계속 지켜야만 하는 건가? 1년 동안?"

"남들 앞에서는 그래야지."

"……."

"그편이 너한테도 좋잖아. 최혜주하고 결혼, 너도 필요해서 한 거 아닌가?"

이다는 질문을 던져 놓고 스테이크 한 조각을 입에 넣었다.

"그땐 그랬는데, 지금은 아냐."

아니라고?

이다는 눈으로 물었다.

"그땐 그 결혼이 필요했어. 어차피 누구하고 해도 상관없을 결혼, 최혜주하고 하면 얻을 게 제일 많았으니까."

"……."

"지금은 뭘 줘도 너랑 바꿀 생각 없어. 너 하나 얻는 게 최고 이득이거든."

스테이크를 우물우물 씹으면서 이다는 엄지를 척 들어 보였다. 찬재는 피식 웃고 스테이크 조각을 입에 넣었다. 그 사이 입을 비운 이다가 중얼거렸다.

"난 너도 갖고, 10억도 가지는 게 최고 이득이겠다만…….."

"뭐?"

"둘 다 가질 수는 없는 거라면. 딱 하나만 주는 거면, 난 너 받을게."

선심 쓰듯 말하고서 이다는 다시 스테이크로 입을 채웠다. 그리고 열심히 턱을 움직여 배를 채워 갔다. 동시에 두 손은 스테이크를 썰었다.

"갑자기 웬 10억 타령이야?"

찬재의 질문에 이다는 반응할 수 없었다. 잘 썰어지지 않는 질긴 스테이크 탓에 신경이 온통 칼질에 쏠려 있었다.

"……나 좀 봐 가면서 먹을 수 없어?"

두 번째 질문에도 이다는 반응하지 않았다. 다만 칼질이 격해지고, 미간의 주름이 깊어질 따름이었다.

"이봐, 이봐."

찬재는 노크하듯 식탁을 툭툭 두드리며 주의를 끌었다. 이다는 그제야 멈칫하고 찬재를 봤다.

"10억이고 뭐고. 야, 너 나야 스테이크야?"

"뭐?"

"나랑 스테이크. 둘 다 가질 수 없는 거면, 딱 하나만 가지라면 뭐 가질 건데?"

이다는 어처구니없는 표정을 지었다.

"둘 다 가질 수 있는 건데. 왜 하나만 가지래?"

"네가 하나밖에 안 보이는 사람처럼 굴고 있잖아. 스테이크 앞에 나 있는 거, 완전 까맣게 잊고 먹잖아."

찬재는 정색한 얼굴로 대답했다.

"그렇다고 내가 얘를 10시간씩 먹고 있어?"

"뭐?"

"길어 봐야 10분이면 끝나, 얘한테 집중하는 시간. 그러니까 10분만 기다려 봐."

이다는 다시 포크와 나이프를 스테이크에 들이댔다. 그런데 스테이크 접시가 스르륵, 앞으로 미끄러졌다. 눈을 깜빡이며 앞을 보자, 찬재의 손이 접시를 끌고 간 상태였다.

"못 기다려."

찬재는 제 앞에다 접시를 놓고 단호하게 말했다.

"자르는 건 내가 할 테니까. 넌 입에 넣고 씹기만 해."

찬재는 말을 끝내기도 전에 손을 움직였다. 먹기 좋게 한 조각을 잘라 낸 뒤, 이다의 포크로 찍어 이다에게 내밀었다. 그리고 포크 손잡이가 이다에게 향하도록 했다.

"먹으면서 나 보고 있어."

찬재의 덧붙임에 이다는 포크를 받아 쥐었다. 이다가 스테이크를 입에 넣자 찬재는 다시 한 조각을 썰었다.

"포크 이리 줘."

이다는 주저 없이 포크를 내밀었다. 그러자 방금 썰린 조각이 포크에 찍혀 되돌아왔다.

"계속 네가 자를 거야?"

"응."

"이러다 넌 언제 먹으려고?"

"이 스테이크 사라지면."

"넌 배 안 고파?"

"난 배보다 네 관심이 훨씬 더 고파."

찬재는 당당하게 대답하며 칼질을 계속했다.

"그래, 그럼. 먹는 동안 딴 데 안 보고 너만 봐 주지, 뭐."

이다는 입안으로 고깃점을 쏙 집어넣고 포크를 내렸다. 그리고

한 손으로 턱을 괸 채 빤히 찬재를 바라봤다. 천천히 고기를 씹으면서, 입가에는 환하게 미소를 지었다.

"아, 나 왜 벌써 배가 부르지?"

이다의 밝은 얼굴을 바라보며, 찬재는 감탄하듯 질문했다. 뿌듯하게 가슴이 꽉 찬 기분이었다.

* * *

두 사람은 양쪽 욕실에서 각자 샤워를 했다. 샤워를 마친 이다가 침실로 들어섰을 때, 찬재는 젖은 머리칼을 대충 말려 놓고 침대에 앉아 있었다.

"최서한에 대한 얘기, 최혜주한테 들은 거 없어?"

이다가 옆자리에 앉자 찬재는 질문을 건넸다.

"없어."

이다는 심란한 마음으로 고개를 저었다.

사실 최혜주한테서는, 어떤 얘기도 들은 게 없지…….

최 회장과의 계약을 상기하며, 이다는 말할 수 없는 비밀을 속으로만 삼켰다.

"대체 최혜주하곤 언제 만났던 건데? 최혜주가 가출하기 전인가?"

"……."

"최혜주 연락은, 아직도 없어?"

"……."

"그 여자도 대단하네. 자기 대신 다른 사람 식장에 들여보내 놓고, 어떻게 계약 후로 연락 한 번 안 할 수가 있지? 일 틀어지면 어쩌나, 걱정도 안 되나?"

서이다는 최혜주와 계약했다. 그러나 계약 후로 두 사람은 일절 연락이 되질 않는다. 찬재는 자신이 들은 바를 곱씹으며 턱을 매만졌다.

"쌍둥이라 그런가. 최혜주 간 크기가 아주 서이다랑 판박이인 모양이야."

농담조로 뱉은 말이건만 이다는 웃지 않았다. 찬재는 그런 이다를 이상한 듯 바라봤다.

"왜 그래?"

"뭐가?"

"좀 전부터 표정이 영 안 좋은데. 뭐 마음에 걸리는 거라도 있나?"

"걸리네. 너한테 대답 똑바로 못 해 주는 게."

이다는 착잡한 눈빛으로 찬재의 눈을 봤다.

"최혜주를 대신하는 계약, 그 계약하고 관련된 건 원래 너한테 말해선 안 되는 비밀이었어. 아니, 애초에 내가 가짜라는 걸 너한테 고백하면 안 되는 거였어."

"……."

"그래서 가짜란 걸 고백하면서도, 계약 내용에 대해서는 솔직하게 다 말하지 않았어. 그리고 앞으로도 그럴 거야. 계약에 대해서만은, 난 너한테 제대로 대답해 줄 수 없어. 그건 어쩔 수 없는 일이야. 미안해."

"최혜주를 언제 만났는지, 어떤 얘길 나눴는지. 그런 거 대답할 수 없다, 그 뜻인가?"

이다는 고개를 끄덕였다. 그러자 찬재는 가슴께에 팔짱을 끼며 한층 진지한 목소리로 말했다.

"그럼 이건 어때? 난 최서한이 최혜주를 숨겨 주고 있다. 그래서 네가 가짜란 걸 알면서도 모르는 척 대했다. 그렇게 의심하는데. 너도 나하고 같은 생각인지. 그것도 대답해 줄 수 없나?"

"아니. 그건 말할 수 있어. 내 생각도 같아."

이다가 대답하자 이번에는 찬재가 고개를 끄덕였다.

"좋아, 그럼. 계약 내용에 대해서는 말할 수 없다. 거기까진 이해해."

찬재는 고개를 멈추고서 이다의 어깨를 그러잡았다.

"대신 그거 말곤 숨기는 거 없도록 해."

이다는 고개를 끄덕이려다 멈칫했다. 불현듯 떠오른 비밀 때문이 었다.

"아, 그래서 말인데."

운을 떼며 이다는 몸을 일으켰다.

"잠깐 기다려."

이다는 당부한 뒤 방을 나섰다. 그리고 얼마 후, 커다란 캐리어를 끌고 돌아왔다.

어째 낯이 익은데…….

찬재는 캐리어를 주시하며 생각했다. 이다는 그런 찬재의 앞에 캐리어를 멈춰 세웠다.

"받아, 네 거야."

"내 거라고?"

"10억하고 만 원. 네 돈이잖아."

순간 찬재는 험악하게 인상을 찌푸렸다.

"너, 설마 그 제비 자식 또 만났냐?"

"오해하지 마. 걔랑 나, 그냥 친구 사이야. 그땐 내가 부탁해서, 애인인 척해 준 거지."

이다는 대수롭지 않은 투로 해명하며 캐리어를 눕혔다. 그리고 캐리어 곁에 앉는데, 찬재가 벌떡 일어났다.

"뭐, 친구?!"

찬재는 발끈한 표정으로 외쳤다.

"그냥 돈 주고 섭외한 제비 아니고, 친구?!"

"돈 주고 섭외한 제비인 건 맞는데. 친구도 맞아."

"그딴 자식하고 무슨 놈의 얼어 죽을 친구 타령이야? 너, 이제 그놈하고 만나지 마!"

"왜?"

"나 그 자식 싫거든? 일로만 잠시 엮인 사이래도 환장하게 싫은데. 뭐, 친구? 아주 환장에 막장을 선사하는구만!"

"하여간 혈기가 넘친다니까."

이다는 고개를 절레절레 저으면서 캐리어로 시선을 돌렸다. 그리고 캐리어의 잠금장치에 손을 댔다.

"뭐야, 대답 안 해?"

"일단 이거 보고 나서, 다시 얘기해."

이다는 태연하게 대꾸하며 비밀번호를 입력해 갔다. 찬재는 부릅 뜬 눈으로 그녀의 손끝을 봤다.

"웬 비밀번호? 나 그런 거 건 적 없는데."

"그 친구가 걸어서 줬어."

그 친구란 발언에 찬재는 눈에 더욱 불을 켰다.

0000. 네 개의 숫자가 입력되자 잠금장치가 열렸다.

"0000?"

찬재는 비딱하게 코웃음을 쳤다.

"그딴 걸 비밀번호라고 걸어? 어이없게 성의 없네."

"내 생일이야."

이다는 아무렇지 않게 말하며 캐리어의 지퍼를 열어 갔다.

"뭐?"

"성의 없이 지은 비밀번호 아니라, 내 생일이라고."

"야, 무슨 생일이 0월 0일…….."

찬재는 말을 하다 말고 멈칫했다.

아……. 그렇겠네. 생일이 언제인지 모르면…….

찬재가 깨닫는 사이, 이다는 지퍼를 완전히 열었다. 그리고 캐리어의 뚜껑을 활짝 열어젖혔다. 그러자 캐리어 안을 가득 채운 현금이 눈앞에 펼쳐졌다.

"세어 봐. 10억 만 원, 한 장도 빠짐없이 그대로 있어. 내 친구, 이거 손 하나도 안 댄 녀석이야."

이다는 찬재에게로 가까이 캐리어를 들이밀었다. 그러나 찬재는 캐리어를 거들떠보지도 않고 이다의 얼굴만 바라봤다. 무거워진 마음으로, 흥분이 싹 가라앉은 표정으로.

"네가 생각하는 그런 나쁜 자식 아니……. 표정 왜 그래?"

부글부글 끓던 혈기가 다 어디로 간 건지. 갑자기 다른 사람처럼 변한 찬재의 표정에 이다는 이상해서 미간을 좁혔다.

"너 그럼 지금까지 생일, 한 번도 챙겨 본 적 없어?"

"없는 걸 왜 챙겨? 당연히 안 챙기지."

"주민 등록증은 있을 거잖아. 거기 적힌 생일은?"

"그건 아무 날짜 대충 고른 거야."

"보통……. 편지나 쪽지로 남기지 않나? 아이 생일 언제인지……."

"보육원에 버려질 때 말이지?"

찬재는 조심스러운 얼굴로 고개를 끄덕였다. 반면 이다는 아무렇지 않게 고개를 저었다.

"그런 거 없었대. 근데 있었어도 안 챙기고 살았을 거야. 어차피 생일 별거 없잖아? 그냥 365일 중에 하루. 안 챙겨도 달라질 거 없겠던데."

"있어."

찬재는 침대에서 일어나 이다에게 다가갔다. 그리고 바닥에 무릎을 대고 앉아 이다의 어깨를 껴안았다.

"달라질 거 있어. 내가 있게 할 테니까, 하루 골라 생일 만들어 봐."

듬직한 목소리에 이다는 기분이 묘해졌다.

생일 따윈 안 챙겨도 그만인데. 없어도 아쉬울 거 하나 없었는데.

왜 이렇게 기대가 될까……? 꼭 이런 날을 기다려 온 사람처럼.

왜 생일이, 선물처럼 느껴질까? 꼭 갖고 싶었던 사람처럼.

"이상하네. 세시가 챙겨 준달 때는 이런 기분 아니었는데."

이다는 정말 신기해서 중얼거렸다.

"세시?"

"아, 저 트렁크 준 친구 이름이야. 김세시."

또 그놈 얘기라니. 찬재는 못마땅해 인상을 찌푸렸다.

"설마 그게 본명이냐?"

"본명이야. 걔도 나랑 같은 보육원 출신이거든. 걔 이름도 거기 원장님 작품이야. 세 시에 주웠다고, 김세시."

"원장님 센스 참, 성의 없이 독보적이네."

찬재는 잠시 혀를 찼다. 그런 다음 더욱 인상을 쓰며 덧붙였다.

"그럼 세시 그놈하고 어릴 때부터 친구였어?"

"응. 20년도 넘은 친구지."

다시 스멀스멀 열이 오르는 듯해 찬재는 마음을 다스리려 숨을 깊게 쉬었다.

"그놈이 너 여자로 좋아하는 건 아니고?"

"아니."

이다는 망설임 없이 딱 잘라 대답했다.

"확실해?"

"확실해."

"그냥 네가 그놈 마음 모르는 거 아니야?"

"내가 걔랑 몇 년을 한집에서 살았는데, 그걸 모를까."

"……뭐?"

"나 고등학교 자퇴하고, 보육원에서 독립했을 때. 그때부터 개하고 옥탑방에서 같이 살았거든. 근데 아무렇지 않았어. 개나 나나, 서로 이성으로 생각하면 그렇게 못 살지."

"……뭐?"

"그냥 동성 친구처럼 살았다고."

찬재는 스르르 이다의 어깨에서 팔을 풀었다. 그리고 몸을 뒤로 물려 이다를 마주 봤다. 찬재의 눈동자는 부글부글 끓고 있었다.

"너 그놈이랑, 동거했어?!"

분노에 찬 목소리가 펜트하우스 바깥까지 쩌렁쩌렁 울려 퍼졌다.

* * *

새벽 여섯 시. 잠에서 깬 이다는 시계를 확인했다. 침대에는 그녀 혼자였다.

왜 없지?

이다는 침대 옆 빈자리를 이상한 듯 바라보다 몸을 일으켰다. 주위를 두리번거렸지만, 찬재는 방 안 어디에도 없었다. 욕실에도 없다는 걸 확인한 뒤, 이다는 방 바깥으로 걸음을 옮겼다.

쿵쿵쿵쿵.

방문을 나섰을 때, 헬스 공간에서 소음이 들려왔다. 이다는 소리를 따라 헬스 공간으로 이동했다. 그러자 러닝머신 위의 찬재가 보였다.

러닝머신을 뛰고 있는 건지, 부수고 있는 건지…….

찬재는 사납게 전속력으로 러닝머신 위를 달려 대고 있었다. 두 주먹을 불끈 쥔 채, 이를 악물고서.

"대체 몇 시부터 뛰고 있던 거야?"

이다는 찬재의 곁에 다가가며 질문했다. 그러나 찬재는 들은 체도 않고 거친 숨소리만 혹혹 내뱉었다. 그가 입은 티셔츠는 흠뻑 젖어 있었다.

"설마 너 아직도 삐져 있어?"

이다는 러닝머신 바로 옆에 서서 찬재의 옆얼굴을 향해 물었다.

"뭐, 삐져?"

찬재는 발끈해서 정지 버튼을 눌렀다. 그리고 몸을 돌려 이다와 마주 섰다.

"너는 내가 삐진 걸로 보이냐?"

"그래 보이는데……. 아니야?"

"아니거든!"

찬재가 울컥 터뜨린 말에 이다는 당황해 눈을 깜빡였다.

"어떻게 남자 마음을 이렇게도 몰라!"

"……."

"나는 지금 삐진 정도가 아니라, 화가 나서 미칠 지경이거든?"

"……."

"넌 진짜, 남자를 몰라. 몰라도 너무 몰라."

찬재는 체념한 듯 고개를 내저었다. 그리고 땅이 꺼지도록 한숨을 쉬었다.

"대체 왜 그렇게 화가 나는 건데?"

이다는 착잡하고 답답한 심정으로 질문했다.

"나 너한테 화내기 싫으니까. 방에서 좀 기다려. 열나게 더 뛰어서, 화 풀고 갈게. 그때 다시 얘기해."

찬재는 애써 화를 억누르며 한결 차분하게 말했다.

"그래, 그럼……. 이따 봐."

풀리지 않는 의문에 사로잡힌 채, 이다는 일단 방을 향해 몸을 돌렸다. 그러자 찬재는 러닝머신을 작동시켰다.

쿵쿵쿵쿵.

분노의 질주가 다시 시작되었다.

침실로 돌아온 이다는 침대에 앉아 생각에 잠겼다.

어젯밤엔 별일 아닌 줄만 알았다. 동거하는 몇 년 동안 세시와 별일이 없었으니까. 강찬재도 별일 아니라고 생각해 줄 줄 알았다. 당장은 흥분해 있지만, 하룻밤 자고 나면 괜찮아질 줄 알았는데…….

"아, 진짜 남자 마음 모르겠네."

도통 모를 일이라서, 이다는 인상을 쓴 채 고개를 내저었다. 그러다가 고갯짓을 멈추고서 진지하게 질문했다.

"원래 남자들은 다 이러나……?"

이다는 스스로 답을 찾아보려 열중했다. 그러나 비교할 대상이라곤 드라마 남자 주인공들이 전부였다.

"연애를 드라마로 배울 수는 없지."

이내 고개를 저은 다음, 이다는 휴대 전화를 손에 쥐었다. 그리고 세시에게 전화를 걸었다.

연결음이 여러 차례 울린 끝에 세시가 전화를 받았다.

[뭐냐, 새벽부터……? 전쟁 났냐?]

"깨워서 미안한데. 나 뭐 좀 물어보자. 괜찮아?"

[어, 얘기해 봐.]

"너랑 나랑 옥탑방에 같이 산 거 말이야. 그거 강찬재가 알면, 화날 일이야?"

[전쟁 나지, 그거 알면.]

세시는 당연하단 투로 즉각 대답했다.

"아니, 우리 그냥 하우스메이트였잖아. 방도 따로 썼고, 서로 집에 있는 시간대도 완전 달랐고. 그런데도 화가 나?"

[야, 암만 그래도. 어쨌든 난 남자고, 넌 여자잖아. 왜 하고많은 여

자 두고, 하필 남자하고 동거했나. 의심 들고 짜증 나고 기분 더럽지.]

"그야 여자 혼자 사는 집보단 남녀 둘이 사는 집이 안전하다니까. 그래서 같이 살았던 거잖아."

[뭐, 우리 입장에서야 다 그럴 만한 이유가 있었지. 근데 그거 백번 설명해도, 전쟁은 나게 돼 있어.]

"……왜?"

[너 한번 생각해 봐. 형님이 다른 여자하고 한집에서 살았으면, 네 기분이 어떻겠냐?]

"우리처럼 살았으면 뭐……."

[우리처럼 살았는지, 부부처럼 살았는지. 그걸 네가 어떻게 알아? 네가 그 집에 같이 있었어? 아니면 CCTV라도 설치해서 보고 있었어?]

"……."

[야, 톡 까놓고 너랑 강찬재도 동거로 시작했다? 둘이 뭐 처음부터 연애 감정 있었냐? 한집 살고 부대끼다 연애 감정 싹튼 거지.]

"……."

[남녀 사이 알 수 없는 거다? 둘이 어쩌고 살았는지는 둘의 기억에만 추억처럼 고이 간직되는 거야. 막말로 같이 살다 손끝이 닿았을지, 배꼽이 닿았을지 누가 알아.]

"아, 점점 기분 더러워지네?"

이다는 미간이 쭈글쭈글해질 정도로 인상을 구겼다.

[그렇지! 바로 그거야. 우리 동거 사실 알면, 강찬재 기분이 딱 지금 너 같을 거다. 이제 알겠냐?]

이다는 잠시 생각하다 고개를 저었다.

"아니, 그래도 모르겠어. 강찬재는 나랑 다르잖아."

[뭐가 달라?]

"강찬재는, 차원이 달라. 아니, 달랐었어. 내가 너랑 사귀는 척했을 때, 강찬재는 보통 사람들하고 다른 반응이었잖아."

[아주 달랐지, 아주 남달랐지. 마누라 첩놈한테 집 사 준단 남자, 세상 어디에도 없지.]

"내 말이. 내가 너랑 사귄달 땐 그렇게 쿨하게 받아들였잖아. 자긴 내가 바람피우는 거 상관없다고, 나랑 헤어지는 것만 빼고 다 해 줄 수 있다고."

[그때랑 지금이랑 같냐?]

세시는 답답한 듯 한숨을 내쉬었다.

[너 진짜 남자 마음 모른다.]

"……."

[그때라고 뭐, 정말 상관없어서 그렇게 말했겠냐? 좋아하는 여자가 딴 놈 만나면서 자기 밀어내는데. 그게 아무렇지 않을 남자가 어디 있어? 마음은 괴로워 죽겠는데, 아득바득 기를 쓰고 참은 거 아냐! 그렇게라도 해야 네가 자기한테 기회 줄 테니까.]

"……."

[그땐 참을 만해서 참은 게 아니라, 참아야만 해서 참은 거다! 참는 자에게 복이 오나니, 하고.]

"그럼 지금은? 나 이제 잡은 물고기니까, 그때처럼 참을 필요 없어졌단 거야?"

[Of course! Why not?]

세시는 확신에 찬 목소리로 냉큼 대구했다.

[너 이제 잡은 물고기야. 네 정체까지 고백하고 마음 줬으면, 볼 장 다 본 거지. 넌 뭐 다른 여자들이랑 다를 줄 알았냐?]

"……."

[잡고 싶어 죽겠을 때랑 지금은 달라. 잡아 놔서 아주 살 만하거든. 아니, 아주 살판났거든! 배부른 사람한테 예전 같은 헝그리 정신 기대하지 마라.]

자꾸 내 안에서 혈기가 넘쳐 나는 느낌이다…….

이다는 휴대 전화를 부서뜨릴 기세로 주먹을 꽉 끌어 쥐었다. 이글이글 얼굴에서 열이 나는 듯했다.

[그리고 넌 쓸데없는 도전 정신 발휘하지 마라. 하나 고백하고 쉽게 용서 받더니, 아주 열을 고백하고 싶은 모양인데. 우리 같이 살았단 얘기, 그건 절대 하지 마. 그거 용서해 줄 남자, 절대 없다.]

"뭐? 용서? 이게 내가 용서 받을 일이야?"

이다는 욱하고 화가 치밀어서 따져 물었다.

"아, 나 열 받네. 야, 내가 무슨 죄지었어? 내가 너랑 동거한 게, 용서 받고 자시고 할 범죄야?"

[…….]

"그래, 기분 더럽겠지. 입장 바꿔 생각하면, 나도 기분 더러우니까. 근데 나는 이해할 거야. 어차피 지난 과거니까!"

[이다야, 흐, 흥분하지 마.]

"그리고 내가 말했잖아! 아무 일도 없었다고! 그냥 동성 친구처럼 살았다고! 근데 내 말 못 믿는 거야? 왜 새벽 댓바람부터 열나게 뛰어 대고 있어! 러닝머신에 화풀이야 뭐야!"

흥분에 사로잡혀 이다는 저도 모르게 언성을 높였다.

[너, 설마⋯⋯. 형님한테 얘기했냐?]

"그래! 했다!"

순간 세시가 으악, 하고 비명을 터뜨렸다.

[아, 젠장! 야, 끊어!]

"왜?"

[왜긴 왜야! 형님 와서 나 죽일 텐데! 나 피난 가야 돼!]

세시는 말 끝나기 무섭게 전화를 뚝 끊어 버렸다.

"이 제비 자식이! 나 아직 말 안 끝났거든?!"

이다는 다시 세시에게 전화를 걸었다. 그러나 세시의 휴대 전화는 그새 전원이 꺼져 있었다.

"이게 진짜!"

약이 바짝 올라 액정 화면을 쏘아본 뒤, 이다는 자리를 박차고 일어났다.

"뭐, 잡은 물고기?! 내가 잡은 물고기야?!"

도저히 가만히 못 있겠다. 못 참겠다!

이다는 두 주먹을 불끈 쥐고 침실 바깥으로 쿵쿵 달려갔다.

문이 벌컥 열리는 소리가 러닝머신의 소음을 뚫었다. 찬재는 러닝머신 위를 계속 달리면서 뒤를 돌아봤다. 침실을 뛰쳐나온 이다가 성큼성큼 저돌적인 걸음으로 헬스 공간에 들어섰다.

"방에서 기다리랬잖아. 나 아직 얘기할 기분⋯⋯."

아니라고 말을 하려는데, 이다는 그에게 눈길도 주지 않고 샌드백으로 향했다.

뭐지?

찬재는 의아해져 계속 지켜봤다. 샌드백에 다다른 이다는 손에 복싱 글러브를 끼웠다. 그리고 샌드백을 향해 주먹을 날렸다. 있는 힘껏, 샌드백 옆구리를 터뜨릴 기세로.

주먹이 닿는 순간 퍽! 하고 살벌한 소리가 났다.

찬재는 움찔해 중심을 잃을 뻔했다.

그사이 이다의 주먹은 또 한차례 샌드백을 가격했다.

"야, 너……!"

찬재는 얼른 러닝머신을 껐다. 찬재의 외침에 반응하지 않고, 이다는 계속해서 샌드백을 두들겨 팼다.

"너 갑자기 왜 이래?"

찬재는 이다에게로 한달음에 달려갔다. 그가 손목을 낚아채자 이다는 손을 뿌리쳤다.

"나도 지금 화 푸는 중이거든? 넌 러닝머신을 뛰어. 난 샌드백을 팰 테니까."

이다는 보란 듯이 샌드백을 강타했다.

"아니, 네가 왜 화를 내는 건데?"

"나도! 너한테! 화내기! 싫으니까!"

이다는 샌드백을 한 방 한 방 두들기며 한마디 한마디를 내뱉었다.

"러닝머신에서! 기다려! 화 풀고! 다시 얘기해!"

말을 마친 이다는 아예 어금니까지 꽉 물고서 주먹을 휘둘렀다.

퍽! 소리와 함께 샌드백이 크게 뒤흔들렸다. 찬재는 흠칫 뒤로 물러났다.

이다는 온 힘을 다한 주먹질을 마구잡이로 이어 갔다. 아주 가루가 될 때까지 샌드백을 주먹으로 빻을 기세였다.

이 여자가 이렇게…… 열이 많은 여자였나……?

찬재는 멍해진 얼굴로 마른침을 삼켰다.

* * *

한참 후, 땀에 흠뻑 젖은 채로 이다는 바닥에 털썩 앉았다. 그리고 거친 숨을 쌕쌕 몰아쉬며 복싱 글러브를 벗었다. 샌드백은 마치 넝마처럼 너덜너덜해져 있었다.

"괜찮아? 여기 물."

지켜보고 있던 찬재가 냉큼 이다에게 물병을 내밀었다. 이다가 물병을 받아 쥐자 찬재는 어깨에 걸쳐 놨던 수건을 손에 쥐었다. 이다가 물을 마시는 사이, 찬재는 수건으로 그녀의 얼굴을 닦았다.

"아침부터 너무 기운 뺀 거 아냐?"

걱정하듯 묻는 말에 이다는 따가운 시선으로 대답했다.

"너, 내가 잡은 물고기야?"

"뭐?"

"내가 잡은 물고기라서, 마음 바뀐 거냐고."

들썩이는 어깨와 달리 이다의 눈동자는 꼿꼿했다. 이다의 눈동자는 미동도 없이 찬재의 눈동자를 주시했다.

"왜 갑자기 그런 생각을 해?"

찬재는 이상하다는 듯 물었다.

"연애 전이랑 다르잖아, 지금 네 행동."

"어떻게 다르다는 건데?"

질문한 뒤 찬재는 이다의 눈가에서 살짝 땀을 훔쳤다.

"전에 내가 세시랑 사귄달 땐, 걔도 만나 나도 만나 그러더니. 지금은 너 딴사람처럼 굴잖아. 내가 세시랑 아무 일도 없었다는데. 그냥 하우스메이트였다는데."

"내가 그때하고 다른 반응이라, 마음이 바뀐 것 같다?"

"그래."

이다는 고개를 끄덕이고 물을 들이마셨다. 그 모습에 찬재는 피식 웃고 말았다.

왜 이렇게 화가 났나, 걱정하며 기다렸었는데.

걱정할 일이 아니었네. 좋아할 일이었어.

"내 마음이 바뀐 게, 네가 화날 일인 거지?"

찬재는 입가에 미소를 건 채 확인차 질문했다. 그러자 이다는 물병을 입에 댄 채 다시 고개만 끄덕였다.

좋아 죽겠네, 진짜.

찬재의 미소가 더없이 환해졌다. 밤새 떨어지지 않던 울화가 씻은 듯이 사라지는 순간이었다.

"난 마음 안 바뀌었어."

찬재는 이다를 끌어안으면서 말했다.

"마음 바뀐 건 내가 아니라, 너야."

"뭐래."

이다는 아직 화가 가시지 않은 듯이 시큰둥하게 반응했다.

"전엔 내가 어떤 마음인지 신경도 안 쓰더니. 네가 변했네. 내 마음에 신경 쓰고, 화도 내 주고."

기뻐하는 찬재의 목소리에 이다는 눈을 찡그렸다.

"내가 변해서 좋은가 봐?"

"말도 못 하게 좋지."

"여기서 또 변하면 어떨 거 같아? 예전처럼, 네 마음 신경도 안 쓰게 되면 말이야."

"……그런 일은 없게 해야지."

찬재는 절대로 안 놔줄 듯 더 꽉 끌어안으면서 대답했다. 그렇지만 이다는 표정을 풀지 않았다.

"그럼 네가 안 변했다는 거, 네 마음 그대로라는 거, 내가 알 수 있게 설명해 봐."

허투루 넘어가 주지 않겠다는 듯이, 이다의 목소리는 단호하고 야무졌다.

"난 너한테 화가 난 게 아니었어. 그 제비 생각에 화가 났던 거지."

찬재는 운을 떼며 슬그머니 포옹을 풀었다. 그리고 이다의 눈을 보며 말을 이었다.

"네가 그 제비 데리고 왔을 때, 내가 얼마나 치가 떨렸는지 알아?"

"안 그래 보였는데……. 너 멀쩡했어. 자신 있고, 여유 있어 보였는데?"

"나 말고, 그 제비 모습 떠올려 봐."

"……."

"내가 그 꼴 참고 봐주다가, 아주 열반에 다다른 사람이야."

이를 악문 찬재 앞에서 이다는 뭐라 할 말이 떠오르지 않았다. 지금 생각해도 창피스러운 세시의 모습만이 머리를 가득 채운 탓이다.

그 요란한 패션하며, 주옥같은 막장 대사들하며…….

"너한테서 그 제비 떼어 놓으려면, 못 할 짓이 없었어."

"……."

"캐리어 넘겨주고, 두 번 다시 안 볼 생각하니 속이 다 시원했지."

"……."

"근데 그놈이 네 친구라니. 심지어 둘이 한집에서 살 정도로 가까운 사이라니. 열이 솟구쳐서 미치겠더라고."

다시 속에서 열이 올라 찬재는 이다가 마시던 물병을 집어 들었다. 벌컥벌컥 물을 마신 뒤에 하아, 깊은숨을 토해 냈다.

"그때 그 모습은 연기였어. 걔 진짜 모습은 안 그래. 그땐 나 때문에, 일부러 네가 싫어할 연기한 거지……. 그냥 그 모습은 지워. 아예 없던 일로 지워 버려."

이다는 미안한 마음으로 권유했다.

"머리로는 지워야지 하는데, 마음에서 안 지워져."

찬재는 고개를 젓다 멈추었다.

"그놈하고 아무 일도 없었다는 네 말 믿어. 둘이 그냥 친구였단 말도 믿어. 근데 그 자식은 못 믿겠어. 아니, 그냥 그 자식이 싫어. 그 자식이 네 근처에 있는 것도 싫어."

"……."

"그렇다고 네가 그 자식을 정리할 순 없겠지."

이다는 난감해져 아무 말도 할 수 없었다.

"알아. 정리해 달라는 거 아니야."

찬재는 이해한단 눈빛으로 고개를 끄덕였다.

"넌 친구를 정리할 수 없고. 난 그놈 싫어하는 마음을 정리할 수

없고. 지금 우리 상황 이렇다는 거, 설명한 것뿐이야. 너한테 화내
는 거 아니니까, 오해하지 말라고."

허심탄회한 고백에 이다는 잠시 생각에 잠겼다가 입을 열었다.

"알았어. 오해 안 해."

"그래."

"근데 사랑은 해."

"……뭐?"

"오해 안 해, 사랑해."

"뭐?!"

소스라치는 찬재의 입술로 이다는 돌진했다. 그와 입을 맞추고,
욕심껏 깊은 키스를 이끌어 갔다. 놀라 굳어 있던 그의 입술도 점
차 유연하게 움직였다.

이다는 한참 뒤에 입술을 떼고 눈을 마주쳤다.

"싫은 생각 그만하고, 나한테 집중해."

"……."

"내가 사랑하는 사람 생각을 해. 네가 싫어하는 사람 생각 말고."

"너, 정말 나 사랑해?"

찬재는 믿기지 않는 듯이 빤히 바라보며 물었다.

"그냥 갖고 싶은 마음, 아니었어?"

"그 마음 바뀌었어. 갖고 싶고, 사랑도 하는 걸로."

"……."

"내가 사랑하는 사람 너야. 나 너한테 집중할 테니까, 너도 나한
테 집중해."

이다는 찬재의 얼굴을 감싸 잡고 분명한 눈빛으로 말했다.

"우리 사이에 우리보다 중요한 사람은 없는 걸로 하자."

순간 모든 게 해결되는 듯했다. 다른 게 뭐가 중요한지, 알 수가 없어졌다.

이번에는 찬재가 이다의 입술을 삼켜 왔다. 커다란 오른손이 이다의 뒷머리를 감쌌다. 단단한 왼쪽 팔은 허리를 휘감았다.

어디 가지 못하도록 붙잡은 채 긴 키스를 이어 갔다.

이다는 감각에만 집중해 그와 함께 움직였다.

이윽고 찬재가 입술을 떼었을 때, 이다는 바닥에 붙어 있는 등을 느꼈다. 어느 틈에 자세를 바꾼 건지. 찬재는 이다를 눕혀 놓고 위에 올라 있었다.

"지금, 할까?"

열띤 눈빛으로 내려다보며, 찬재는 의미심장하게 물었다.

"해."

이다는 주저 없이 내뱉었다. 그러고는 곧장 찬재의 멱살을 잡아당겼다. 또다시 두 입술이 부딪쳤다.

짧게 입만 맞춘 다음 찬재는 얼른 티셔츠를 위로 벗었다. 시원스레 드러난 넓은 가슴에 이다가 손을 얹었다. 매만지는 손동작에 심장이 날뛰었지만, 찬재는 그녀의 손을 말리지 않았다. 대신 입을 맞추면서 그녀의 가슴을 움켜쥐었다.

부드러운 감촉에 심장이 터질 것만 같았다.

그래도, 터져도 좋을 것 같다.

찬재는 멈추지 않고 계속 움직였다. 손으로 살결을, 입술로 입술을 어루만졌다. 만질수록 뜨거워지는 자신을, 이다를 느꼈다.

감싸 쥐고 문지르는 손길에 이다는 신음했다. 전율하듯 짜릿하게 가슴속이 떨려 댔다.

아침인데. 맨바닥인데.

시간도 장소도 아무것도 중요하지 않았다. 아무것도……. 아무것도…….

잠시 후 찬재의 손이 이다의 티셔츠를 잡았다. 이다 역시 티셔츠를 잡았다. 누가 먼저랄 것 없이 두 사람의 손이 티셔츠를 벗겨 냈다.

그때, 저 멀리 현관에서 요란한 소리가 났다.

쾅! 쾅!

순간 둘은 귀를 의심하며 눈을 마주쳤다.

"뭐지?"

마치 대답하듯이 현관에서 다시 쾅! 쾅! 소리가 났다. 아무래도 현관문을 두드리는 소리 같았다. 여기까지 소리가 들려오다니, 현관까지의 거리를 생각하면 놀라운 일이었다.

"이 시간에 누구지?"

찬재는 눈을 찌푸리고 시계를 확인했다.

"아직 가사 도우미가 올 시간은 아닌데……."

"가사 도우미면 초인종을 누르지 않나?"

이다는 의아한 투로 물었다.

쾅, 쾅, 쾅, 쾅!

재촉하듯 소리가 빨라졌다. 어째 예사롭지 않은 분위기에 찬재는 깊이 한숨을 토해 냈다.

"넌 여기 있어. 내가 나가 볼게."

찬재는 마지못한 목소리로 말하고서 몸을 일으켰다. 그리고 벗어 뒀던 티셔츠를 집어 들고 현관으로 향했다. 이다는 성큼성큼 걸어

가는 찬재의 뒷모습을 눈으로 따라갔다. 떡 벌어진 어깨 아래 등이 화난 듯이 울룩불룩 근육을 드러냈다.

화났냐……. 나도 화났다.

이다는 두 눈썹이 모일 만큼 미간을 찌푸렸다. 그런 그녀를 모르는 채 찬재가 티셔츠를 입었다. 그는 그렇게 등을 가리고서 헬스 공간을 벗어났다.

"아……. 젠장……."

볼 수조차 없게 되자 이다는 짜증스레 혼잣말을 터뜨렸다.

* * *

찬재가 현관문을 열자마자 강 회장은 쩌렁쩌렁 고함을 질렀다.

"너 이놈의 자식! 이게 어디서 배워 먹은 버르장머리야!"

"이 새벽에 고성방가 중인 아버님께 배웠겠죠."

"뭐가 어째?!"

"아버지, 이 시간에 신혼집 들이닥치는 시아버지, 장르로 따지자면 막장이나 호러예요. 기어이 이러셔야 합니까?"

"나 오는 꼴 보기 싫었으면, 네놈이 애비 연락 개무시하지 말았어야지! 애비가 오라는데, 뭐? 됐습니다? 우리 일은 우리가 알아서 해?!"

펄펄 뛰는 강 회장의 모습에 찬재는 한숨을 쉬었다.

이 흥분이 가라앉으려면 3일은 족히 걸릴 거다.

찬재는 30여 년의 경험을 바탕으로 결론 내렸다.

"여기서 이러지 마시고, 차에 가서 얘기하시죠."

서이다가 들으면 곤란한 얘기니까. 찬재는 강 회장을 안으로 들이는 대신 자신이 문밖으로 발을 내밀었다. 그러나 그때, 이다의 목소리가 들렸다.

"아버님이세요?"

찬재는 발을 멈칫하고 뒤를 돌아봤다. 티셔츠에 겉옷을 걸쳐 입은 이다가 등 뒤에 서 있었다.

"오냐, 그래! 아버님이다!"

소리치는 강 회장을 향해 이다는 담담하게 허리 숙여 인사했다. 그리고 찬재를 향해 말했다.

"뭐 해요? 아버님 안으로 모시지 않고."

"당신은 신경 쓸 일 아니니까, 들어가 있어."

대답하며 찬재는 이다와 강 회장 사이를 몸으로 가로막았다.

"뭐 이 자식아?!"

찬재의 몸이 강 회장의 소리까지 막을 수는 없었다.

"이게 다 누구 때문에 생긴 일인데! 누구더러 신경 쓸 일 아니라는 게야?!"

그 누구, 나인 것 같은데?

예사롭지 않은 발언에 이다는 찬재의 허리를 잡았다. 그리고 옆으로 휙 떠밀고서 강 회장의 얼굴을 마주했다.

"들어오세요, 아버님."

"야, 너……!"

찬재는 다시 앞을 막으려고 들었다. 그러나 이다는 금세 팔을 뻗어 찬재의 가슴을 막아 세웠다. 그리고 강 회장을 향해 살짝 미소를 띤 얼굴로 친절하게 말했다.

"이 사람 신경 쓰지 마시고, 안에서 편히 말씀하세요."

단박에 제압당한 찬재를 바라보며, 강 회장은 어째 복잡 미묘해진 표정이었다.

이다와 찬재는 거실 소파에 나란히 앉았다. 그들의 대각선에 놓인 소파에서 강 회장은 심기 불편한 얼굴로 헛기침을 했다.

"혜주, 너. 어제 검찰 조사 받았다면서?"

"예."

"조사 마치고 내가 보잔다는 얘기, 못 들었냐?"

"그러셨어요? 전 처음 듣는 얘기인데……."

이다는 넌지시 찬재에게 시선을 보냈다.

"들을 필요 없는 얘기였어."

찬재는 당당하게 이다의 눈을 보며 대답했다.

"뭐야?!"

"아버님은 하실 필요가 있는 얘기이셨겠지."

이다는 찬재에게 대꾸하고서 강 회장에게로 고개를 돌렸다. 그리고 살짝 고개 숙여 사과를 전했다.

"어제 찾아뵙지 못해 죄송합니다. 심려 끼쳐 드려 더욱 죄송한 마음입니다."

"내가 어제, 네놈들 괘씸해서 밤잠을 다 설쳤다!"

이다의 사과에도 아랑곳하지 않고, 강 회장은 펄펄 열을 올렸다.

"아니, 찬재 저놈이 안 알려 줬다 해도! 이런 일이 생겼으면, 마땅히 네가 먼저 움직여야 할 것 아니냐! 내가 찾기 전에, 네가 먼저 찾아와서 사죄를 하든 변명을 하든! 그게 며느리 도리 아니냐!"

"검찰 조사가 처음이라, 경황이 없었습니다. 너무 놀라기도 했고. 이 일을 어떻게 해결해야 할지, 그 생각에 정신이 팔려서 아버님 생각 미처 못 했습니다. 정말 죄송하고, 다음엔 이런 일 없도록 하겠습니다."

이다는 다시금 고개 숙여 사과했다. 깍듯하고 깔끔한 사과에 강 회장은 왜인지 말문이 막혀 잠시 헛기침을 했다. 찬재는 어째 잠잠해진 강 회장을 신기한 눈으로 봤다. 그런 찬재와 시선이 마주치자, 강 회장은 퍼뜩 다시 열을 올렸다.

"어찌 됐든! 너희 둘! 이혼할 준비나 하도록 해!"

강 회장의 으름장에 찬재는 오만상을 찌푸렸다.

"갑자기 이혼은 무슨 이혼입니까?"

강 회장은 찬재의 질문을 무시하고 이다에게 눈총을 쏘았다.

"내가 사람을 잘못 봐도 한참 잘못 봤지. 우리 집안에, 약쟁이 며느리라니!"

"약쟁이 아닙니다."

찬재는 단호하게 반박했다.

엄밀히 따지자면 며느리도 아니지만…….

이다는 속으로 덧붙이며 쓴 입맛을 다셨다.

"아직 검사 결과도 안 났는데, 말씀이 지나치시네요."

"둘이 찍힌 CCTV 있다면서!"

"그건 둘이 같이 있었다는 기록일 뿐이죠. 그거, 이 사람이 마약했단 증거는 안 됩니다."

"안 했다는 증거는! 그 증거는 어딨는데?!"

강 회장의 호통에 이번에는 이다가 찬재보다 먼저 입을 열었다.

"열흘이면 그 증거, 보여 드릴 수 있습니다. 검사 결과는 그때 나올 거고, 제 결과는 뻔하니까요."

"검사 결과, 장담할 수 있단 얘기냐?"

"장담할 수 있습니다. 전 단 한 번도 마약에 손댄 적이 없으니까요."

이다는 침착하게 대답했다.

"그래? 오냐, 그건 열흘 기다려 주마! 대신 이건 당장 대답해 봐!"

분을 못 이긴 듯 강 회장은 벌떡 일어서서 호통을 이어 갔다.

"네가 왜 그 CCTV에 찍혔는지! 네 오빠라는 녀석하고, 대체 거기서 뭘 했는지!"

"……."

"대체 네 오빠하고, 무슨 사이길래 그따위 영상이 찍혀!"

어떻게 그걸 아시는 건지…….

이다는 잠시 말문이 막혔다. CCTV 속 최혜주는 내가 아니라고, 강 회장에게 말할 수는 없는 노릇이었다.

그럼 어쩐다…….

고민에 빠지려는데, 옆에서 찬재가 불쑥 말을 내뱉었다.

"취하면 그럴 수도 있지."

이다와 강 회장의 시선이 한곳으로, 찬재에게로 모여들었다.

"취했을 땐 부모도 몰라보는 게 인간인데. 아주 인간적인 모습 찍힌 거죠. 오빠도 몰라보고."

찬재는 대수롭지 않단 투로 뻔뻔하게 어깨를 으쓱해 보였다.

"너 지금 취했냐?! 취했어?!"

강 회장은 찬재를 향해 삿대질했다.

"이게 무슨 부모 몰라보는 개 짖는 소리야?!"

"오……."

이런 변명은 생각도 못 했는데. 이다는 감탄하는 눈빛으로 찬재를 바라보며 소리 냈다.

"결혼 전에 술 먹고 실수 좀 한 겁니다. 별일 아니니까, 모르는 척 넘어가 주시죠. 인간적으로."

찬재는 딱 부러지게 당부한 뒤, 이다를 향해 고개 돌렸다. 그리고 믿음직한 얼굴로 엄지를 척 들어 보였다. 그 모습에 이다는 입꼬리가 올라갔다.

그런 그들 모습에, 강 회장은 혈압이 뻗쳐올랐다.

"야, 이……!"

강 회장이 큰소리를 치려는 찰나, 현관에서 초인종이 울렸다. 강 회장은 멈칫 말을 삼켰다.

"도우미분들 오신 모양이네요."

찬재는 몸을 일으키며 말했다.

"어떻게, 남들 보는 앞에서 계속하시겠습니까?"

강 회장은 잔뜩 얼굴을 찌푸리며 찬재를 노려봤다. 그러나 곧 어쩔 수 없단 투로 어휴, 거친 숨을 토했다.

찬재와 이다는 현관에서 가사 도우미들을 맞이하는 한편, 강 회장을 배웅했다. 그런 다음 나란히 침실로 들어섰을 때, 찬재는 깊은 한숨을 내쉬었다.

"자식이 웬수가 아니라, 아버지가 웬수다······."

"저렇게 나한테 화내시는 건 당연해. 난 이해가 돼."

"그거 이해 못 해서가 아니야."

"그럼?"

찬재는 또다시 한숨을 내쉬었다. 그러면서 눈으로는 이다의 가슴을 안타깝게 쳐다봤다.

"다 된 베드 신이었는데. 왜 하필 그 타이밍에 전원을 끄시냐고."

"채널을 돌리신 거지. 에로에서 막장으로."

이다는 무덤덤하게 말하며 침대로 걸어갔다.

"그나저나 이대로는 안 되겠어. 최혜주, 만나서 교통정리를 해야겠어."

이다가 덧붙이고 침대에 앉자, 찬재는 바로 앞에 마주 서서 허리 숙여 이다의 코앞에 얼굴을 마주했다.

"다시 채널 돌릴까?"

유혹하는 찬재의 눈빛에 이다는 마음이 솔깃했다. 그러나 이내 정신을 다잡았다.

"그 베드 신, 10분으로 끝내려고?"

"그럴 리가 있겠어?"

"나도 10분으로 끝낼 생각 없으니까. 베드 신은 퇴근하고 다시 틀어. 지금은 샤워하고 출근 준비해야지."

"아, 젠장······. 왜 오늘은 일요일이 아닌 거지?"

찬재는 오만상을 찌푸렸다.

"아쉬우면, 샤워라도 같이할까?"

이다의 제안에 찬재는 화들짝 뒷걸음을 쳤다.

"뭐, 뭐?"

"피차 샤워는 해야 하잖아. 이왕 할 거 같이하지, 뭐."

이다는 몸을 일으켜 찬재에게 다가갔다. 찬재는 뒤로 물러나며 외쳤다.

"야, 그건 아니지!"

"왜 아니야?"

"그게 더 괴롭거든?"

"왜?"

"야, 보기만 하고, 섞지는 못하는 게 훨씬 괴로워!"

찬재는 새빨개진 얼굴로 쩌렁쩌렁 힘껏 소리쳤다.

"아……. 그래?"

이다는 멈춰 서서 의아한 듯 물었다.

"너는! 진짜 남자 마음을 몰라! 마음도 모르고, 몸도 몰라!"

버럭 외치고서 찬재는 욕실로 쿵쿵 달려갔다. 이다는 그의 뒷모습을 바라보다 중얼거렸다.

"혈기는 유전이야. 아버님 쪽 유전. 확실해."

* * *

서재 책상에 홀로 앉은 이다는 오른손으로 최혜주의 이름을 노트에 적었다. 왼손이 쥔 휴대 전화는 귀에 붙어 있었다. 이다는 최혜주의 이름 옆에 최서한의 이름을 적어 갔다. 그사이 휴대 전화에서 찬재의 목소리가 흘러나왔다.

[근데 최혜주는 만나서 뭘 하려고?]

"만나서 얘기해 봐야지. 내가 자기 자리 대신하다가, 자기 남편하고 눈 맞은 상황인데. 이 변수를 어떻게 정리해야 할지, 얘기 좀 해 봐야겠어."

[만날 방법은 있고?]

이다는 노트에 적힌 최서한의 이름을 주시했다.

"최서한은 알고 있겠지. 지금 최혜주가 어디 있는지."

최서한의 이름에 밑줄을 그은 다음, 이다는 조금 떨어진 곳에 최 회장의 이름을 적었다.

[최서한한테 직접 물어볼 생각이야?]

이다는 두 이름 사이에다 펜을 세워 두고, 긴가민가한 눈빛으로 두 이름을 번갈아 봤다.

"글쎄……."

최 회장은 어떤 입장일까? 최서한이 최혜주의 행방을 알고 있다는 걸, 그도 이제 알았을 텐데. 최혜주가 어디 있는지. 최 회장은 최서한에게 물었을까?

이다는 잠시 생각하다 입을 열었다.

"우선 윤 비서한테 물어봐야지. 최서한이 지금 어쩌고 있는지. 최혜주와 그런 영상이 찍힌 일, 뭐라고 변명했는지."

[윤 비서?]

"지금 여기로 오고 있을 거야."

이다의 대답이 떨어지자 때마침 노크 소리가 났다.

"아, 도착했나 보네. 일단 끊을게. 이따 다시 얘기해."

[그래, 이따 봐.]

간단한 인사를 끝으로 이다는 전화를 끊었다. 그리고 노트를 덮었다.

"들어오세요."

이다는 문을 향해 말했다. 그러자 문이 열리면서 윤 비서가 안으로 들어섰다.

윤 비서가 떠난 후, 이다는 찬재에게 전화를 걸었지만 찬재는 전화를 받지 않았다.

이다는 그에게서 전화가 걸려 오길 기다리며, 침실 침대에 누워 윤 비서의 말을 곱씹었다. 그러다가 솔솔 밀려오는 잠기운에 눈을 감았다.

대체 얼마나 잠이 들어 있었는지. 눈을 뜨자 바로 앞에 찬재가 보였다. 찬재는 침대에 걸터앉은 채 이다를 내려다보고 있었다. 머리를 쓰다듬는 그의 손길이 다정하고 따뜻했다.

"최서한이 면회를 거부하고 있대."

이다는 벼르고 있던 말을 바로 내뱉었다.

"변호사 외에 어떤 사람과도 만나 주지 않는다고. 그래서 아무 말도 못 들었대. 윤 비서 말이."

"아깐 너무 바빠서 전활 못 받았어. 이 얘기해 주려고 전화했던 거야?"

"응. 아무래도 수상하지?"

이다는 몸을 일으켜 앉았다. 그리고 눈살을 찌푸리며 덧붙였다.

"꼭 뭔가 숨기는 사람 같잖아."

"그러네."

"최혜주하고 분명 뭔가 있어. 그걸 최 회장한테도 숨기는 것 같은데……. 뭐, 이건 확실치 않지만."

"그건 왜 확실치가 않지?"

"최 회장이 윤 비서 몰래 최서한을 만나는지도 모르니까. 아니면 윤 비서가 나한테 거짓말을 하는지도 모르고."

"윤 비서 말이 진짜인지, 내가 알아볼게."

"근데 만약 진짜면……. 난 최서한한테서 어떤 말도 들을 수 없는 건가? 최혜주에 관해서."

이다는 걱정되는 표정으로 말했다. 그러자 찬재는 걱정하지 말라는 듯 이다의 어깨를 끌어안았다.

"이런 일로 구치소에 평생 있진 않아. 특히 최서한 같은 재벌은. 아마 조만간 풀려날걸."

"풀려나?"

"최 회장이 어떻게든 풀려나게 처리할 거야. 돈을 쓰든 빽을 쓰든. 둘 다를 쓰든. 최서한이 풀려나면, 그때 가서 물어보도록 해."

"마약 검사 결과 나오면, 최서한은 유죄 확정일 텐데. 그런데도 풀려날까?"

"유죄여도 풀려나. 대한민국 법은 그래. 있는 놈한테 쉬운 법이지."

찬재의 어깨 위에서 이다는 턱을 기댄 채 쓴 입맛을 삼켰다. 그리고 한숨을 쉬었다.

"최혜주 만나는 건, 최서한 풀려나기 전엔 어렵겠네."

"아무래도 그렇겠지."

찬재는 슬그머니 포옹을 풀고 이다와 얼굴을 마주했다.

"그때까진 잊고 있어. 어쩔 수 없잖아."

"……."

"그러니까 지금은 채널 돌리자."

"뭐?"

"퇴근하면 에로 채널 틀기로 했었잖아. 지금 이건 미스터리 채널
인데. 채널 돌려야 에로가 가능하지 않겠어?"

찬재는 의욕에 찬 눈을 빛냈다. 그때 이다의 배에서 소리가 났
다. 대답처럼, 꼬르륵.

"……먹방부터 틀어야겠는데."

이다는 자신의 배를 내려다보며 말했다.

도우미들을 일찍 퇴근시킨 후, 두 사람은 식탁에 마주 앉았다.
수저를 든 찬재는 누가 쫓아오기라도 하는 것처럼 빨리 식사를 해
나갔다. 이다는 몇 숟갈로 배를 채운 다음 질문을 건넸다.

"너희 아버지 말이야. 정말 최혜주랑 너, 이혼시킬 생각이실까?"

"상황 봐서, 아마도."

"원래 이 결혼, 회사 차원에서 중요한 결혼 아니었나? 이혼하면
절대 안 된다고 하실 분 같았는데."

"그러니까 상황 봐서지. 이 결혼 유지해서 손해 볼 상황이면, 차
라리 이혼을 택하실 거야."

찬재는 남 얘기하듯 무감각한 투로 말했다.

"최혜주가 진짜 마약을 했을 경우, 상황이 그렇게 돼?"

"며느리가 진짜 마약을 했다는 게 세상에 알려질 경우, 그렇게

돼. 그리고 사돈인 SJ가 둘째 아들 마약 사건을 깔끔하게 처리 못할 경우. 여론이 악화되고 기업 이미지가 추락하면, 사돈 관계 끊는 편이 낫다고 생각하시겠지."

"계산 칼 같으시네."

이다는 중얼거리면서 조용히 생각에 잠겼다. 그러자 얼마 안 가 찬재의 목소리가 들렸다.

"이다야."

이름 부르니까 좋네.

생각하며 이다는 찬재와 눈을 마주쳤다.

"밥 좀 빨리 먹자."

찬재는 저돌적인 눈빛으로 당부했다. 그리고 커다랗게 밥 한술을 떠서 입에 넣었다. 우걱우걱 그의 턱이 아주 빨리 움직였다.

* * *

부랴부랴 식사를 먼저 마친 찬재가 자리에서 일어났다.

"준비하고 있을 테니까, 준비하고 와."

찬재는 의미심장하게 말하고서 성큼성큼 침실로 향했다.

어지간히 급한 모양이네.

생각하며 이다는 밥이 남아 있는 밥그릇에 국을 들이부었다. 그리고 밥그릇을 들어 입에 대고 후루룩, 국밥을 마시다시피 빨리빨리 먹어 치웠다.

이다는 금세 깨끗이 비운 밥그릇을 치우고, 바깥 욕실로 이동했다. 국밥 먹던 속도만큼이나 발걸음도 빨랐다.

마파람에 게 눈 감추듯이 양치질을 마친 다음, 이다는 세면대 거울을 바라보며 혼잣말했다.

"준비 끝."

무덤덤한 얼굴이었지만, 심장은 마구 뛰어 대고 있었다. 마치 귓가에서 뛰는 것처럼, 쿵쿵 심장 소리가 크게 느껴졌다.

샤워가 이렇게나 빨리 끝날 수도 있나?

찬재는 내심 놀라워하며 욕실을 나섰다. 구석구석 온몸을 깨끗이 씻었건만, 시간은 고작 10분만 지나 있었다.

샤워 가운 차림으로 침대에 걸터앉자, 시계 초침처럼 콩닥콩닥 가슴이 뛰는 게 느껴졌다. 물기 젖은 몸과 달리 속은 바싹 마르는 기분이었다. 찬재는 가슴에 손을 얹고 뜨거운 숨을 내쉬었다.

"물이라도 마셔야 하나……."

중얼거리는데, 침실 문이 덜컥 열렸다. 순간 찬재는 몸을 일으켰다. 안으로 걸어 들어오는 이다를 향해 그도 걸어갔다. 그녀보다 다급하게, 넓은 보폭으로.

서로 발끝이 닿을 만큼 가까워지자 찬재는 곧장 입을 맞추었다. 마른 속을 적셔 주는 물인 것처럼, 이다의 혀를 삼키고 숨을 마셨다.

마주 닿은 두 입술이 움직이는 사이, 둘의 다리는 자연스레 침대로 이동했다. 발등에 불이라도 떨어진 것처럼 빠르게.

침대에 다다르자 찬재는 잠시 키스를 멈추었다. 입술을 살짝 떼어 내고 이다의 눈을 바라봤다.

"사랑해서 하는 거야. 알지?"

그러나 이다의 시선은 아래로, 찬재의 허리로 향해 있었다.

"알지, 알아."

이다는 대충 대답하며 찬재의 허리에서 샤워 가운 리본을 풀어헤쳤다. 그리고 앞섶을 잡아 홀렁 벗겨 냈다. 순식간에 샤워 가운이 바닥으로 떨어졌다.

"너만 알지 말고, 나도 좀 알자."

부탁하듯 말하면서 찬재는 이다의 얼굴을 감싸 잡았다. 그리고 눈높이를 맞추려고 이다의 턱을 살짝 들었다. 그러자 이다는 찬재의 눈을 빤히 보며 제 셔츠의 단추를 풀어 갔다.

"그걸 꼭 말로 해야 알아?"

이다는 자신만만한 눈으로 물었다. 툭, 툭 단추를 벗기는 손길이 거침없었다. 벌어지는 셔츠 틈새로 찬재의 시선이 꽂혔다. 점점 드러나는 하얀 속살에 찬재는 머릿속이 하얘졌다.

"사랑해서 하는 기분, 느껴 그냥. 말보다 그게 더 확실해."

장담한 뒤 이다는 보란 듯이 셔츠를 바닥으로 떨어뜨렸다. 그러자 찬재는 손을 뻗어 브래지어 후크를 풀었다. 이어 온전히 드러난 봉긋한 가슴에 입술을 내렸다.

바지를 벗으려던 이다는 움찔했다. 덥석 예민한 곳을 삼킨 뜨거운 입술에 온몸이 찌릿했다. 입술이 삼킨 곳을 혀가 문지르자 이다는 신음을 터뜨렸다. 찬재는 이다의 허리를 안아 자연스레 침대에 앉혔다. 그리고 그녀 앞에 무릎을 꿇고 앉았다.

"공평한 거 좋아하는 서이다 씨. 이건 내가 할 차례 같은데?"

찬재는 이다를 올려다보며 부드럽게 입꼬리를 올렸다. 이어 찬재의 손이 이다의 바지 지퍼를 내렸다.

"공평하게 서로 벗기자는 얘긴가?"

이다는 훤히 드러난 찬재의 가슴을 바라보며 말했다.

"그래야지, 공평하게."

대답하며 찬재는 이다의 허리에서부터 스르르 바지를 벗겼다.

"사랑해서 하는 기분, 그것도 공평하게 느끼자고. 서로, 같이, 말보다 더 확실하게."

눈을 보며 덧붙인 뒤, 찬재는 이다의 입술에 입술을 포개었다.

이다는 눈을 감고 함께 움직였다. 찬재가 몸을 끌어안자 이다는 그의 목을 껴안았다. 두 가슴을 포갠 채로 함께 침대 위로 미끄러졌다. 자연스레 침대 시트에 머리가 닿는 순간, 베개처럼 뒷머리를 감싼 찬재의 손이 느껴졌다. 사소한 배려에 뭉클해져서 이다는 그를 더욱 꽉 안아 줬다.

서로 살을 맞붙인 채 둘은 점점 뜨거워져 갔다.

한없이, 말없이. 말보다 더 확실하게, 감정이 느껴지게.

('로맨스가 가능해?' 2권에서 계속)

로맨스가 가능해? 1

1판 1쇄 발행 2018년 12월 27일
1판 2쇄 발행 2020년 5월 29일

지은이 송정원
펴낸이 신현호
편집부장 예숙영
책임편집 최은지
편집디자인 한방울
영업·관리 김민원 조은걸 조인희
물류 이순우 최준혁 박찬수

펴낸곳 ㈜디앤씨미디어
출판등록 2002년 5월 1일 제117-90-51792호
주소 서울시 구로구 디지털로 26길 111 JnK디지털타워 503호
대표전화 (02)333-2513 팩스 (02)333-2514
전자우편 dncbooks@dncmedia.co.kr
디앤씨북스 블로그 http://blog.naver.com/dncbooks

ISBN 979-11-264-4534-9 04810
ISBN 979-11-264-4533-2 (SET)